FEMMES TROUBADOURS

DE DIEU

TEMOINS DE NOTRE HISTOIRE

Femmes Troubadours
de Dieu

par
G. Epiney-Burgard et E. Zum Brunn

EDITIONS BREPOLS

TEMOINS DE NOTRE HISTOIRE

BV
5077
, E85
E62
1988

© 1988 – S.A. BREPOLS I.G.P.
Imprimé en Belgique
D/1988/0095/19
ISBN 2-503-50011-0
Tous droits de traduction, d'adaptation et de
reproduction (intégrales ou partielles) par tous
procédés réservés pour tous pays.

Introduction

L'ABBESSE ET LES BEGUINES

Comment montrer brièvement ce qui apparente l'abbesse bénédictine Hildegarde de Bingen, qui appartient encore au haut moyen âge et, moins d'un siècle plus tard, les béguines Hadewijch d'Anvers, Mechthilde de Magdebourg, Marguerite Porete, du Hainaut, ainsi que la prieure cistercienne Béatrice de Nazareth, élevée chez les béguines et partageant leur spiritualité? Ce qui fait leur parenté profonde est bien mis en évidence par certains textes de l'époque, tel ce témoignage de 1158 concernant Hildegarde et sa contemporaine, Elisabeth de Schönau, appartenant aussi à l'ordre bénédictin:

> "En ces jours-là, Dieu manifesta sa puissance par
> l'intermédiaire du sexe faible, en ces servantes qu'il emplit de
> l'esprit prophétique." [1]

Si, après ces grandes moniales dont l'action demeure encore isolée, nous considérons le mouvement des béguines au moment de sa ferveur la plus intense, c'est-à-dire au milieu du treizième siècle, voici ce qu'écrit à leur sujet le Franciscain Lamprecht de Regensbourg, dans *La Fille de Sion* [2], sa grande œuvre poétique, écrite vers 1250:

> "Voici que, de nos jours
> En Brabant et en Bavière

5

L'art a pris naissance chez les femmes.
Seigneur Dieu, qu'est-ce que cet art
Grâce auquel une vieille femme
Comprend mieux qu'un homme d'esprit?"[3]

Lamprecht s'étonne de ce que ces femmes, les béguines, possèdent "l'art" (*kunst*) de comprendre et d'exprimer les réalités spirituelles mieux que des hommes doués et instruits des choses de l'esprit. Il cherche à expliquer cela, de façon qui touche juste, par la constitution psychologique de la femme:

"Il me semble que c'est ainsi
Qu'une femme devient bonne envers Dieu:
Dans la simplicité de sa compréhension,
Son cœur doux, son esprit plus faible
Sont plus vite allumés au-dedans d'elle,
De telle sorte qu'en son désir elle comprend mieux
La sagesse qui émane du ciel
Que ne le fait un homme dur
Qui est gauche en cela."[3]

Cette inspiration directe de l'Esprit est ce qui rapproche foncièrement Hildegarde et nos béguines. Telle était la seule compétence dans le domaine du sacré qui fût alors, en certains cas privilégiés, reconnue aux femmes. Et pourtant, en dépit de ce que semble dire Lamprecht, et parfois de leurs propres dénégations, nous verrons que les femmes dont il sera question ici possédaient une solide culture théologique et métaphysique. L'originalité et la force de nos moniales et de nos béguines consistent en la parfaite intégration de leur doctrine à leur expérience spirituelle. Elles se situent par là à l'opposé des docteurs scolastiques, comme l'a noté Dom Porion à propos de Béatrice et de Hadewijch. Nos béguines furent parfois saluées du titre de "maîtresses", employé pour souligner l'aspect inspiré de leur enseignement, et qui rappelle celui de "maître à vivre" (*Lebemeister*) qu'Eckhart aimait à mettre au-dessus de celui de maître ou lecteur ès Ecritures (*Lesemeister*). Telle est l'opposition dont témoigne l'apocryphe longtemps attribué au Maître rhénan, *Also sprach schwester katrei* (*Ainsi parla Sœur*

Catherine)⁴, entre une sœur parvenue au sommet de l'union et son confesseur qui la fait souffrir de sa direction incompétente. Il finira par comprendre qu'elle est "devenue Dieu", et cherchera à la suivre là où il avait la prétention de la guider. Mais il faut bien voir que le contraste n'est pas tant entre la doctrine et la vie qu'entre une doctrine qui demeure cantonnée au niveau de l'intellect, et une doctrine réellement vécue. Cette dernière permet de s'élever à une connaissance d'ordre supérieur, non plus théorique seulement, mais constitutive d'être. Telle est la signification des sept degrés, états ou *êtres* de la vie spirituelle selon Béatrice de Nazareth et Marguerite Porete qui, dans certains des manuscrits de son *Miroir des Simples Ames*, est appelée "béguine clergeresse" tandis que Jean de Leeuwen, le disciple bien-aimé de Ruusbroec, désigne Hadewijch comme une "maîtresse". Plus éclatante encore est la reconnaissance de ce don d'inspiration sacrée dans le cas de Hildegarde, appelée la sibylle ou la prophétesse du Rhin. Citons à son sujet la déclaration faite par un prémontré de Toul, après avoir lu la réponse de Hildegarde à Guibert de Gembloux qui l'avait interrogée sur ses visions :

> "Les subtils maîtres français sont incapables de telles réalisations ... Cœur sec et joues gonflées, ils se perdent en grands cris, en analyses et en disputes ... Mais cette femme divine n'accentue que l'essentiel, l'honneur de la Trinité. Elle puise à sa plénitude intérieure et elle la déverse, afin d'étancher la soif des assoiffés."⁵

Il n'en demeure pas moins que si les écrits de ces femmes ont étonné leurs contemporains, et nous étonnent encore, c'est aussi parce qu'ils sont enracinés dans un fonds de solides connaissances. L'œuvre quasi encyclopédique de Hildegard, cloîtrée dès l'âge de sept ou huit ans, en témoigne suffisamment. A l'époque féodale, les femmes de la noblesse faisaient des études très poussées, quasiment à l'égal de leurs frères. Et au siècle suivant, les béguines dont nous traitons ici, ainsi que Béatrice, apparemment toutes de classe aisée, sont dotées d'une forte culture tant littéraire que spirituelle.

Si important que soit, on le verra, l'aspect littéraire de leurs écrits, l'œuvre principale de ces femmes consista à réformer l'Eglise rongée par les schismes, la sclérose, la simonie, le dessèchement intellectuel, et à instaurer de nouvelles formes de vie chrétienne. La première de ces tâches, de réformation, fut de façon plus spécifique celle de Hildegarde; la seconde, de renouvellement et même d'innovation, celle qui caractérisa le mouvement béguinal. En effet, à partir du treizième siècle, les grands courants spirituels ne visent pas seulement à restaurer, mais à innover. Les mots de *nouveauté* et de *liberté* sont leurs principaux leitmotivs, accompagnés de celui de *pauvreté*: cet esprit de pauvreté évangélique qu'on oppose, de diverses manières, à la corruption et à l'esprit de lucre qui sévissent surtout dans le haut clergé. Le public moderne a pu saisir l'importance de cet enjeu, et de la lutte menée à ce sujet à l'intérieur même de l'Eglise entre les diverses tendances, orthodoxes et hétérodoxes, dans le beau livre d'Umberto Eco, *Le Nom de la Rose*[6]. Les mêmes eaux se divisent, à un moment ou à un autre, parfois pour des raisons dogmatiquement justifiées, parfois pour des raisons purement politiques.

AFFINITES ET DIFFERENCES

Après avoir indiqué la parenté d'esprit qui relie entre elles les femmes avec qui nous cherchons à faire connaissance dans ces pages, il nous faut maintenant procéder avec davantage de nuances, afin de scruter plus profondément leur affinités, mais aussi pour noter ce qui différencie l'abbesse bénédictine de nos béguines et de Béatrice. En effet ces dernières appartiennent à un courant spirituel postérieur, auquel on a donné le nom de mystique rhéno-flamande. Cette mystique s'est développée dans la mouvance de saint Bernard – le fondateur de l'Ordre cistercien au douzième siècle – et surtout de son ami et disciple, Guillaume, abbé de Saint-Thierry, originaire de Liège, et s'est répandue aux treizième et quatorzième siècles, d'abord en Flandre puis le long du Rhin et au-delà. (N'oublions pas que l'Ordre cistercien, auquel nos béguines se rattachent spirituellement, et auquel Béatrice appartient, est une réforme de l'Ordre de saint Benoît axé sur l'idéal de pauvreté). Quoique Hildegarde ait eu des liens très étroits avec les spirituels flamands, en particulier avec l'abbaye cistercienne de Villers en Brabant – dont les moines observeront avec sympathie, au siècle suivant, le mouvement béguinal – elle-même n'est pas une représentante de la mystique rhéno-flamande, tandis que nos béguines et Béatrice en sont les mères quelque peu oubliées. Sans elles et sans leurs sœurs plus modestes qui ne l'ont pas exprimée littérairement mais qui l'ont vécue, on peut bien assurer que ni la mystique de Maître Eckhart ni celle de Ruusbroec l'Admirable n'auraient été ce qu'elles sont. Ils ont mis en forme et élaboré théologiquement un type d'expérience qui n'était pas exclusivement la leur, mais qui avait été d'abord vécue par ces femmes, dans leurs béguinages ou leurs couvents.

Le terme de mystique lui-même demande à être compris en des sens assez différents selon qu'il s'agit de Hildegarde ou des mystiques rhéno-flamandes, en raison du changement des mentalités et des perspectives qui caractérise le passage du haut moyen âge au treizième et au quatorzième siècles. L'abbesse bénédictine appartient à une époque de globalité encore indissociée : elle est tout ensemble naturaliste, médecin, poète, musicienne, théologienne. Ses visions intègrent l'histoire naturelle et l'histoire sainte, la cosmologie et l'eschatologie. Nos béguines et Béatrice, en revanche, sont déjà marquées par les distinctions qui s'introduisent dans la religion entre les perspectives philosophique, théologique et mystique. La mystique, entendue au sens moderne du terme, devait trouver ses plus grands docteurs au quinzième siècle : Jean Gerson [7] et Henri Herp [8]. Tous deux la situent dans le domaine de l'expérience. Sans oublier que Hadewijch et Mechthilde sont des cas intermédiaires, faisant le pont entre les deux époques et les deux conceptions, on peut considérer nos béguines, révérence gardée, comme des "spécialistes" de l'expérience mystique. Leur but ultime est de se transcender et de se fondre en Dieu dans une union qui exclut tout intermédiaire (*sine medio*). D'où une tendance à minimiser la nécessité du recours à la hiérarchie ecclésiastique, et à réduire l'exercice des vertus morales à la condition d'un stade préliminaire et imparfait dont l'âme libérée prend congé sans formalités , selon une nouvelle version du fameux précepte augustinien : "Aime et fais ce que tu veux". A la limite elle n'a plus besoin de Dieu lui-même dans la mesure où ce besoin implique encore extériorité et dualité, puisque, identifiée à lui, elle est devenue "ce qu'il est" [9]. Et pourtant ces mystiques ne rejettent pas l'aspect humain de l'Incarnation. Pour Hadewijch, avant de prétendre à être "Dieu avec

Dieu", l'âme doit passer, avec Marie, par toutes les étapes de la maternité divine. Et Marguerite Porete, qui décrit en un langage très métaphysique la fusion de l'âme avec Dieu, n'en a pas moins écrit un texte où l'on a pu voir l'annonce du "Mystère de Jésus" de Blaise Pascal. En effet, les béguines paraissent avoir été, dans leur grande majorité, parfaitement orthodoxes, constituant, particulièrement en Flandre où le mouvement prit son origine autour de Marie d'Oignies, un rempart à la fois contre la corruption intérieure à l'Eglise et contre l'hérésie. Donnons la parole sur ce sujet à Dom Porion, l'un de ceux qui les ont le mieux comprises et aimées :

"Un esprit souffle, de ferveur et de rajeunissement, qui brise les conventions et cherche l'immédiat, le réel en plusieurs domaines. Béguins et béguines se dévouent aux pauvres et aux malades, on trouve la trace jusqu'à nos jours de leurs initiatives charitables à cet égard ; ils suscitent et répandent la dévotion au Saint-Sacrement ; certaines des pieuses femmes illustrent, dans leur personne même, par des stigmates visibles, l'union qu'elles réalisent avec l'Humanité du Christ. Outre les extases et les visions, il n'est pas sans intérêt de noter les comportements que les biographes ont relevé chez des femmes privées de leur contrôle par l'intensité du goût spirituel ; rires, battements de mains, voltes et danses : ces expressions d'une joie irrésistible figurent dans la vie de sainte Lutgarde, de Béatrice, de Christine l'Admirable et d'autres encore [...] Mais le trait le plus digne d'attention reste celui que nous avons signalé chez nos auteurs : l'orientation intérieure, l'élan qui pousse l'âme à se dépasser pour se perdre dans la simplicité de l'Etre divin, distingue celles de nos saintes dont la figure est le mieux dessinée par les documents et les témoignages. Marie d'Oignies, Lutgarde de Tongres, Yvette de Huy, Béatrice et Hadewijch plongent le regard dans l'Essence divine, attestant qu'elle est visible à l'œil intérieur s'il retrouve sa nudité originelle. C'est à cause de ce témoignage que leur nom doit être conservé et leur voix transmise : audacieuses bienheureuses qui nous rappellent pourquoi nous sommes nés." [10]

Certains prélats – tel le cardinal Jacques de Vitry (1170-1240) dont Marie d'Oignies fut l'inspiratrice, et qui est encore connu pour son œuvre historique[11] – surent apprécier ce renouveau et assurer aux béguines une protection ecclésiastique. Mais l'Eglise institutionnelle a été dans son ensemble davantage consciente des dangers de cette "nouveauté" que des trésors spirituels qu'elle apportait, et a cherché à s'en protéger au moyen de l'Inquisition et des interdits. Elle se sentait visée dans sa structure même et l'était effectivement, du moins dans l'aspect féodal de cette structure – aspect qui constituait, aux yeux de nombreux clercs, sa véritable nature. Sur ce point, Hildegarde se situe du côté des conservateurs : elle est encore une figure du haut moyen âge, une repésentante de l'*Ordre* bénédictin et ecclésiastique. Quoiqu'elle paraisse avoir joui d'une extrême indépendance, disant leur fait aux prélats et aux grands de ce monde, prêchant au clergé et au peuple, elle reste néanmoins intégrée au système féodal et à sa hiérarchie socio-religieuse : témoin son refus d'accueillir des novices roturières. (N'oublions pas, toutefois, que sur d'autres points Hildegarde dépasse les idées reçues de son temps. Ainsi pour les hérétiques qu'on ne doit pas exécuter, parce qu'ils sont *forma Dei*[12]).

A l'opposé, le mouvement béguinal correspond à un nouvel âge de la chrétienté, celui des libertés arrachées au système féodal : liberté du commerce, franchises communales – et l'une des conséquences en sera une certaine indépendance religieuse de l'individu. C'est le cas en particulier dans la vallée du Rhin où les villes populeuses et l'expansion commerciale favorisent la circulation des idées qui étaient alors, au premier chef, des idées religieuses.

Autre aspect de cette liberté, non toujours consciemment voulue, pour de nombreuses femmes, d'origine patricienne ou bourgeoise, désirant se consacrer à Dieu : beaucoup d'entre elles se voient dans la nécessité d'adopter une vie semi-religieuse faute de pouvoir entrer dans un couvent. Il y a à cela diverses raisons : manque d'une dot suffisante ou de quartiers de noblesse, mais aussi le refus des Ordres religieux d'ouvrir de nouveaux couvents féminins à l'afflux océanique des vocations. Ces femmes mènent une vie d'ascétisme, de prière et de travail sans prononcer de vœux perpétuels. Ainsi la création des béguinages vient répondre à la brûlante question des femmes non mariées (*Frauenfrage*) qui, dans les milieux aristocratiques, n'avaient

11

pas, comme celles des classes inférieures, la ressource d'un métier. Ces brèves indications suffisent à montrer que le mouvement des femmes au moyen âge – comme les autres mouvements de cette époque – s'explique par des raisons indissociablement religieuses, sociales et économiques. Herbert Grundmann fut le premier à faire comprendre cela dans son grand ouvrage, *Mouvements religieux au Moyen Age*. Il faut souhaiter que d'autres poursuivent sa tâche afin d'élucider davantage les forces en jeu dans ces nouveaux mouvements religieux. Le mouvement béguinal, non exclusivement féminin – mais les béguins ou béghards n'en représentent quantitativement qu'une maigre part – qui se répand des Flandres en Allemagne et dans le Nord-Est de la France, n'est comparable par son importance qu'aux mouvements de pauvreté des Franciscains et des Humiliates en Italie du Nord, à la même époque. Aucun d'entre eux n'a été déclanché initialement par des "prolétaires", contrairement aux thèses qui, vers la fin du siècle dernier, les envisageaient comme un exemple de la lutte des classes, mais pour répondre à des besoins tant spirituels qu'économiques. Ainsi pendant tout le treizième siècle la majorité des béguines sera d'origine noble ou bourgeoise, avant que les béguinages ne deviennent de façon plus caractéristique un refuge pour les femmes pauvres. Certaines béguines mendient pour vivre, menant parfois une vie errante et demandant leur pain pour Dieu (*Brot für Gott*): ce seront les plus mal considérées. Peut-être est-ce au sens propre, et non seulement figuré, qu'il faut entendre l'expression "mendiante créature" par laquelle Marguerite Porete s'est désignée. Mais la plupart, dans les béguinages qui s'organisent, ayant à leur tête une "maîtresse" (*magistra*), s'engagent, en plus de leur vie de prière et d'austérité, dans des activités intérieures ou extérieures à la communauté: travaux manuels, soins aux malades, toilette des morts. Ainsi peuvent-elles gagner leur vie et finiront-elles par concurrencer involontairement certaines guildes, en particulier celle des tisserands.

Elles sont, on l'a dit, en rapport étroit avec les Cisterciens, et aussi, un peu plus tard, avec les Ordres mendiants, amis de la pauvreté, qui se créent et se développent au treizième siècle: Franciscains et Dominicains. Ces religieux assurent auprès d'elles des tâches pastorales, et en compensation elles leur rendent des services. Elles seront pourtant suspectes au clergé pour deux raisons principales. D'une part, elles ne sont pas aussi étroitement surveillées que les moniales, puisqu'elles n'ont ni clotûre ni vœux perpétuels et que l'Eglise ne leur a jamais accordé de statut officiel. D'autre part, du fait même de leurs aspirations spirituelles, elles jouent un rôle incontestable dans la révolution qui fera accéder les laïcs à la connaissance des textes sacrés et du savoir théologique, non plus seulement à travers les prédications et les livres de prière, mais grâce à des traductions et à des écrits en langue vulgaire. C'était toucher au domaine réservé des clercs, qu'ils défendront à coups d'interdits, d'autodafés et de condamnations au bûcher : ce fut le sort de Marguerite et de son livre, et Mechthilde savait que le sien en était menacé. On a pu assurer, et cela paraît vraisemblable, que ni Maître Eckhart ni Marguerite Porete n'auraient été condamnés s'ils n'avaient fait paraître leurs thèses qu'en latin. Certes, les *Sermons* de Saint Bernard *sur le Cantique des Cantiques* ont été traduits en français dès le treizième siècle, alors que ces sermons étaient destinés aux moines. Donc les laïcs avaitent déjà d'une certaine façon accès à la théologie – mais, observons-le, à celle d'un clerc au-dessus de tout soupçon d'hérésie ou d'erreur [13].

Notons à ce propos un fait très important : les langues vulgaires s'émancipent en même temps que les communes et que s'établissent peu à peu ces communautés libres de femmes, les béguinages. Ces langues vulgaires – flamande, allemande et française – trouvent dans les écrits des béguines , ou parfois de moniales proches d'elles, leur première forme littéraire en matière de spiritualité. C'est ce qui explique, en grande partie, le succès et la diffusion rapide de ces écrits dont nous présentons ici les plus importants : les *Poèmes*, les *Lettres* et les *Visions* de Hadewijch d'Anvers, les *Mengeldichten* de Hadewijch II, les *Sept Degrés d'Amour* de Béatrice de Nazareth, *La Lumière ruisselante de la Déité* de Mechthilde de Magdebourg, enfin le *Miroir des Simples Ames Anéanties* de Marguerite Porete. Ce sont ces femmes qui, avec les auteurs des chansons de geste, avec les *Minnesänger* et les troubadours, sont à l'origine de nos grandes littératures, grâce à leur libre façon d'exprimer la fraîcheur et la vigueur des choses dans une langue vivante et en voie de création.

Dans le domaine littéraire aussi, on notera ce qui les rapproche de Hildegarde et ce qui les sépare d'elle. Elles sont ses soeurs en tant qu'écrivains spirituels prenant la défense de la foi et dénonçant la corruption du clergé – et en tant que femmes devant se faire pardonner d'écrire sur des sujets sur lesquels elles sont jugées incompétentes en tant que laïques, à moins de ce privilège exceptionnel qu'est l'inspiration directe du Saint-Esprit. Mais Hildegarde écrit encore, ou fait écrire, dans la langue de l'Eglise, quoiqu'elle se défende de connaître le latin des philosophes. Elle a donc part au domaine réservé des clercs, tant par l'emploi de leur langue que par la consécration qu'elle a reçue du pape et du Synode de Trèves. Nos béguines, elles, sont souvent moins fortunées. On le verra pour Marguerite, qui eut un destin comparable à celui de Jeanne d'Arc dont un document, isolé il est vrai, atteste qu'elle fut béguine [14]. Indication intéressante, même si on n'en possède aucune preuve.

> "Il semble que pour l'opinion populaire, comme pour les théologiens, l'ascétisme des spirituels et surtout la prétention de *trouver Dieu dans l'âme sans intermédiaire* ait provoqué des soupçons et créé des préjugés hostiles. Ce qui conduisit Jeanne d'Arc au bûcher, outre les haines politiques, fut *le caractère immédiat de sa mission*, reçue d'une autorité intérieure et qu'une autre instance serait tentée de mettre en question. Ce fut aussi la psychologie sans nuances du Moyen Age, pour qui l'extatique ne pouvait être que ministre de l'Esprit-Saint ou suppôt de Satan." [15]

Si nous abordons maintenant l'aspect doctrinal des œuvres que nous allons examiner, nous y trouverons aussi une certaine opposition entre l'ancien et le "nouveau". Hildegarde est une immense visionnaire qui a su illustrer avec une vigueur exceptionnelle les données de l'histoire du salut, en y apportant quelques perspectives originales pour l'époque : par exemple l'importance à la fois physique et spirituelle de la féminité. On peut dire toutefois que ses visions s'inscrivent par ailleurs dans le cadre traditionnel de la théologie augustinienne. La mystique béguinale, en revanche, va intégrer un élément théologiquement "nouveau" par rapport à cette dernière, et qui constituera la plus grande différence entre la spiritualité béguinale et la sienne. Il s'agit de la doctrine du retour de l'âme à sa réalité originelle en Dieu, dans une formulation beaucoup plus radicale que celle d'Augustin, parce qu'inspirée des Pères grecs. C'est cet aspect que nous allons aborder maintenant. En effet, en dépit de sa richesse, l'œuvre de Hildegarde ne présente pas de difficulté particulière pour le lecteur cultivé. Selon elle, l'âme, au sommet de la vision, devient semblable à Dieu, tandis que, selon nos béguines, l'âme est anéantie pour devenir "ce qu'est Dieu". Leur mystique de l'abandon s'exprime en effet dans un dilemme d'ordre ontologique : la créature devant dépouiller son être propre, créé, séparé, pour pouvoir recouvrer son être véritable, "incréé", non séparé, en Dieu. C'est ainsi que le "nient vouloir", qui consiste à ne rien désirer d'autre que Dieu lui-même, aboutit à un véritable anéantissement de l'âme considérée en son être particulier et égotiste. Mais elle ne se perd ainsi que pour se retrouver dans un état ou "être" incomparablement plus élevé, devenue, comme le dit Hadewijch, "Dieu avec Dieu" ou, comme le dira Maître Eckhart, "Dieu en Dieu". Il s'agit là d'une de nos traditions mystiques les plus profondes, dans laquelle s'inscrivent avec ce dernier, non seulement Ruusbroec l'Admirable, mais aussi Thérèse d'Avila et Jean de la Croix, parmi bien d'autres. Toutefois le langage de cette mystique a été quelque peu oublié, c'est pourquoi il faut maintenant le rappeler brièvement à l'intention du lecteur.

MYSTIQUE DE L'AMOUR ET MYSTIQUE DE L'ETRE

Le trait le plus marquant dans les écrits de nos béguines est leur caractère à la fois spéculatif et expérimental. Le symbolisme de l'amour courtois fusionne chez elles avec l'expression métaphysique de l'union à Dieu, grâce à leur culture tant profane que religieuse. Cette fusion est due en bonne partie à l'influence cistercienne. Le grand développement de la mystique nuptiale en Occident remonte en effet aux *Sermons* de saint Bernard *sur le Cantique des Cantiques*, dans lesquels il applique le lyrisme érotique du texte sacré aux rapports de l'âme avec le Verbe divin. Rappelons que Bernard se situe à une époque, le douzième siècle, qui voit se développer et fleurir la doctrine de l'amour courtois. Nos béguines, on le verra, aiment et pensent selon les catégories de cette doctrine "qui devait, en vérité, former l'âme de l'Occident et fixer définitivement les traits de sa culture ... Au treizième siècle, la révolution spirituelle dont nous parlons – conscience nouvelle de la solitude de l'âme avec Dieu, de sa noblesse divine, de sa liberté intangible – fut en grande partie l'œuvre des vierges extatiques, et ne laissa point par ailleurs d'emprunter ses expressions, dans une curieuse mesure, à la littérature courtoise [...]. Ainsi nous voyons les béguines créer une langue pour traduire leurs expériences passionnées, chercher avec Dieu une conjonction plus immédiate et plus totale, proclamer comme une sorte d'évangile intérieur une exigence nouvelle de l'éternel Amour." [16]

A côté de cet aspect capital chez nos béguines, celui de la mystique de l'Amour ou *Minnemystik*, il en est un autre qu'on ne saurait oublier si l'on veut comprendre vraiment leurs œuvres : nous voulons parler de la mystique de l'Etre ou *Wesenmystik*, appelée aussi mystique spéculative. Car elles puisent dans un fond doctrinal, celui de la tradition augustinienne, qui a été singulièrement enrichi et même partiellement transformé par l'apport de la spiritualité cistercienne. En effet, leurs œuvres portent la marque de Guillaume de Saint-Thierry, le plus "grec" des théologiens du douzième siècle. Non content de piller Origène, comme son ami Bernard, dans ses propres *Commentaires du Cantique des Cantiques*, Guillaume a réintroduit dans la théologie latine des thèmes fondamentaux chez les Pères alexandrins, et qui avaient été oubliés ou négligés en Occident, à l'exception de Jean Scot Erigène, au neuvième siècle. Ces thèmes, nous allons les retrouver constamment sous la plume de nos béguines, comme, un peu plus tard, sous celle des maîtres qui, d'une manière ou de l'autre, se sont mis à leur école : Eckhart et Ruusbroec.

Il faut mentionner à ce sujet la nouvelle théologie trinitaire que Guillaume a élaborée en s'inspirant, certes, des Alexandrins, mais en se montrant plus soucieux qu'eux de marquer un lien étroit entre la vie trinitaire et notre propre vie spirituelle [17]. Cette intégration de nos relations avec Dieu au sein des relations trinitaires, "pour que Dieu s'aime lui-même par et dans ce même cœur humain", sera aussi un caractère distinctif de la piété béguinale. D'une part, Guillaume établit que les relations trinitaires sont inhérentes au mystère de l'Etre divin en mettant en rapport le verset d'*Exode* 3,14 ("Je *suis* celui qui *suis*") avec celui de *Jean* 10,18 ("Ne crois-tu pas que moi je *suis* dans le Père et que le Père *est* en moi?"). D'autre part, Guillaume montre avec force que, pour nous non plus, il n'y a pas d'autre possibilité d'*être* que celle qui consiste, de notre part, à *être dans le Père*, tandis que le Père *est en nous*. Mais, à la différence du Christ, qui *est* toujours cet être, puisqu'il est toujours né, nous devons *devenir cet être*, c'est-à-dire y accéder par la naissance.

Pour faire comprendre cela, Guillaume n'a pas hésité à employer l'expression "*devenir ce que Dieu est*". Elle est assurément beaucoup plus hardie que celles qu'on trouve dans la tradition augustinienne. En effet Augustin, tout en nous appelant à participer de Dieu, c'est-à-dire à *être en l'Etre seul véritable*, insistait, par opposition au panthéisme manichéen, sur le fait que, dans cette participation, l'âme n'est pas Dieu ni "ce qu'est Dieu", c'est-à-dire qu'elle n'est pas une parcelle de la substance divine. Sans pour autant tomber dans le panthéisme, Guillaume, lui, en une formulation qu'on retrouvera chez certaines de nos béguines, affirme qu'il nous faut devenir, non pas Dieu, certes, mais "ce que Dieu est", c'est-à-dire devenir par grâce ce que Dieu est par nature. A vrai dire, il ne fait qu'exprimer ainsi à sa manière, dans la mouvance des Pères grecs, la doctrine traditionnelle de la *déification* [18]. Cette assimilation à Dieu, qui est plus qu'union, mais "*unité d'esprit*", est fondée, comme elle le sera chez nos béguines, sur le vouloir d'amour :

> "C'est quand l'homme devient une seule chose avec Dieu, un seul esprit, non seulement par l'unité d'une volonté qui veut la même chose que Lui, mais par une vertu plus profondément vraie, qui ne peut rien vouloir d'autre. On appelle cette vertu *unité d'esprit*, non seulement parce que l'Esprit-Saint la produit ou la met dans l'esprit de l'homme, mais parce qu'*elle est l'Esprit-Saint lui-même, Dieu Amour*. Elle est présente ... lorsque la conscience bienheureuse se trouve insérée d'une certaine manière dans l'étreinte et dans le baiser du Père et du Fils ; lorsque, de façon ineffable, incompréhensible, *l'homme de Dieu mérite de devenir, non pas Dieu, mais pourtant ce que Dieu est* : l'homme devenant par grâce ce que Dieu est de par sa nature." [19]

Guillaume emploie ici, dans sa célèbre *Lettre aux Frères du Mont-*

Dieu, (appelée aussi *Lettre d'Or* et longtemps attribuée à saint Bernard), une expression qui plus tard fut estimée suspecte par Gerson. Il est vrai qu'on trouvera l'expression *"devenir Dieu"* – récusée par Guillaume mais voisine de celle qu'il emploie – dans des écoles qui furent jugées hérétiques, comme celle d'Amaury de Bène en France à la fin du treizième siècle, ainsi que chez les tenants de la "secte" du Libre Esprit. On ne peut savoir si des expressions telles que "devenir ce qu'est Dieu", "devenir Dieu", "être Dieu en Dieu", etc., qui se réfèrent toutes à la notion grecque de *déification*, sont employées de façon inorthodoxe ou servent simplement à exprimer la force de l'union mystique qu'en examinant dans quel contexte de doctrine et de vie elles ont été employées.

L'union intime de la doctrine et de la vie est en effet ce qui caractérise Guillaume, et ce qui l'oppose aux docteurs scolastiques et aux maîtres ès arts, en particulier à Abélard qui, d'après lui, dénature la théologie, en introduisant dans la science de Dieu un discours purement rationnel[20]. Guillaume, lui, veut connaître Dieu autrement que dans l'abstraction. Il veut "palper, tâter de la main de l'expérience." C'est pourquoi il n'hésite pas à affirmer que la seule faculté apte à conduire à cette connaissance est l'amour. *Amor ipse intellectus est.* C'est l'Amour lui-même qui devient connaissance, car il est seul capable d'accéder aux profondeurs de Dieu qui transcendent l'intellect. Vers la même époque, Hugues, puis, un peu plus tard, dans la seconde moitié du douzième siècle, Richard de Saint Victor iront dans le même sens. Ce sont les plus illustres représentants du couvent de Saint-Victor, à Paris, alors sanctuaire du mysticisme. Après eux, Thomas Gallus, qui enseignera à Saint-Victor au début du treizième siècle pour passer ensuite au monastère de Verceil, fera la synthèse de la mystique dionysienne avec celle des Victorins. Ils auront tous une influence plus ou moins marquée sur nos béguines.

On a dit justement que la connaissance d'amour que Guillaume enseigne, *cognitio caritatis*, est une gnose chrétienne, distincte de toute spéculation purement philosophique. "La raison ne peut voir Dieu si ce n'est en ce qu'Il n'est pas, tandis que l'amour consent à se reposer en ce qu'Il est"[21], dit Guillaume en un texte qui sera repris par Hadewijch d'Anvers. Nous retrouverons en effet ce type de "gnose chrétienne" chez nos béguines, avec le primat qu'elles accordent à l'amour – qui devient chez elles Dame Amour – ancré en la Trinité. On retrouve aussi constamment chez elles la doctrine de "l'unité d'esprit" avec Dieu.

Mentionnons encore brièvement quelques-unes des autres influences attribuables, dans leurs écrits, à Guillaume de Saint-Thierry. Rappelons qu'à la suite d'Origène il a considéré les vertus non tant sous l'angle moral de leur acquisition nécessaire que comme la conséquence normale notre déification dans le Christ. On retrouvera ce thème affirmé chez nos béguines et chez Maître Eckhart avec une force qui sera en scandale aux Inquisiteurs[22]! Rappelons aussi les progrès indéfini de la vie spirituelle, qui n'épuise jamais les profondeurs de Dieu. C'est le thème de l'*épectase* décrite par saint Grégoire de Nysse, que Guillaume réintroduit dans le monde latin. Rappelons enfin l'importance qu'a chez lui la mystique eucharistique: fidèle à la tradition cistercienne, il accentue l'aspect personnel et subjectif de la rencontre avec le Christ.

Ces thèmes se retrouvent chez nos béguines, qui les mettent en valeur de façon nouvelle, car leur mode d'expression est autre: leur modèle littéraire est celui de l'amour courtois, leur langue est la langue vulgaire. De ce fait, leur style, qu'il soit simple ou savant, n'a rien de commun avec les périodes rhétoriques des auteurs latins médiévaux. Elles s'emploient à mettre le vin nouveau dans des outres neuves. Lamprecht de Regensbourg ne s'y est pas trompé, lui qui a reconnu chez elles un art d'expression qui est aussi "l'art du juste amour", comme le dit Hadewijch d'Anvers dans sa première *Vision*. Elle est reconnue comme l'un des plus grands poètes flamands, tandis que les écrits respectifs de Mechthilde de Magdebourg et de Marguerite Porete sont à compter parmi les chefs-d'œuvre des littératures allemande et française.

La rançon de cette création est parfois la gaucherie d'une langue qui s'exerce à faire ses premiers pas tant littéraires que théologiques, et dont les façons nous sont devenues quelque peu étrangères. Pourtant, dans les textes que nous avons traduits ici, nous avons cherché à respecter aussi fidèlement que possible la démarche littéraire de nos auteurs, qui procèdent très souvent par répétition, et qui utilisent jusqu'à saturation le procédé allégorique. Il nous a paru en effet qu'une traduction trop moderne, en atténuant ces défauts qui alourdissent effectivement le texte, risquerait d'en effacer en même temps la vigueur et le lyrisme. C'est pourquoi nous avons cherché à rester très proches du texte médiéval, afin que le lecteur puisse avoir un accès aussi direct que possible à l'art de nos auteurs.

"L'art du juste amour" est une expression que Hadewijch a tirée de la littérature courtoise. L'idéal proposé par nos mystiques est en effet celui de l'*Ame noble*, ou fière, qui accepte toutes les épreuves que Dieu lui impose sous la figure de *Dame Amour*, de même que le chevalier, dans le roman courtois, accepte toutes celles imposées par sa dame. Mais ce primat de l'Amour s'exprime dans le cadre d'une métaphysique de l'Etre et d'une théologie trinitaire : Dieu-Amour est indissociablement Etre et Trinité. Nos béguines ont pleinement vécu et exprimé la rencontre entre la métaphysique de l'Etre et celle de l'Amour que nous avons déjà signalée chez Guillaume de Saint-Thierry. Pour elles, comme pour lui, "*Aimer ... c'est être*, et être un seul esprit avec Dieu." [23]

Hadewijch, à son tour, unira indissolublement ces deux aspects :

"Dans la fruition tu expérimenteras qui *Je suis*, Moi, *l'Amour*." [24]

Et Marguerite Porete, en une formule théologique encore plus dense :

"*Il est (Celui) qui est*. C'est pourquoi Il est ce qu'Il est par lui-même : *Amant, Aimé, Amour*." [25]

L'expérience de l'union est, on l'a dit, celle du retour de l'âme à son être originel en Dieu. Il lui faut recouvrer ce qu'elle était lorsque, non encore différenciée de lui par sa sortie dans la création, elle était "ce qu'est Dieu" ou "Dieu avec Dieu" ou encore "Dieu en Dieu". C'est pourquoi il s'agit d'une union "sans différence".

Nos béguines, tout en s'inscrivant dans cette tradition, l'expriment avec l'originalité de leur expérience. Ainsi, par exemple, la façon admirable dont Hadewijch d'Anvers a su exprimer, avant Maître Eckhart, la réciprocité exclusive entre le fond divin et le fond de l'âme – l'âme, cet abîme sans fond que Dieu seul peut combler –, thème que certains considèrent comme le plus célèbre de la mystique eckhartienne[26]. Souvent, en effet, c'est à nos béguines qu'il faut avoir recours pour trouver l'origine d'expressions qu'on avait crues sans précédent chez Eckhart ou chez Ruusbroec, avant que les écrits de ces maîtresses de spiritualité ne fussent redécouverts ou tirés de l'oubli. Ainsi, par exemple, on rencontre déjà chez Béatrice l'expression *sans pourquoi* qui sera reprise par Hadewijch, par Marguerite Porete, par Catherine de Gênes et qui est devenue célèbre grâce à Maître Eckhart. Cette expression signifie la gratuité de l'amour divin, mais aussi le total détachement de l'âme anéantie.

Notons encore le thème du dépassement (*überfahrt* ou *überfall* alémanique; *overvaert* néerlandais; *trépas* français) si important chez nos béguines: l'âme se surpassant toujours sans jamais pouvoir embrasser la transcendance divine. Ce thème est sans doute le plus difficile à comprendre pour le lecteur non initié, puisqu'il est exprimé généralement en termes de mystique négative: cette dernière, selon la tradition héritée de Denys l'Aréopagite, cherche à dépasser notre façon trop humaine de comprendre les noms divins, tels que la Bonté, l'Intelligence et l'Etre, et les niant, pour finalement affirmer, dans la voie d'éminence, que Dieu est tout cela, mais de façon ineffable et surintelligible. C'est pourquoi le langage de cette mystique, dans son effort pour dépasser les mots mêmes dont elle se sert, alterne constamment les termes positifs et les termes négatifs, le vocabulaire de l'être et celui du non être, du quelque chose (*iht* alémanique, *iet* flamand) et du néant (*niht, niet*). C'est pourquoi l'abandon de l'âme à Dieu est exprimé le plus souvent en termes négatifs, afin de faire saisir ce dépassement vers l'Infini. Grâce au "nient vouloir" – qui est en même temps vouloir de l'Amour incréé - l'âme ne désire plus aucun bien fini. C'est ainsi que sera anéantie sa volonté individuelle et que sera anéanti, par voie de conséquence, ce qu'elle est en son être individuel créé et séparé (qu'aujourd'hui nous appellerions son *ego*). Alors elle peut recouvrer en Dieu son être originel non séparé, c'est-à-dire "devenir ce qu'Il est" ou "être Dieu avec Dieu", ayant franchi ses propres limites et abandonné les moyens qui ont pu, pour un temps, l'aider dans cette traversée qui est l'unique but et l'unique signification de notre vie ici-bas.

Quoiqu'il s'agisse là d'une des traditions mystique les plus profondes de l'Occident, il s'agit aussi de l'une des plus injustement condamnées – que l'on pense à Marguerite Porete et à Maître Eckhart. Le langage mystique de l'Etre s'est ensuite dégradé le plus souvent en une scolastique et une métaphysique quasi exclusivement spéculatives qui ont séparé la théorie de la vie et de l'expérience. Pourtant, depuis quelques décennies, on commence à se retourner vers cet héritage oublié, et l'on cherche à en décrypter la signification longtemps méconnue.

Telle est la mystique de l'être que nos béguines ont su marier à la mystique de l'amour, en particulier les plus métaphysiciennes d'entre elles, Marguerite Porete et Hadewijch II. Nous voulons parler d'un auteur quelque peu postérieur à Hadewijch d'Anvers et qu'on a, au début , confondu avec elle, mais qui emploie des termes beaucoup plus abstraits, traduits du latin et certainement dus à des théologiens de formation scolastique. Ses *Mengeldichten*, en partie traduits du français par Dom Porion sous le titre de *Nouveaux Poèmes*, sont très proches des formulations eckhartiennes – de même, d'ailleurs, que le *Miroir* de Marguerite Porete. Signalons en particulier le *Mengeldicht* XXVI (*Nouveau Poème* 10), concernant "l'amour nu qui n'épargne rien – dans ce trépas sauvage" (*overvaert*)[27], extrêmement voisin, par la pensée et le vocabulaire, du *Traité* eckhartien XI de Pfeiffer, *Von der übervart der gotheit*, tandis que le *Mengeldicht* XVII (*Nouveau Poème* 1) ressemble de façon frappante au *Traité* XII de Pfeiffer, longtemps attribué à Eckhart, *Von dem überschalle*. Dans ces deux *Mengeldichten* comme dans ces deux *Traités*, le thème est la transcendance divine : si élevée que puisse être notre connaissance de Dieu dans la contemplation, quelque chose de lui demeure et demeurera à jamais hors de nos prises, et c'est en cela que consiste notre joie la plus haute.

"... le silence actif de l'Unité est caché dans la silencieuse profondeur, de telle sorte que la créature ne parvient jamais à sonder le fond de son être (*iht*). Il faut nous réjouir de ce que cet être (*iht*) nous demeure insondable et comprendre cela avec Lui, et c'est en cela que consiste notre plus haute béatitude. Que la Tri-Unité divine nous vienne en aide pour que cela s'accomplisse en nous. Amen."[28]

Cette transcendance inaccessible est appelée en flamand *ontbliven*, littéralement *ce qui reste* hors de notre atteinte. Marguerite Porete appelle ce "reste" le *Plus*[29] : ce que Dieu est *en plus* de ce qu'il nous communique de lui. C'est un des thèmes fondamentaux du *Miroir*. J.-B. Porion en a signalé l'importance à titre de témoin pré-eckhartien dans la mystique béguinale. Il en va de même pour le thème de la pauvreté spirituelle, si l'on compare certains passages du *Miroir* avec le fameux *Sermon allemand 52* de Maître Eckhart, *Beati pauperes spiritu*[30]. Signalons enfin un poème anonyme du treizième siècle, le *Dreifaltigkeitslied* ou *Hymne Trinitaire* que W. Preger a cité comme exemple du développement atteint, avant Eckhart, par la Wesenmystik[31]. Comme chez Hadewijch II, comme chez Marguerite, il s'agit d'atteindre le Néant divin, ce Néant pur et nu qui est le désert de toute chose créée, parce qu'il est l'Etre incréé, ou, pour employer le langage de Denys, le Bien suressentiel.

Au fur et à mesure des recherches en ce domaine, on constate avec plus de certitude que ces thèmes étaient présents chez les spirituels du treizième siècle, en particulier chez nos béguines, une ou même plusieurs générations avant que Maître Eckhart ne les ait faits siens. Il a donc participé de ce courant et l'a illustré sans être aussi original qu'on ne l'a cru, et assurément sans y avoir prétendu. Mettre en lumière ces faits historiques n'empêche pas de reconnaître qu'il a su exprimer la mystique de l'être avec la profondeur de son génie spéculatif, celle de son expérience religieuse et sa maîtrise créatrice de la langue alémanique. Toutefois, alors qu'on admet généralement que la naissance d'Eckhart eut lieu autour de 1260, il n'est pas inutile de rappeler que, dès 1250, Lamprecht de Regensbourg avait su caractériser en quelques mots, toujours dans le même poème, la façon dont les béguines de Brabant et de Bavière vivaient et concevaient l'expérience mystique : "libres d'elles-mêmes et de toutes choses", elles aspiraient à "voir sans intermédiaire ce que Dieu est".

E. Z.

NOTES

1. *Annales Palidenses, Monumenta Germaniae Historica, Scriptores*, t. 16, p. 90.
2. LAMPRECHT VON REGENSBURG, *Tochter von Syon*, Paderborn, 1880, v. 2838 et sv. Le soulignement est de nous.
3. *Ibid.* Le terme vieille femme – *vetula* en latin – indiquait une ignorance complète : "oncques lettres ne lus", fait dire Villon à sa vieille mère. On présume pourtant que les femmes dont parle Lamprecht n'étaient pas toutes nécessairement vieilles.
4. *Daz ist swester katrei, Meister Ekehartes Tochter von Strasburg*, dans F. PFEIFFER, *Deutsche Mystiker des 14ten Jahrhunderts*, t. 2, Leipzig, 1984, rééd. Aalen, Scientia Verlag, 1962, p. 448-475. Trad. fr. *Telle était Sœur Katrei*, dans *Maître Eckhart. Traités et Sermons* par A. MAYRISCH SAINT-HUBERT, Paris, 1954, p. 23-73.
5. Dans HILDEGARD, *Briefwechsel, Epistolae*, XVI, ed. Pitra, *Analecta*, t. 8, p. 384. Voir plus loin p. 32.
6. U. ECO, *Il Nome della Rosa*, Milano, Fabbri-Bompiani, 1980. Trad. fr. J.-N. SCHIFANO, *Le Nom de la Rose*, Paris, Grasset et Fasquelle, 1982.
7. J. GERSON, *De mystica theologia*, éd. A. Combes, Padova, 1959.
8. HARPH (Herp), H. *Theologia mystica* (recueil des œuvres mystiques de Herp), Cologne, Melchior Novesanus, 1538. Reprint Farnboroughs, Gregg Press, 1966.
9. Voir plus loin, p. 135.
10. HADEWIJCH, *Lettres Spirituelles*; BEATRICE, *Sept Degrés d'Amour*, trad. du moyen néerlandais par J.-B. PORION, Genève, 1972. *Introduction*, p. 54-56.
11. Le témoignage le plus important de Jacques de Vitry sur le mouvement béguinal se trouve dans son *Prologue* adressé à Foulques de Toulouse, AASS, Juni, t. 4, Antwerpiae, 1707, col. 630-666. Voir aussi sa Vie de Marie d'Oignies : *Vita Mariae Oigniacensis, ibid.*, t. 5, 1867, col. 542-572.
12. HILDEGARD, *Ep. XLVII ad praelatos mogutinenses*, PL 197, 232-233.
13. Voir A. SCHULZE, *Predigten des H. Bernhard in altfranzösischer Übertragung* einer Handschrift der königlichen Bibliothek zu Berlin herausgegeben, Tübingen, 1894.
14. HADEWIJCH D'ANVERS, *Poèmes des béguines traduits du moyen néerlandais* par J.-B. PORION, Paris, 1954, rééd. 1985. *Introduction*, p. 26, note 27.
15. *Ibid.* p. 26.
16. *Ibid.* p. 11.
17. Guillaume a été "le premier a chercher un fondement trinitaire pour l'unité réelle et consciente de l'homme spirituel avec son Dieu." P. VERDEYEN, "La théologie mystique de Guillaume de Saint-Thierry", *Ons Geestelijk Erf*, 51, 1977, chap. 2, p. 175. Nous nous inspirons dans ces pages de cette remarquable étude.
18. Voir là-dessus l'excellent et toujours actuel article de W.R. INGE, "The Doctrine of Deification", Appendix C, dans *Christian Mysticism*, London, 1899 etc., p. 356-372, qui indique bien les différences et même les oppositions à ce sujet entre la mentalité gréco-orientale et la mentalité latine.
19. GUILLAUME DE SAINT-THIERRY, *Lettre aux Frères du Mont-Dieu* (Lettre d'or), PL 184, 307-354. "Etre incapable de rien vouloir d'autre que ce que Dieu veut, c'est déjà être ce que Dieu est." SC 223, p. 348-350. Les soulignements sont de nous.

20. Cf. du même auteur, *Adversus Abaelardum*, PL 180, 262 D - 263 A.

21. Du même, *De natura et dignitate amoris*, PL 184, 379-408. Voir plus loin p. 160.

22. "Tu dois franchir et dépasser toutes les vertus, tu dois saisir la vertu seulement dans ce fond où elle ne fait qu'un avec la nature divine." ECKHART, *Sermon allemand* 16 b. Voir plus loin p. 140, 186, 188, 209-210.

23. GUILLAUME DE SAINT-THIERRY, *De contemplando Deo*, PL 184, 376 D - 377 A.

24. Voir plus loin, p. 134. "Et qu'Il vous absorbe en Lui-même, dans les profondeurs de la sagesse! Là en effet Il vous enseignera *ce qu'Il est*, et combien douce est l'habitation de l'aimé dans l'aimé, et comme ils se pénètrent de telle sorte que chacun ne sait plus se distinguer. C'est fruition commune et réciproque, bouche à bouche, cœur à cœur, corps à corps, âme à âme ; une même suave *Essence divine* les traverse, les inonde tous deux, en sorte qu'ils sont une même chose l'un par l'autre et le demeurent *sans différence* – le demeurent a jamais." HADEWIJCH, *Lettre* IX, éd. PORION, p. 103. Les soulignements sont de nous.

25. MARGUERITE PORETE, *Le Miroir*, chap. 113, éd. GUARNIERI, p. 606 ; trad. LONG-CHAMP, p. 189.

26. Cf. HADEWIJCH, *Lettre* XVIII, voir plus loin p. 160. F. BRUNNER, "Le mysticisme de Maître Eckhart. Etude comparative", dans le recueil *Das "einig Ein". Studien zur Theorie und Sprache der deutschen Mystik*, éd. A.M. Haas und H. Stirnimann, Freiburg, Schweiz, 1980, p. 68, et E. ZUM BRUNN, "Une source méconnue de l'ontologie eckhartienne", dans *Métaphysique, Histoire de la Philosophie*, Recueil d'études offert à Fernand Brunner, Neuchâtel, 1981, p. 111-118.

27. Voir plus loin, p. 168-169.

28. F. PFEIFFER, *Deutsche Mystiker des 14ten Jahrhunderts*, t. 2, p. 520.

29. Ce *plus* nous paraît une meilleure traduction d'*ontbliven* que les termes *manque* ou *insuffisance* utilisés par certains traducteurs, d'autant plus qu'il est à peu près certain que Marguerite Porete connaissait la langue et la spiritualité flamandes.

30. Voir plus loin p. 195, note 26.

31. "Cela est – mais personne ne sait ce que c'est
    C'est ici, c'est là
    C'est loin, c'est près
    C'est profond, c'est haut ;
    C'est de telle sorte que
    Ce n'est ni ceci, ni cela.

    C'est lumière, c'est clarté,
    C'est très obscur,
    C'est innommé,
    C'est inconnu,
    Libre de commencement et de fin,
    C'est un lieu calme
    Qui s'écoule sans quiddité.
    Qui connaît sa maison ?
    Celui-là, qu'il en sorte
    Et nous dise quelle est sa forme !

25

Deviens comme un enfant
Deviens sourd, deviens aveugle!
Le quelque chose que tu es
Doit devenir néant;
Toute chose, tout néant
Doit être dépassé,
Laisse le lieu, laisse le temps,
Laisse aussi les images.
Va sans chemin
Sur l'étroite montée:
Ainsi tu parviens sur les traces du désert.
O mon âme,
Sors – entre en Dieu,
Engloutis tout ce qui est mien
Dans le néant de Dieu,
Abîme-toi dans les eaux sans fond!
Si je fuis loin de Toi,
Tu viens à moi;
Si je me perds
Je Te trouve,
O Bien Suressentiel!"

Dreifaltigkeitslied, éd. K. Bartsch, 1858.

Bartsch date ce *Cantique de la Trinité* de la seconde moitié du treizième siècle, à une date vraisemblablement voisine du *Miroir* de Marguerite Porete.

CHAPITRE 1

Hildegarde de Bingen (1098-1179)

VIE ET PERSONNALITE[1]

Hildegarde offre le plus bel exemple de ce qu'une femme pouvait réaliser au douzième siècle, tant sur le plan de l'action que celui de la vie spirituelle et artistique. Elle s'impose par la qualité de ses dons naturels, de son charisme prophétique, de son énergie réformatrice.

Elle vécut à une époque troublée, marquée par les luttes du Sacerdoce et de l'Empire, par les premières croisades dont la seconde fut prêchée par saint Bernard à Vézelay en 1146.

Née en 1098 à Bermersheim près d'Alzey en Hesse rhénane dans une famille de barons, elle fut confiée à l'âge de huit ans à la communauté féminine qui dépendait du monastère bénédictin du Disibodenberg. Elle est formée par Jutta de Sponheim et, après la mort de celle-ci, deviendra "maîtresse" (c'est-à-dire supérieure) de l'ermitage. En 1148, elle prend ses distances d'avec la communauté des moines pour fonder un monastère sur le Rupertsberg près de Bingen; elle en défendra farouchement l'indépendance en se rattachant directement au puissant archevêque de Mayence et à l'empereur Frédéric Ier Barberousse élu en 1152[2]. En 1165, elle fonda un nouveau couvent à Eibingen, de l'autre côté du Rhin, d'où ressurgit au vingtième siècle la renaissance hildegardienne. Non seulement elle assure, par des contrats en bonne et due forme, l'autonomie matérielle des monastères, mais elle veille avec compréhension – mais non toujours sans risque de rupture – au bien-être physique et spirituel de ses filles[3].

Non contente d'être une grande abbesse, Hildegarde devient rapidement un personnage public. Dès sa quarante-troisième année, elle se sent investie d'une mission prophétique. Longuement, elle résiste à cet appel terrible de Dieu jusqu'à ce que, accablée par la maladie, elle se mette à écrire et à dicter ses visions après en avoir conféré avec l'abbé du monastère. Elle demanda également conseil à saint Bernard qui l'encouragea dans sa voie[4]. L'abbé du Disibodenberg remit à l'archevêque de Mayence les pages déjà rédigées du *Scivias*. Lors du synode de Trèves en 1147, auquel assistait le pape Eugène III, et grâce à l'intervention de l'abbé de Clairvaux, on l'autorisa "au nom du Christ et de saint Pierre, à publier tout ce qu'elle avait appris du Saint-Esprit"[5].

La renommée de Hildegarde s'étendit alors dans le monde entier. Les pélerins affluent au Rupertsberg, ce qui donne parfois lieu à des scènes pittoresques, certains démons ne voulant être exorcisés que par la "vieille Schrumpilgardis" qui dut organiser pour une patiente tout un rituel religieux et psychothérapique[6].

Hildegarde correspond avec les grands personnages: pape, empereur, évêques, abbés et souvent ne mâche pas ses mots lorsqu'elle juge leur conduite indigne. Elle s'adresse au clergé de Cologne[7], aux chanoines de Saint-Martin de Mayence[8] pour les mettre en garde contre le catharisme naissant.

Fait rarissime pour l'époque, elle entreprend quatre tournées de prédication qui la mèneront en Franconie, en Lorraine, en Souabe, le long du Rhin jusqu'à Werden.

Elle tente de s'interposer dans la situation de schisme créé en 1160 et 1177 par Frédéric Barberousse qui ne nomma pas moins de quatre antipapes et à quatre-vingts ans, encore vaillante et inébranlable, elle défendit son couvent, telle une Antigone médiévale, contre l'interdit injustement jeté sur son monastère parce qu'elle avait fait enterrer dans le cimetière conventuel un personnage excommunié, mais en fait ultimement réconcilié avec l'Eglise[9]. Elle finit par avoir gain de cause et mourut, peu de temps après, en 1179.

Les événements de cette vie longue et active manifestent la forte personnalité de l'abbesse de Bingen. Pourtant, celle-ci est fort complexe. Ses rapports avec la maladie ne sont pas exempts d'ambiguïté. Certes, elle a été toute sa vie un être maladif: "Dès le jour de sa naissance, cette femme vit enserrée dans les maladies comme dans un filet, de telle sorte que sa moëlle, ses veines et sa chair sont constamment torturés de douleurs" [10]. Ce que nous appellerions aujourd'hui "troubles psychosomatiques", elle les impute à l'Esprit-Saint qui la soumet aux influences des éléments et la rend météorosensible [11]. Lorsqu'elle est écrasée par le poids de ses visions, elle est malade jusqu'à ce qu'elle puisse les exprimer [12]. Cette fragilité même l'a ouverte à un monde d'images et de profondes intuitions théologiques. Cette réaction bien explicable peut aussi devenir moyen de pression sur l'entourage, par exemple lorsqu'il s'agit d'obtenir de l'abbé du Disibodenberg la permission de se détacher de la maison-mère pour fonder un nouveau couvent [13].

Elle oscille entre les doutes concernant sa mission et son acceptation par le monde extérieur et, d'autre part, la conviction profonde qu'elle a reçu un don prophétique [14]. Elle en use souvent de manière impérieuse lorsqu'il s'agit de juger la conduite des grands de ce monde, clercs ou laïcs, non comme la faible femme qu'elle prétend être, mais comme l'instrument conscient de Dieu. Si elle évalue avec une grande hauteur de vues et un sens aigu de l'Eglise l'opposition de Frédéric Barberousse au pape [15], il lui arrive aussi de se laisser entraîner par une passion très humaine lorsqu'il s'agit d'empêcher que sa disciple Richardis von Stade soit nommée abbesse dans un autre couvent. Colère et déception qui peu à peu s'atténuent au fur et à mesure qu'elle prend conscience de leur excès, comme en témoignent les belles lettres échangées avec le frère de Richardis, évêque de Brême. [16]

Enfin, malgré le caractère universel de ses visions, Hildegarde ne dépasse pas les conceptions féodales de son époque en défendant une théorie hiérarchique de la vie conventuelle comme reflet de l'ordre cosmique qui s'oppose à une expérience plus évangélique, ainsi qu'il ressort de sa réponse aux questions, reproches voilés, de la prieure d'Echternach, la chanoinesse Tengswich (Tengswidis). En effet, cette dernière demandait à l'abbesse pourquoi elle n'acceptait que des filles nobles et riches dans sa communauté, alors que Jésus avait choisi des pauvres comme apôtres et que Pierre et Paul avaient critiqué "l'acception de personnes" (*Ac* 10, 34; *Rom* 2, 11).

Dans sa réponse, Hildegarde insiste sur le fait que le monde se compose d'états hiérarchiques voulus par Dieu, ordre qui ne saurait en aucun cas être bouleversé. Puis, des hiérarchies angéliques, elle passe à une image plus triviale: met-on les bœufs, les moutons, les ânes et les boucs dans la même étable? Mais, d'autre part, – argument moral – le mélange de filles nobles et roturières dans le couvent risquerait de pousser les premières à l'orgueil et les autres à la révolte. En pratiquant l'humilité (entre pairs), les jeunes filles sont davantage à même d'accomplir la volonté divine[17].

LES ŒUVRES DE HILDEGARDE

Authenticité

La rédaction de ses œuvres pose quelques problèmes. En effet, ses visions, de même que les paroles entendues, se présentent "comme des flammes étincelantes ou des nuages qui se meuvent dans un air pur", comme elle l'indique à Guibert de Gembloux. Sa connaissance insuffisante du latin écrit, le latin des philosophes, dit-elle, ne lui permet de les transcrire qu'avec beaucoup de gaucherie (*non limatis verbis*)[18]. C'est pourquoi elle travailla avec des secrétaires: tout d'abord avec Volmar, moine du Disibodenberg, le "symmysta" (ou co-initié) qui corrigeait sa grammaire et son style[19]. Après la mort de celui-ci en 1173, alors que ses œuvres principales étaient achevées, elle bénéficia, entre autres, de l'aide de Guibert de Gembloux (1124/25-1213) qui séjourna au Rupertsberg jusqu'en 1180, après la mort de Hildegarde[20]. Fin lettré, il marqua ses derniers ouvrages de son style plus fleuri, ce qu'elle déplora par ailleurs. Deux moniales l'assistaient en outre, en particulier Richardis von Stade déjà mentionnée.

La première miniature du fameux manuscrit enluminé du Rupertsberg (malheureusement disparu après la dernière guerre) montre bien quelle était la manière de procéder de l'abbesse. La tête environnée des flammes de l'Esprit-Saint, elle écrit ses visions sur une tablette de cire. Dans une logette voisine communiquant avec sa cellule par une fenêtre, Volmar, si attentif qu'il va jusqu'à passer la tête par l'ouverture, transcrit les paroles de la voyante dans un livre qu'il tient sur ses genoux[21].

L'étude des manuscrits des lettres de et à Hildegarde, les témoins historiques et iconographiques confirment l'authenticité des œuvres qui a parfois été mise en doute[22].

La culture de Hildegarde

L'abbesse du Rupertsberg s'est voulue "homme simple" (*homo simplex*); elle s'est qualifiée de "pauvre petite femme" (*paupercula mulier*), de "femme inculte" (*indocta mulier*). Aveu d'humilité, reconnaissance d'une infériorité sociale? Les femmes n'ayant pas, en principe le droit d'enseigner publiquement, l'ignorance qu'elles avouaient ou qui leur était imputée renvoyait à un autre type de connaissance expérimentale et inspirée, pour laquelle la différence de sexe ne comptait pas[23]. Ce procédé destiné à garantir l'authenticité et l'origine divine d'écrits ou de paroles considérés comme prophétiques a été utilisé jusqu'au seizième siècle, et même à l'égard d'hommes, comme le prouvent certaines affirmations concernant un Ruusbroec, traité par son biographe "d'ignorant et inculte".

En fait, par l'office monastique, Hildegarde connaissait les textes latins de la Vulgate et ceux des Pères latins. En outre, elle vivait à une époque de bouillonnement intellectuel qui redécouvrait l'univers comme un tout: écoles de Chartres, de Saint-Victor, dont l'influence orale ou écrite n'a pu manquer de s'exercer sur elle. On a pu mettre en évidence sa connaissance d'auteurs philosophiques comme Lucain et Cicéron[24]. D'autre part, elle entretenait une correspondance savante avec les théologiens de son époque qui lui demandaient son avis sur des points de doctrine[25].

Ses connaissances scientifiques proviennent d'une part de son observation personnelle de la nature environnante, plantes et bêtes (n'a-t-elle pas identifié une quarantaine de poissons qui vivaient dans les fleuves voisins?), sa connaissance des maladies par les patients qui venaient à elle pour se faire soigner; d'autre part, elle héritait d'une tradition porteuse d'une explication globale de l'univers, venue de l'antiquité grecque[26] et diffusée, par l'intermédiaire de Sénèque, dans les encyclopédies, d'Isidore de Séville († 636) à Honorius Augustodunensis pour la première moitié du douzième siècle.

Hildegarde visionnaire

En général, on a dénié aux œuvres de Hildegarde le caractère de visions extatiques pour les considérer comme des visions "didactiques" par lesquelles l'abbesse aurait transmis sous forme allégorique un savoir préalable destiné à un enseignement[27]. Sans doute faudrait-il nuancer cette affirmation. Certes Hildegarde parle elle-même avec insistance de visions à l'état de veille[28]. Mais dans la *Vita* on trouve le passage suivant : "Un peu plus tard, je vis une vision merveilleuse et mystique ; tous mes organes intérieurs furent bouleversés et les sensations de mon corps s'éteignirent. Car ma conscience s'était transformée, comme si je ne me connaissais plus moi-même : comme des gouttes de rosée tombaient de la main de Dieu dans mon esprit, de même que le Saint-Esprit avait rempli l'Evangéliste saint Jean."[29] La prophétesse décrit ici une perte de la conscience individuelle qui la fait accéder à une autre dimension de la conscience.

D'après sa description à Guibert de Gembloux[30], ses visions, même à l'état de veille, ne sont pas des hallucinations, elles la font pénétrer "avec les yeux et les oreilles de l'homme intérieur" dans le domaine des "sens spirituels", où ce que l'on voit et entend est perçu dans une lumière supra-naturelle, "ombre de la lumière vivante" et parfois, exceptionnellement, dans cette lumière même. Ce qu'elle exprime à la fin du *Liber vitae meritorum* : "L'homme qui voit ces choses et les transcrit voit et ne voit pas ; il sent les choses terrestres et en même temps ne les sent pas. Ce n'est pas de lui-même qu'il présente les merveilles de Dieu, mais il en est saisi comme une corde sous la main du musicien pour en faire entendre un son qui ne vient pas de lui, mais de la touche d'un autre"[31]. En somme, pour reprendre une expression qui a été appliquée à des poètes, Hildegarde est "traversée" par l'Eternel.

L'élément didactique est postérieur à la vision et consiste dans l'élaboration méthodique de l'interprétation à l'aide d'un savoir acquis. Ce travail peut durer des années, puisque dix ans environ séparent la rédaction des grandes œuvres. Dans bien des passages de celles-ci, dans ses lettres, le côté didactique l'emporte souvent, quoiqu'elle dise toujours parler à partir de la vision (*ex visione*).

La vision, chez Hildegarde, est alors, dans ce cas, un mode de pensée symbolique, qui fait prévaloir la recherche du sens transcendant sur celle des causes et des explications et favorise le lyrisme poétique. Toute situation concrète se traduit immédiatement chez elle en images et en symboles, d'ailleurs perçus dans la lumière du Christ et par rapport à son dessein rédempteur[32]. Quant aux grandes œuvres, elles offrent de grands panoramas inspirés, recréés par la visionnaire en une grande synthèse de l'histoire du monde et du salut.

Outre des ouvrages secondaires, mais non négligeables comme une *Explication de la Règle de saint Benoît*, des vies de saints, des commentaires théologiques, Hildegarde a écrit des livres d'histoire naturelle et de médecine divisés en *Physica*, traitant de la nature, des éléments de botanique et de zoologie et *Causae et curae*[33] qui étudie les maladies, leurs causes et leurs remèdes.

Il faut dire l'importance de la *Correspondance* évoquée plus haut: près de 300 lettres ont été authentifiées et publiées dans des éditions diverses.

Poète et musicienne, Hildegarde a laissé 77 chants, avec leur mélodie, consacrés à la louange divine. Certains sont encore exécutés actuellement.

Ses œuvres les plus célèbres forment un vaste triptyque visionnaire: Le *Scivias* ou *Sache les voies* (du Seigneur), rédigé entre 1141 et 1158; le *Liber vitae meritorum* ou *Livre de la rétribution du bien et du mal*, composé entre 1158 et 1163, le *Liber divinorum operum* ou *Livre des œuvres divines* commencé en 1163, achevé en 1173.

Ces trois ouvrages embrassent toute l'histoire de l'univers, de la Création à la fin des temps, histoire sainte qui englobe à la fois la nature et les hommes. Dans le *Scivias*, le premier livre décrit la Création et le chute de l'ange et de l'homme. Préparé par l'appel d'Israël, le second livre magnifie la venue du Verbe Incarné et les noces de Dieu et de l'humanité dans la fécondité de l'Eglise et des sacrements. Le troisième livre édifie une construction symbolique dont les divers bâtiments illustrent les étapes du salut et qui s'achève par l'assomption finale de l'Eglise après la défaite de Satan.

Le *Livre des mérites de la vie*[34] qu'on pourrait appeler du *discernement* ou de la *rétribution du bien et du mal* reprend et prolonge cette vision dans un sens éthique. Il met au centre de l'exposé l'Homme, personnification de Dieu (*Vir Deus*), qui domine et soutient le cosmos. Il assiste à la lutte entre le Bien et le Mal qui doit s'exprimer par le oui ou le non proféré par chaque individu, par toute l'humanité, écartelée entre les vertus et les vices opposés, jusqu'à la victoire finale du Bien et à la vision de l'Eglise et de la terre réintégrées dans la gloire éternelle. Dans cette grandiose psychomachie, Hildegarde mêle à l'allégorie un sens très fin de l'observation psychologique, source de portraits très bien campés.

Le *Livre des opérations divines* regroupe dans dix visions admirables l'ensemble des réflexions des deux premiers ouvrages. Partant d'une vision de la Trinité comme figure triple : Amour, Miséricorde, Bonté, les cinq premières visions évoquent l'origine du monde, sa structure interne, et la place de l'homme autour duquel s'étagent les sphères célestes en cercles concentriques qui se meuvent comme une roue, tout organe humain trouvant sa correspondance dans le cosmos. C'est l'objet de la quatrième vision qui poursuit, avec un grand luxe de détails, ces parallélismes. La cinquième vision offre toute une topographie éthique de l'au-delà, désignant les lieux de l'épreuve et de la purification. Quant aux cinq dernières visions, elles reprennent l'histoire de l'humanité comme histoire du salut au centre de laquelle se dresse le Verbe incarné qui, par la force de son amour, crée un monde nouveau.

Comme on le voit, la théologie de Hildegarde est traditionnelle et foncièrement optimiste. Sans voiler – bien au contraire – les conséquences d'un refus initial à Dieu, la chute, elle conclut toujours par la victoire finale de Dieu et la réintégration dans la sphère divine.

Ce qui la caractérise par rapport aux théologiens de son époque, également tournés vers les grandes constructions symboliques (Alain de Lille, Hugues de Saint-Victor[35]), c'est le dynamisme et le caractère concret de ses visions qui sont d'une incroyable richesse. Elles ont inspiré les enluminures des codex de Wiesbaden et de Lucques qui, exécutées au Rupertsberg facilitent l'accès à ce monde mouvant et coloré. Calquées sur les visions, elles sont considérées comme un apport neuf à l'iconographie médiévale[36].

L'HOMME ET LE MONDE DANS L'ŒUVRE DE DIEU

Pour Hildegarde, bonne théologienne, Dieu est, primordialement "Celui qui est" (Cf. *Ex* 3, 14) et nombre de ses visions commencent par cette affirmation de l'Etre. Sans commencement ni fin, il est vie totale (*vita integra*) qui persiste identique[37], immuable, éternelle. "Un dans son unicité, auquel rien ne peut être ajouté"[38]. L'unité de l'Etre se manifeste sous une triple énergie : Père, Verbe, Esprit.

La Création existait de tout temps dans la pensée de Dieu : "Quand Dieu, par son 'fiat' proféra l'acte créateur, toutes les choses se revêtirent sur le champ de leur forme, elles que la prescience divine contemplait au temps où elles étaient sans corps."[39]

Le Verbe est donc la cause exemplaire de toutes les créatures, comme l'explicite l'abbesse dans son exégèse du prologue de saint Jean : "Toute création apparut dans l'esprit de ce Créateur. Elle était dans sa prescience, non pas éternellement avec Lui, mais pressentie par Lui, pré-vue et pré-ordonnée. Dieu est la seule vie qui ne s'origine pas dans une autre vie qui aurait un commencement. Tout ce qui a été créé est vie en Lui, puisqu'elle était dans sa pro-vidence. Elle vivait en Dieu. Il n'y a jamais eu de souvenir en Dieu, pas plus que d'oubli : car tout était déjà dans sa prescience, bien qu'aucune des formes n'existât dans le temps"[40]. Dans cette perspective, l'Incarnation du Verbe a été prévue de toute éternité, selon ce qu'on appellera la *praedestinatio Christi absoluta*, doctrine tenue ultérieurement dans l'école franciscaine.[41]

Par la création dans le temps, les virtualités contenues dans l'esprit de Dieu se réalisent. Dans l'univers, l'homme, œuvre de Dieu (*opus Dei cum omni creatura*)[42], occupe une place particulière. Appelé à prendre la place de l'ange déchu, il est créé à l'image du Dieu un et trine, corps, âme, intelligence, "ombre de Dieu"[43], reflet qui certes tient bien son existence de l'objet reflété tout en révélant sa splendeur.

Si Hildegarde reprend dans toutes ses descriptions l'image du ternaire augustinien, elle l'amplifie aux dimensions de l'univers, car l'homme porte en lui le sceau de toutes les autres créatures. Lui, microcosme, reproduit jusque dans le moindre détail, dans son anatomie, sa physiologie, le macrocosme. Tout organe humain, toute opération des sens a une triple correspondance : avec les éléments, avec la vie morale, avec la vie surnaturelle.

Pour ne prendre qu'un exemple, la cage thoracique représente tout l'espace aérien entre les nuages et la terre qui, par les vents, met la roue terrestre en mouvement. De même, elle est le siège de l'âme qui, comme l'air, unit le ciel et la terre. Cette âme, étincelle divine, est appelée à ramener le corps dans le droit chemin du Bien[44].

Toutes les saisons et jusqu'aux heures de la journée récapitulent tous les âges de la terre et de la vie humaine[45]. C'est dire le lien intime qui se tisse entre l'homme et son environnement. Il a reçu pour mission de continuer l'œuvre de Dieu sur la terre. "Ouvrier de Dieu" (*operarius divinitatis*)[46], il a la terre pour atelier. "L'homme devait annoncer les merveilles de Dieu avec l'instrument de sa voix raisonnable, car l'homme est 'l'œuvre plénière de Dieu'"[47].

L'homme et la femme

Cette œuvre s'opère dans un univers sexué, elle se fait par l'homme *et* la femme (*opus alterum per alterum*)[48], sans laquelle il n'y aurait pas d'humanité.

Avec des nuances diverses, les auteurs patristiques et du Haut moyen âge ont reconnu l'égalité de l'image divine dans l'homme et la femme, mais non pas leur égalité dans le statut hiérarchique, l'homme étant directement soumis à Dieu, la femme à l'homme, moins d'ailleurs à cause de sa nature ou de sa faiblesse qu'en raison de la faute originelle, plus grave chez Eve que chez Adam[49].

Hildegarde conserve l'opposition Homme = force/Femme = faiblesse, mais elle lui donne un tour beaucoup plus positif. Certes, il faut distinguer chez elle deux tendances : dans les écrits liturgiques, la faute d'Eve est toujours mise en évidence pour magnifier le rôle de la Vierge Marie[50]. Dans les écrits scientifiques, par contre, elle fait entendre une note beaucoup plus naturaliste, qu'elle s'exprime en termes très crus sur l'union charnelle de l'homme et de la femme ou sur les tempéraments féminins. Là elle fait œuvre de clinicienne plus que de moraliste[51].

Dans ses grandes œuvres visionnaires, elle a une vue très vaste du rôle de la femme. Tout d'abord, avant la chute, la femme naît de l'homme comme son amour même à qui Dieu a donné forme[52]. En pleine égalité, l'homme regarde la femme, la femme regarde l'homme. C'est pourquoi, malgré la chute, homme et femme restent unis par le lien de la fidélité qui les joint indissolublement comme le corps et l'âme[53]. Ce qui permet à Hildegarde de stigmatiser toutes les formes de perversions sexuelles. Seule l'union conjugale entre dans le plan de Dieu, avec la virginité, rappel du Paradis, annonce de la sainteté ultime.

A une époque où prévalaient les descriptions misogynes héritées de Théophraste et de saint Jérôme, on trouve chez Hildegarde une tentative pour dépasser les schémas traditionnels : certes, la femme symbolise toujours la terre maternelle (*terra materna*) d'où tout va germer, de même que la Vierge Marie sera la matière transfigurée, *Terra Maria, terra aurea* qui, par la force du Saint-Esprit, donnera naissance au Verbe incarné [54].

Mais plus hardie encore, Hildegarde pousse l'analogie jusqu'à mettre en regard l'union charnelle avec ses composantes : la puissance (*fortitudo*), le désir (*concupiscentia*) et l'acte (*studium*) avec l'œuvre de la Trinité [55], image dont, à notre connaissance, il n'y a pas d'équivalent dans la littérature contemporaine. C'est dire l'importance qu'elle accorde à l'union des corps dans l'amour.

Dépassant le cadre de l'analogie, Hildegarde intègre l'élément féminin à sa théologie : l'amour de Dieu est un amour maternel qui donne la vie et se manifeste par la douceur et la miséricorde [56]. Dans l'interprétation de la parabole de *Luc* 15, 8-10, sur la drachme perdue, Dieu est comparé à cette femme qui cherche la drachme, c'est-à-dire l'homme qui s'est égaré, et qui allume pour le retrouver, la lumière du Christ [57].

Enfin, par l'Incarnation, il se crée comme une conversion des valeurs, ou plutôt une conjonction de la force et de la faiblesse : "Dieu avait créé l'homme fort et la femme faible, elle dont la faiblesse a créé le monde. Et la Divinité est forte, la chair du Fils de Dieu est faible, par laquelle le monde est restauré par sa vie première" [58].

Dans l'exégèse du passage sur le femme forte (*Prov* 31, 10-14), il se produit aussi, de manière peut-être moins explicite, une espèce d'osmose entre la force et la faiblesse qui, dès lors, ne sont plus l'apanage de l'un et l'autre sexe, mais des deux, la force de la femme étant plus souple, plus flexible [59]. On peut dire qu'Hildegarde tente de déborder le discours masculin sur Dieu et les valeurs traditionnellement attribuées à l'homme et à la femme.

La responsabilité de l'homme

Image de Dieu, l'homme se caractérise par l'intelligence, moins faculté de raisonner que capacité de discerner le Bien du Mal. Toute sa vie, sans interruption, il est appelé à choisir et, selon son choix, s'approche ou s'éloigne du dessein divin[60]. Certes, le Mal n'a aucune existence par lui-même[61], et Lucifer, l'ange déchu, se tient tout au Nord, dans une région obscure et déserte, là où ne règne pas l'amour[62]. Pourtant, il y a compénétration de forces antagonistes, combat sans trève dans lequel l'homme est impliqué sans merci. D'où le rôle capital du discernement (discretio). C'est là que Hildegarde montre qu'elle domine parfaitement les jeux où l'entraînent parfois l'imagination pour faire preuve de la sagesse la plus éclairée.

La discretio est un "gai savoir" (laeta scientia) qui s'oppose à l'accablante tristesse du péché[63]. Œuvre du Saint-Esprit, elle permet à l'homme de "distinguer en lui toutes les voies, tous les moyens que Dieu juge utiles, afin qu'aucune des forces qu'il met en œuvre ne se perde par la dispersion de l'esprit. Dieu a distingué les besoins terrestres et les énergies des vertus célestes qu'irrigue le Saint-Esprit chaque fois que l'homme s'élève grâce à elles vers la vie contemplative"[64]. Elle sert en somme d'intermédiaire entre la vie active et la vie contemplative, lumière du deuxième jour de la Création qui permet l'accomplissement des bonnes œuvres. Par opposition, Hildegarde campe avec brio l'image du vagabond, l'errant qui ignore toute mesure, qui cherche à droite et à gauche selon son caprice, refusant d'analyser les causes de son instabilité[65].

En somme, la discretio permet à l'homme individuel de choisir consciemment son rôle dans l'univers et de l'exécuter. Car si sa responsabilité est personnelle, ses effets concernent le salut du monde entier, soumis, lui aussi au jeu des forces antagonistes du Bien et du Mal[66]. "Car les éléments boivent tout ce qui appartient à la nature de l'homme, de même que l'homme absorbe en lui les éléments"[67].

De même, la maladie est considérée moins comme un processus pathologique que comme une déficience de l'être auquel seule la sympathie peut porter remède pour rétablir le courant interrompu de la création bonne. Le meilleur des remèdes, c'est encore la miséricorde du médecin, participation à la souffrance, en face de l'indifférence de cette sombre figure qui refuse de s'intéresser à l'autre[68].

Ces considérations touchent notre sensibilité moderne, même si elles sont exprimées dans un cadre cosmologique et médical qui n'est plus le nôtre. Notre époque est prête à écouter la plainte des éléments exhalée avec tant de vigueur dans le *Liber vitae meritorum* : "Nous ne pouvons plus nous mouvoir et achever notre course selon le dessein de notre maître. Car les hommes nous bouleversent sens dessus-dessous, comme dans un moulin, avec leurs actions mauvaises."[69]

Paroles qui semblent prophétiques pour notre époque mais qui, chez Hildegarde, traduisent à la fois son sentiment pathétique du présent et une vision eschatologique inspirée par les modèles apocalyptiques. L'image est sombre, certes, mais elle montre que le cosmos ne peut exercer d'influence néfaste que dans la mesure où Dieu le permet dans sa justice, et où l'homme a dépassé les limites fixées par la *discretio*, car l'homme dont le corps est en corrélation avec le cosmos possède un savoir élémentaire de cette relation, ainsi que des forces spirituelles et des règles morales qui en découlent. Il doit développer cette connaissance innée en déchiffrant de toutes ses forces le livre de la Création, de même que celui de la Révélation.

Chaque fois que l'homme dans son activité ne respecte pas la mesure fixée, non seulement il se fait du tort à lui-même et à son environnement immédiat, mais il détruit l'équilibre des éléments qui participent à l'histoire du salut.

Toute la création restaurée grâce à l'Incarnation du Verbe prévue de toute éternité est ramenée – non sans d'interminables luttes – dans le sein de Dieu.[70]

La vision de la Jérusalem céleste englobe toute l'humanité appelée à la totalité de l'être, à la plénitude de la vie en Dieu, grâce à la sanctification, fruit de la grâce et des vertus, qui l'établit dans un état plus haut que celui qu'elle avait dans l'état d'innocence originelle.[71] Cette "récapitulation" au sens que lui donnent saint Paul (*Ep* 1, 10) et saint Irénée de Lyon, s'exalte dans une célébration finale où résonne le chant symphonique des anges et des hommes.[72]

A la fois poète visionnaire et profonde théologienne, Hildegarde a créé une œuvre grandiose, toute illuminée d'images flamboyantes et profondément significatives car elles sont liées à une expérience à la fois personnelle et communautaire des mystères de Dieu.

G. E.-B.

NOTES

1. La vie de sainte Hildegarde a été rédigée par les moines Godefroy, prévôt du Rupertsberg et Thierry d'Echternach: *Vita sanctae Hildegardis*, PL 197, 91-130 (cité *Vita*). Cette vie contient plusieurs passages autobiographiques repris par P. DRONKE, *Women Writers in the Middle Ages*, Cambridge, 1984, p. 231-234 (cité *Women Writers*). Guibert de Gembloux a commencé une *Vie* dont il reste quelques fragments (ed. J.B. PITRA, *Analecta Sanctae Hildegardis opera spicilegio Solesmensi parata*, t. VIII, Monte Cassino, 1882, p. 407-414 (cité *Analecta*).
   En allemand: A. FUEHRKOETTER, *Das Leben der Heiligen Hildegard*, Düsseldorf, 1968. En français: *Vie de sainte Hildegarde* ... écrite par les moines Théodore et Godefroid, Paris, 1907.
2. *Vita*, I, II, 9-10, 97-98.
3. *Vita*, II, I, 20, 105. Cf. la lettre de Guibert de Gembloux à Bovon, moine de Gembloux, *Analecta*, p. 406. Guibert lui signale qu'il y avait une conduite d'eau dans tous les lieux de travail.
4. M. SCHRADER, A. FUEHRKOETTER, *Die Echtheit des Schrifttums der heiligen Hildegard*, Köln-Gratz, 1956, p. 105-108.
5. *Vita*, I, I, 5, 94-95.
6. *Vita*, III, II, 47, 124; 48-51, 124-127. Le rituel contenu dans le fragment de Berlin, Ms. Lat. qu. 674, a été traduit et publié par P. DRONKE, "Problemata Hildegardiana", *Mittellateinisches Jahrbuch*, Bd 16, 1981, p. 117-122; 127-129 (cité *Problemata*).
7. *Ep.* XLVIII, PL 197, 243-253.
8. *Ep.* X, *Analecta*, p. 348-351.
9. *Acta inquisitionis*, 6, PL 197, 135; *Ep.* XLVII, PL 197, 218 C - 221 D; *Ep.* VIII, 159 B - 160 D. P. DRONKE, *Women writers*, p. 196-199. Cf. *infra*, p. 49-53.
10. LDO, vis. 10, 38, PL 197, 1037 C.
11. *Vita*, III, II, 45, PL 197, 122.
12. *Vita*, I, I, 4, PL 197, 94; II, II, 21, 106.
13. *Vita*, I, II, 6, 8, 96-97.
14. Cf. n. 11; *infra*, p. 45-47.
15. Lettres d'avertissement à l'empereur Frédéric Barberousse après le schisme: *Echtheit*, p. 128, 129.
16. Lettre à Richardis von Stade, *Echtheit*, p. 137. *Ep.* X (à l'archevêque Hartwig de Brême), PL 197, 161-163. Commentaire apud DRONKE, *Women writers*, p. 154-159.
17. *Ep.* CXVI, PL 197, 336 B - 338 C. P. DRONKE, *Women writers*, p. 165 svv. On notera la différence de ton entre ces deux lettres: celle de Tengswich polie, mais critique, s'appuyant sur le Nouveau Testament, les Pères, celle de Hildegarde s'élevant d'un coup d'aile apocalyptique au-dessus des contingences sociales, mais rejoignant l'Evangile par un raisonnement oblique, en déplaçant le problème des personnes aux œuvres comme expression de la volonté divine.
18. *Vita*, I, I, 2, PL 197, 93; *Ep.* II (à Guibert de Gembloux), *Analecta*, p. 333. Lettre à Bernard de Clairvaux, *Echtheit*, p. 104-105. Cf. *infra*, p. 45; 48.
19. *Vita*, II, I, 14, PL 197, 101.

20. Sur Guibert de Gembloux (1124/25-1213), M. SCHRADER, 'Guibert de Gembloux', *Dictionnaire de spiritualité*, t. 6 (1967), 1132-1135. Avant d'en être l'abbé dès 1194, Guibert fut moine au monastère bénédictin de Gembloux (diocèse de Liège), célèbre par sa bibliothèque. Lui-même était fort cultivé. La renommée de Hildegarde avait atteint les Pays-Bas du Nord et du Sud, comme le prouve sa correspondance avec les évêques d'Utrecht et de Liège. Désireux d'en savoir davantage à son sujet, il envoya à l'abbesse deux lettres avant de pouvoir la rencontrer personnellement en automne 1175. En 1177, il devint son secrétaire et père spirituel du couvent du Rupertsberg et y resta jusqu'en 1180, après la mort de Hildegarde. Il fut également abbé de Florennes de 1188 à 1194.

21. *Hildegardis Scivias*, ed. A. FUEHRKOETTER OSB, coll. A. CARLEVARIS OSB, CCCM XLIII, Turnhout, 1978. Hors-texte 1. Cette édition présente les enluminures du Ms 1 de la Hessische Landesbibliothek, Wiesbaden. Perdu depuis 1945, ce manuscrit avait été fidèlement recopié avec les miniatures en couleurs à l'abbaye Sainte-Hildegarde à Eibingen de 1927 à 1933. Il sert de base à toutes les reproductions ultérieures. Cf. également *Wisse die Wege. Scivias*, trad. M. BOECKELER, Salzburg 1963 [5]. Il existe en outre un manuscrit enluminé du *De operatione Dei* (Biblioteca statale di Luca, Cod. lat. 1942) dont les images sont reproduites dans : Hildegard von Bingen, *Welt und Mensch, Das Buch 'De operatione Dei'*, trad. H. SCHIPPERGES, Salzburg, 1965.

22. *Echtheit*, p. 184.

23. *Ep.* XVI, *Analecta*, p. 386, de Guibert à Hildegarde : "L'Apôtre ne permet pas à la femme d'enseigner dans l'Eglise ; mais celle-ci, libérée de cette condition par l'Esprit-Saint et enseignée par son magistère, dans la sagesse, a appris dans son cœur par sa propre expérience ce qui est écrit : 'Heureux l'homme que tu instruis et que tu enseignes par ta loi' (*ps* 93, 12)".

Sur la situation de la femme dans l'œuvre des philosophes et des théologiens : M.TH. D'ALVERNY, "Comment les théologiens et les philosophes voient la femme", *Cahiers de Civilisation médiévale*, t. XX, 1977, p. 105-128. E. GOESSMANN, "Anthropologie und soziale Stellung der Frau nach Summen und Sentenzenkommentaren des 13. Jahrhunderts", *Miscellanea Mediaevalia* 12, Berlin, 1979, p. 281-297.

24. P. DRONKE, *Problemata*, p. 107-117.

25. Cf. *Ep.* XIV, PL 197, 167-168 ; XLIII, 212-213 ; CXXVIII, 353-355 ; 1037-1054.

26. H. SCHIPPERGES, "Einflüsse arabischer Medizin auf die Mikrokosmosliteratur des 12. Jahrhunderts", *Miscellanea Mediaevalia* 1, Berlin, 1962.

27. P. DINZELBACHER, *Vision und Visionsliteratur im Mittelalter*, Stuttgart, 1981, p. 29. A. HAAS, "Traum und Traumvision in der deutschen Mystik", *Analecta cartusiana* 106, 1, Salzburg, 1983, p. 22-25, marque moins la différence entre le rêve, l'extase et la vision imaginaire (p. 31, 36 et, sur Hildegarde, p. 46, n. 122).

28. *Scivias*, Prologue (*Protestificatio*), CCCM 43, p. 4, l. 43 svv.

29. *Vita*, II, III, 35, 116. Hildegarde s'est en outre exprimée sur ses visions dans la *Vita*, II, I, 16, 102 sv. ; dans le *Liber vitae meritorum* (LVM), *Analecta*, p. 7-8 ; *Liber divinorum operum* (LDO), PL 197, 741 sv.

30. *De modo visionis suae*, *Analecta*, p. 331-334, cf. *infra*, p. 47-49.

31. LVM, *Analecta*, p. 244.
32. Cela est sensible dans les lettres où la visionnaire se fait voyante: P. DRONKE, *Problemata*, Letter I, p. 129-130. – Sur la fonction du symbole comme expression universelle de la foi, G. DUFOUR-KOWALSKA, *L'arbre de vie et la croix*, Genève, 1985, p. 30-31.
33. Pour cette œuvre et les suivantes, cf. *Bibliographie*.
34. H. Schipperges, le traducteur allemand, opte pour cette interprétation plutôt que pour celle de "Livre de vie" en référence à l'Apocalypse.
35. M.D. CHENU, *La théologie au douzième siècle*, Etudes de théologie médiévale XLV, Paris, 1957, c. VIII: La mentalité symbolique, p. 159-190.
36. Cf. n. 21. J. SCHOMER, *Die Illustrationen zu den Visionen der hl. Hildegard als künstlerische Neuschöpfung*, Diss. Bonn, 1937.
37. LDO, Vis. 4, ch. 105, PL 197, 888-889; Vis. 9, 7. Pour la référence explicite à *Ex* 3, 14: *Scivias*, I, Vis. 4, CCCM 43, p. 76, l. 524; P. DRONKE, *Problemata*, p. 127 (Exorcisme de Sigewize). Dans les lettres, à côté d'expressions comme la "lumière vivante", la "source transparente", le "feu", qui introduisent solennellement les paroles de Hildegarde, la formule *Qui est* peut aussi être utilisée pour renforcer une menace. (Cf. lettre à Frédéric Barberousse, *Analecta*, p. 561, à l'abbé Ruthard, *Ep.* XXXI, PL 197, 195B; à l'abbé de S. Anastase, *Ep.* XXXII, 196C; au prieur Friedrich, *Ep.* LXXXII, 304B).
38. LDO, Vis. 10, ch. 2, 998C.
39. LDO, Vis. 1, ch. 7, 746AB.
40. LDO, Vis. 4, ch. 105, 892A.
41. LDO, Vis. 4, ch. 105, col. 896D; *Scivias*, I, Vis. 6, 3, CCCM 43, p. 103.
42. LDO, Vis. 4, ch. 104, 888C.
43. LDO, Vis. 8, ch. 2, 979D.
44. LDO, Vis. 4, ch. 57, 845-846.
45. LDO, Vis. 4, ch. 98, 877 svv.
46. *Vita*, II, 35, 115.
47. LDO, Vis. 4, c. 100, 885B: "L'homme est l'œuvre plénière de Dieu; c'est par lui que Dieu est connu et pour lui que Dieu a créé toutes les créatures."
48. LDO, Vis. 4, ch. 100, 885C; Vis. 5, ch. 43, 945C.
49. M.TH. D'ALVERNY, *Philosophes et théologiens*, p. 107-115 et *passim*; E. GOESS-MANN, "Das Menschenbild der Hildegard von Bingen und Elisabeth von Schönau vor dem Hintergrund der frühscholastischen Anthropologie", *Frauenmystik im Mittelalter*, hersg. von P. DINZELBACHER und D.R. BAUER, Stuttgart 1985, 24-47.
50. *Carmina*, XI, *Analecta*, p. 442-443. Pourtant Eve est aussi mise sur le même plan que Marie: LDO, Vis. 7, ch. 13, 974D: "Eve n'a pas été créée à partir de la semence, mais à partir de la chair de l'homme, par la force même (*eadem vi*) par laquelle Dieu envoya son Fils dans (le sein) de la Vierge, de telle sorte que, depuis, il n'y eut plus de femme pareille à Eve, vierge et mère et Marie, mère et vierge".
51. *Causae et curae*, P. DRONKE, *Women writers*, n° 6, p. 245-246; n° 8, p. 247-249.
52. *Causae et curae*, *Analecta*, p. 477-478 (P. DRONKE, *Women writers*, p. 244).
53. LDO, Vis. 4, ch. 100, 885; Vis. 1, ch. 15, 749D.
54. LDO, Vis. 1, ch. 17, 750D.

55. *Scivias*, II, Vis. 3, ch. 22, CCCM 43, p. 147, l. 453-462.
56. *Scivias*, III, Vis. 3, ch. 8, p. 380-381, l. 313.
57. *Scivias*, III, Vis. 2, ch. 20, p. 366, l. 586.
58. LVM, IV, XXIV, 32, *Analecta*, p. 158 (l. 7 corriger *mendum* en *mundum*).
59. LVM, XXVIII, 36, *Analecta*, p. 160-161; LDO, Vis. 5, ch. 43, 945 C. L'homme a une plus grande force (*major fortitudo*), la femme une énergie plus douce (*mollior robur*).
60. LDO, Vis. 4, ch. 51, 842 D; Vis. 5, ch. 23, 920 D.
61. LDO, Vis. 4, ch. 12, 812 C.
62. LDO, Vis. 4, ch. 13-14, 813; ch. 29, 826 D. Hildegarde reprend ici la topographie antique selon laquelle le Nord, monde sans soleil, était le séjour des morts et la demeure d'Hadès. B. MAURMANN, *Die Himmelsrichtungen im Weltbild des Mittelalters*, München, 1976.
63. LDO, Vis. 5, ch. 23, 920 D.
64. LDO, Vis. 5, ch. 27, 925 AB.
65. LVM, V, 5-7, *Analecta*, p. 185-186.
66. LVM, III, 2, 3, *Analecta*, p. 105-106, cf. *infra*, p. 59. M. SCHMIDT, "'Discretio' bei Hildegard von Bingen als Bildungselement", *Spiritualität heute und gestern, Analecta cartusiana*, t. 35, 2, Salzburg, 1984.
67. *Causae et curae*, p. 18, 19 (ed. P. KAISER, Leipzig, 1903).
68. LVM, I, 7-8, *Analecta*, p. 12-13.
69. Cf. n. 66.
70. *Scivias*, III, Vis. 12, ch. 12, p. 611-613.
71. LDO, Vis. 9, ch. 14, 996-998.
72. LDO, Vis. 10, ch. 37, 1036 B.

CHAPITRE 2

Lettres et Visions
de Hildegarde

LETTRE DE HILDEGARDE A BERNARD DE CLAIRVAUX [1]

O vénérable Père Bernard, toi qui es de façon admirable dans le grand honneur de la force de Dieu, la sottise insolente de ce monde doit beaucoup te craindre tandis que, sous l'étendard de la sainte croix, animé d'un amour ardent pour le Fils de Dieu, tu entraînes les hommes à livrer bataille au sein des armées chrétiennes contre les féroces païens. Je te prie, Père, par le Dieu vivant, de m'écouter, moi qui t'interroge. Je suis très préoccupée au sujet d'une vision qui m'apparut dans le mystère de l'esprit et que je ne vis nullement avec les yeux de la chair. Moi, misérable, et plus que misérable dans ma condition de femme, je vis dès mon enfance de grandes merveilles que ma langue ne saurait proférer si l'Esprit de Dieu ne me l'avait enseigné pour que je le croie. Père très sûr et très doux, en ta bonté, réponds-moi, à moi ton indigne servante, qui jamais depuis l'enfance n'ai vécu une seule heure en sécurité; scrute ces choses en ton âme, avec ta piété et ta sagesse, selon que tu as été instruit par le Saint-Esprit, et apporte à ta servante la consolation de ton cœur.

En effet, dans le texte du Psautier, de l'Evangile et des autres volumes qui me sont montrés dans cette vision, je connais le sens intérieur qui touche mon cœur et mon âme comme un flamme brûlante, m'enseignant les profondeurs de l'explication, sans pourtant m'enseigner la maîtrise littéraire en langue teutonique, dont je suis dépourvue, car je ne sais lire que de façon simple, non en analysant le texte. Réponds-moi à ce sujet ce qu'il t'en semble, car je suis un être humain ignorant de tout enseignement portant sur une matière extérieure, mais à l'intérieur de mon âme je suis savante, c'est pourquoi j'hésite à parler, mais en apprenant ta sagesse et ta piété, je suis déjà consolée, n'ayant osé dire cela à qui ce soit – parce qu'il y a tant de divisions entre les hommes, à ce que j'entends dire – sauf à un certain moine[2] que j'ai éprouvé en le fréquentant comme menant une vie très digne d'approbation. Aussi lui ai-je dévoilé mes secrets et il m'a assurément consolée en les estimant grands et redoutables. Je voudrais, Père, que pour l'amour de Dieu, tu me consoles et je serai rassurée.

Je t'ai vu en cette vision il y a plus de deux ans comme un homme regardant le soleil sans crainte, mais avec beaucoup d'audace. Et je pleurai parce que moi-même je rougis de confusion et j'ai si peu d'audace.

Père très bon et très doux, je suis mise en ton âme pour que tu me révèles en ce discours, si tu le veux bien, si je dois dire ces choses ouvertement ou si je dois garder le silence, car j'éprouve de grandes peines en cette vision pour savoir comment dire ce que j'ai vu et entendu. Et par moments, à la suite de cette vision, de grandes infirmités me terrassent dans mon lit, parce que je me tais, de telle sorte que je ne peux pas me lever. Je pleure de tristesse devant toi, parce que ma nature est ballottée comme dans un pressoir car je suis née de la souche d'Adam qui, ayant suivi la suggestion du diable, fut exilé dans une terre étrangère. Me levant à présent, j'accours à toi : toi tu es stable, mais toujours tu redresses l'arbre (du pressoir) et tu es vainqueur en ton âme, sauvant non toi seul, mais le monde.

Tu es encore l'aigle qui regarde le soleil. Je te prie, par la sérénité du Père et par son Verbe admirable, et par les larmes suaves de la componction, l'Esprit de Vérité, et par le son sacré par lequel résonne toute créature[3] et par le Verbe même dont est issu le monde, et par la sublimité du Père qui, en sa douce viridité envoya le Verbe dans le sein de la Vierge d'où il tira sa chair, comme le miel entouré par le rayon. Et que le son lui-même, l'énergie du Père, tombe en ton cœur et élève ton âme, afin que tu ne somnoles pas oisivement en écoutant les paroles de l'être humain que je suis – tandis que tu demandes toutes ces choses à Dieu, soit concernant cet être humain, soit concernant ce secret lui-même, en pénétrant par la porte de ton âme, afin de connaître toutes ces choses en Dieu.

Salut, salut en ton âme et sois fort pour le combat de Dieu. Amen.

REPONSE DE BERNARD A HILDEGARDE[4]

A sa chère fille en Christ, Hildegarde, Frère B. appelé abbé de Clairvaux, si la prière d'un pécheur est de quelque pouvoir.

Que si tu estimes notre petitesse tout autrement que nous ne le jugeons en notre conscience, nous ne croyons devoir ne l'imputer qu'à ton humilité. Je ne me suis pourtant pas dérobé pour répondre à la lettre de ton amour quoique la multitude des affaires m'oblige à être plus bref que je ne le voudrais. Nous nous félicitons de la grâce de Dieu qui est en toi. Et, pour autant qu'il est de nous, nous t'exhortons et te prions de la considérer comme une grâce et de t'évertuer à y répondre avec un sentiment de totale humilité et de totale dévotion, en sachant que "Dieu s'oppose aux orgueilleux, mais aux humbles accorde sa grâce" (1 P 5, 5). D'ailleurs, là où se trouve le savoir intérieur et l'onction qui enseigne toutes choses, quel besoin y a-t-il pour nous d'enseigner ou de mettre en garde?

Nous te demandons et te supplions instamment de te souvenir de nous auprès de Dieu, de même que de tous ceux qui nous sont unis en communauté spirituelle dans le Seigneur.

HILDEGARDE A GUIBERT DE GEMBLOUX[5]

... O serviteur fidèle, moi, pauvre figure féminine, dans la vision je te dis ces paroles ...

Depuis mon enfance, alors que mes os, mes nerfs et mes veines n'étaient pas encore développés, jusqu'au moment présent où j'ai plus de soixante-dix ans, j'ai toujours dans mon âme le don de voir. Dans la vision, mon esprit, comme Dieu le veut, s'élève dans les hauteurs célestes selon les différents courants; il se dilate parmi les peuples divers, quelque éloignés que soient leurs pays; et comme je vois (ces images) de cette manière, je les regarde selon les formes changeantes des nuages et des autres choses créées. Mais je ne les entends pas de mes oreilles corporelles, ni dans les pensées de mon cœur, je ne les perçois avec aucun de mes cinq sens, seulement dans mon âme, les yeux ouverts, de telle sorte que je n'ai jamais connu la perte (de conscience) de l'extase, car je vois ces images jour et nuit à l'état de veille. Et je suis continuellement frappée de maladies et de grandes douleurs qui risqueraient d'entraîner la mort, mais jusqu'à maintenant Dieu m'a soutenue.

La lumière que je vois n'est pas localisée, mais elle est bien plus claire qu'un nuage qui entoure le soleil; je ne puis y déceler ni hauteur, ni longueur, ni largeur et je la nomme "ombre de la lumière vivante". Et de même que le soleil, la lune et les étoiles se reflètent dans l'eau, de même les Ecritures, les discours, les vertus et certaines œuvres humaines, prenant forme à mes yeux, resplendissent dans cette lumière.

Tout ce que j'ai vu ou appris dans cette vision, j'en garde le souvenir, de telle sorte que je me le rappelle puisque je l'ai vu et entendu durant un certain temps. Dans le même instant, je vois, j'entends et je connais et j'apprends ce que je connais. Ce que je ne vois pas, je ne le sais pas car je suis pas lettrée. Et ce que j'écris, je le vois et l'entends dans la vision et je n'utilise pas d'autres mots que ceux que j'entends et que je profère en mots latins non polis, parce que dans cette vision, je n'apprends pas à écrire comme les philosophes. Et les paroles que je vois et que j'entends dans cette vision ne sont pas comme des paroles qui sortent de la bouche de l'homme mais comme la flamme d'un éclair, comme un nuage qui se déplace dans un air pur.

Je ne peux d'aucune manière reconnaître les contours de cette lumière, pas plus que je ne peux voir parfaitement le disque solaire. Et dans cette même lumière, je vois parfois, mais rarement, une autre lumière désignée comme "lumière vivante". Quand et comment je la vois, je ne saurais le dire, mais aussi longtemps que je la vois, toute angoisse et toute tristesse disparaissent en moi, de telle sorte que je me sens comme une jeune fille innocente et non comme une vieille femme.

Mais à cause des malaises constants que j'endure, je n'ai parfois pas envie de dire les paroles et les visions qui me sont montrées – cependant, quand mon âme voit et goûte ces merveilles, je change d'humeur et j'oublie cette douleur et toute tribulation (comme je l'ai dit) et ce que je vois et entends dans la vision, mon âme le puise comme à une source qui resterait toujours pleine et inépuisable.

Jamais, à aucun moment, la lumière décrite plus haut comme "ombre de la lumière vivante" ne fait défaut à mon âme et je la vois comme le ciel sans étoiles dans un nuage brillant ; là, dans l'éclat de la lumière vivante, je vois ce que je dis souvent et ce que je réponds à ceux qui m'interrogent.

Dans le corps aussi bien que dans l'âme, je m'ignore moi-même et je me tiens quasiment pour rien ; je tends vers le Dieu vivant et je lui abandonne tout afin que, Lui, qui n'a ni commencement ni fin, me garde en tout du mal, C'est pourquoi, toi qui m'as demandé de m'exprimer, prie pour moi avec tous ceux qui désirent entendre mes paroles avec foi, afin que je demeure sans défaillance au service de Dieu.

HILDEGARDE AUX PRELATS DE MAYENCE [6]

Dans la vision qui a été gravée dans mon âme par le Dieu créateur dès avant ma naissance, je suis contrainte de vous écrire au sujet de l'interdit infligé par nos supérieurs parce que, sans motif de culpabilité, nous avons enterré (dans notre cimetière) un défunt, sous la conduite de son prêtre. Comme peu de jours après la sépulture, nous reçûmes de nos supérieurs l'ordre de l'enlever du cimetière, frappée de terreur, je regardai comme de coutume la vraie lumière et, les yeux ouverts, dans mon âme, je vis que, si selon leur ordre, le corps de ce mort était enlevé, cette expulsion serait pour notre couvent une énorme menace, telle une grande ténèbre ; elle nous envelopperait comme un de ces nuages noirs qui précèdent l'orage et le tonnerre.

Dès lors, nous n'osâmes ni enlever le corps de ce défunt – étant donné qu'il avait reçu l'absolution, l'onction et la communion – ni suivre le conseil et les ordres de ceux qui nous persuadaient ou nous enjoignaient de le faire. Non pas que nous méprisions le conseil d'hommes sages et les ordres de nos prélats, mais pour ne pas paraître – par un acte cruel commis par des femmes – porter outrage aux sacrements du Christ qui l'avaient fortifié de son vivant.

Mais, pour ne pas paraître tout à fait désobéissantes, nous avons cessé, selon la teneur de l'interdit, de chanter les louanges divines et nous nous sommes abstenues de communier au Corps du Seigneur, comme nous avions l'habitude de le faire presque tous les mois.

Moi et toutes mes sœurs en avions conçu une grande amertume et étions frappées d'une grande tristesse; oppressée d'un grand poids, j'entendis alors ces paroles dans la vision: "Il n'est pas bon pour vous de vous priver, pour des ordres humains, des mystères du Verbe revêtu de la nature humaine, votre Sauveur dans une nature vierge née de la Vierge Marie ... (Suit un passage sur le rôle réparateur de l'Eucharistie).

Dans la même vision j'entendis dire que j'étais coupable de n'être pas venue en toute humilité et soumission devant mes supérieurs demander la permission de communier, étant donné que nous n'avions pas commis de faute en accueillant ce défunt, car il avait été muni par son prêtre de tout ce qui convient à un chrétien et il avait été enterré chez nous au milieu de tous les habitants de Bingen, sans que personne ait fait une objection.

Voici, Excellences, ce que Dieu m'a enjoint de vous dire: j'ai également vu quelque chose à propos du fait que, pour vous obéir, nous avons cessé de chanter l'office divin et l'avons seulement lu à voix basse. J'ai entendu une voix qui provenait de la lumière vivante et qui parlait des diverses formes de louange selon le psaume de David (*Ps* 150, 3-6): "Louez-le au son de la trompette, louez-le sur la harpe et la cithare" etc, jusqu'à "Que tout ce qui respire loue le Seigneur"[7].

Ces paroles nous font aller de l'extérieur à l'intérieur et nous indiquent comment, à l'image de ces instruments matériels et de leurs diverses particularités, nous devons orienter tout l'élan de notre homme intérieur vers la louange de Dieu et lui donner une expression. Si nous y sommes attentifs, nous nous rappelons combien l'homme recherche la voix de l'esprit de vie, perdue par la désobéissance d'Adam qui, avant la transgression, dans l'état d'innocence, participait de façon appréciable au chœur des louanges angéliques ; les anges ont cette voix de par leur nature spirituelle, eux qui sont appelés esprits par l'Esprit – qui est Dieu. Adam a donc perdu cette affinité avec la voix angélique qu'il possédait au paradis et – comme quelqu'un qui, au réveil, ne sait plus avec certitude ce qu'il a vu dans ses rêves – la science (de Dieu) qui était sienne avant la chute s'est endormie en lui ...

Mais Dieu qui sauve les âmes des élus en leur envoyant la lumière de la vérité pour les ramener à la félicité originelle, prit la décision de renouveler les cœurs d'un grand nombre en leur infusant l'esprit prophétique afin que, par l'illumination intérieure, ils retrouvent quelque chose des biens perdus par Adam et qu'il détenait avant le châtiment de sa faute.

Afin de ne pas vivre dans le souvenir de son bannissement, mais dans celui de cette douceur de la louange divine dont jouissait Adam avec les anges, et pour y inciter les hommes, les saints prophètes, enseignés par ce même esprit qu'ils avaient reçu, n'ont pas seulement composé les psaumes et les cantiques qu'ils chantaient pour enflammer la dévotion des auditeurs, mais encore ils ont créé à cette fin les instruments sur lesquels les psaumes seraient joués, avec leurs diverses sonorités ; de la sorte, tant par l'aspect extérieur et les particularités de chaque instrument de musique que par le sens des paroles proférées, les auditeurs – comme nous l'avons dit plus haut – avertis et bien disposés par les formes extérieures, reçoivent un enseignement intérieur.

A l'exemple des saints prophètes, les sages et les savants ont aussi inventé par leur savoir-faire humain de nombreux instruments afin de pouvoir chanter selon la joie de leur âme. Ils adaptaient leur chant à la flexion des doigts[8] pour se rappeler qu'Adam fut créé par le doigt de Dieu, le Saint-Esprit.

Dans la voix d'Adam, avant la chute, il y avait toute la douceur et l'harmonie de l'art musical. Et s'il était resté dans l'état où il avait été créé, la faiblesse de l'homme mortel n'aurait pu supporter la force et la sonorité de cette voix. Lorsque le diable eut entendu que l'homme pouvait chanter sous l'inspiration divine et être incité à se rappeler la douceur des chants de la patrie céleste, voyant échouer ses machinations perfides, il fut si effrayé et tourmenté qu'il ne cessa de troubler ou d'empêcher la proclamation, la beauté et la douceur de la louange divine et des cantiques spirituels : dans le cœur de l'homme par des insinuations malveillantes, des pensées impures, des distractions diverses, mais aussi dans le cœur de l'Eglise, partout où il le pouvait, par des discordes, des scandales, des oppressions injustes.

C'est pourquoi, vous et tous les prélats, vous devez bien prendre garde avant de fermer par un jugement la bouche d'une assemblée qui chante pour Dieu, de lui interdire de célébrer et de recevoir les sacrements. Veillez à ne pas être trompés dans vos jugements par Satan qui arrache l'homme à l'harmonie céleste et aux délices du paradis ...

Réfléchissez-y : de même que le corps du Christ à pris chair de la virginité intacte de Marie par l'Esprit-Saint, de même le cantique de louanges, écho de l'harmonie céleste, est enraciné dans l'Eglise par l'Esprit-Saint. Le corps est le vêtement de l'âme qui donne vie à la voix. C'est pourquoi il convient que le corps uni à l'âme chante de vive voix les louanges de Dieu ...

Et puisqu'à l'audition de quelque cantique, l'homme soupire et gémit, se souvenant de l'harmonie céleste, le prophète, considérant avec pénétration la profondeur de la nature spirituelle et sachant que l'âme est symphonique nous exhorte dans le psaume à confesser Dieu sur la cithare et la harpe à dix cordes (*Ps* 32, 2 ; 91, 4) : la cithare qui résonne en bas, pour appeler à l'ascèse corporelle ; la harpe qui transmet les sons d'en haut à l'intention de l'esprit ; les dix cordes pour la contemplation de la Loi.

Par conséquent, ceux qui imposent, sans avoir bien pesé leurs raisons, le silence à l'Eglise qui chante la louange de Dieu, privent Dieu injustement de la beauté des louanges qui lui reviennent sur terre et seront eux-mêmes privés de la participation aux louanges angéliques dans le ciel, à moins qu'il n'y remédient par "une vraie pénitence" et une humble satisfaction (*Sg* 11, 24). Que ceux qui détiennent les clés du ciel prennent bien garde de ne pas ouvrir ce qui doit rester fermé et de ne pas fermer ce qu'il faut ouvrir. Car ceux qui président seront soumis au jugement le plus sévère, à moins qu'ils "ne président avec diligence" (cf. *Rom* 12, 8). Et j'entendis une voix qui disait : "Qui a créé le ciel ? Dieu. Qui ouvre le ciel à ses fidèles ? Dieu. Qui est semblable à Lui ? Personne". Et s'est pourquoi, ô fidèles, que nul d'entre vous ne lui résiste ni ne s'oppose à lui, de peur qu'il ne fonde sur vous avec sa puissance, sans que vous puissiez avoir un défenseur qui vous prenne sous sa protection lors du jugement ...

SCIVIAS, DEUXIEME VISION DU LIVRE II⁹

Ensuite, je vis une lumière très claire et, dans cette lumière, une forme humaine de couleur saphir qui étincelait dans un feu rutilant très doux. Et cette lumière claire pénétrait tout le feu rutilant, de même que le feu rutilant pénétrait la lumière claire ; lumière et feu pénétraient toute la forme humaine, ne faisant qu'une seule lumière en une seule force et puissance.

Et à nouveau, j'entendis la même lumière vivante qui me disait :

1. Du sens des mystères de Dieu

Voici le sens des mystères de Dieu, afin que l'on voie et reconnaisse clairement cette plénitude sans nul commencement et dont la force qui fait jaillir les ruisseaux des forts n'est jamais défaillante. Car si la propre viridité de Dieu était en défaut, quelle serait alors son œuvre ? Vide assurément. C'est pourquoi c'est à l'œuvre parfaite que l'on reconnaît l'Ouvrier.

2. Les trois personnes

Ainsi tu vois la lumière très claire qui, sans tache d'illusion, de défaillance ou d'erreur, désigne le Père ; en elle la forme humaine couleur saphir, sans tache d'endurcissement, d'envie et d'injustice, représente le Fils né du Père dans sa divinité avant tous les siècles, mais, dans son humanité, né au monde dans le temps : cette lumière étincelle encore d'un feu brillant et doux qui, sans tache d'aridité, de mortalité et d'obscurité, manifeste le Saint-Esprit par lequel fut conçu le Fils de Dieu selon la chair, né dans le temps de la Vierge Marie pour donner au monde la clarté de la vraie lumière. Mais si cette lumière claire pénètre tout le feu rutilant, le feu toute la lumière claire, et que la lumière claire et le feu rutilant pénètrent toute la forme humaine, tous trois ne forment qu'une seule lumière dans une même force et puissance. C'est parce que le Père, qui est la justice la plus équitable, n'est pas sans le Fils ni l'Esprit et l'Esprit, qui embrase le cœur des fidèles, n'est pas sans le Père ni le Fils et le Fils, qui est la plénitude de la fécondité, n'est pas sans le Père ni l'Esprit-Saint, qu'ils sont inséparables dans la majesté de la divinité ... ainsi ces trois Personnes sont Dieu dans la majesté d'une seule et même Divinité et l'unité de la divinité persiste inséparablement dans les trois Personnes. Car la Divinité ne peut être dissociée, demeurant toujours inviolable, sans aucun changement.

Mais le Père est manifesté par le Fils, le Fils par la naissance des créatures et l'Esprit-Saint par l'incarnation de ce même Fils. Comment cela? Le Père qui, avant tous les siècles, a engendré le Fils, le Fils par lequel tout a été fait à partir du Père au début de la création et l'Esprit-Saint qui apparut sous la forme d'une colombe au baptême du Fils, pour la fin des temps.

3. L'homme ne doit jamais oublier d'invoquer ardemment un seul Dieu en trois Personnes

Que l'homme n'oublie jamais de m'invoquer, moi le seul Dieu en trois Personnes, car je les ai manifestées à l'homme pour qu'il soit plus ardent à m'aimer; c'est pour l'amour de lui que j'ai envoyé mon Fils dans le monde, comme le proclame Jean, mon bien-aimé:

4. Jean, de l'amour de Dieu

"Voici comment s'est manifesté l'amour de Dieu au milieu de nous: Dieu a envoyé son Fils unique dans le monde afin que nous vivions par Lui. Voici ce qu'est l'amour: ce n'est pas nous qui avons aimé Dieu, c'est lui qui nous a aimés le premier et qui a envoyé son Fils en victime d'expiation pour les péchés" (1 Jn 4, 9-10).

Qu'est-ce à dire? Parce que Dieu nous a aimés, il y eut un autre salut que celui que nous avions à la création, alors que nous étions héritiers de l'innocence et de la sainteté ; le Père céleste nous manifesta son amour alors que nous étions exposés au danger et au châtiment, en envoyant par sa puissance suprême son Fils, plénitude de la sainteté, chez les enfants des hommes dans les ténèbres du siècle : là le Verbe accomplit tout bien, ramenant à la vie par la douceur ceux qui étaient détruits par l'impureté de la transgression et qui ne pouvaient revenir à l'état de sainteté qu'ils avaient perdu.

Car par le Fils, l'amour maternel de Dieu est venu nous embrasser pour nous faire croître à la vie et nous soutenir dans les dangers, charité très intense et très douce qui nous incite à la pénitence ...

Le salut donné par la charité n'est pas sorti de nous car nous ne savons ni ne pouvons aimer Dieu pour notre salut, mais puisque le Créateur et maître de tout a tant aimé son peuple que, pour le sauver, Il lui a envoyé son Fils, prince et sauveur qui a "lavé et pansé nos blessures" (*Jer* 30, 17 ; *Ez* 16, 9) ; un baume très doux sortit de lui d'où découlent tous les biens du salut. Et toi, homme, comprends que Dieu n'est soumis à aucun changement, car le Père est Père, le Fils, Fils, et l'Esprit-Saint, Esprit-Saint, les trois Personnes demeurant indivisiblement dans l'unité de la Divinité.

5. Des trois forces de la pierre

Il y a trois puissance dans la pierre, trois dans la flamme et trois dans la parole.

Dans la pierre, il y a une force d'humidité verdoyante, une consistance palpable et un feu rutilant. Elle possède l'humidité verdoyante pour n'être pas dissoute ni diminuée, une densité palpable pour avoir un abri et un rempart, un feu rutilant pour être réchauffée et renforcée dans sa dureté. La viridité signifie le Père dont jamais la force ne s'épuise ni ne meurt, la densité palpable désigne le Fils qui, né de la Vierge, peut être touché et appréhendé, et le feu rutilant manifeste l'Esprit qui "éclaire et embrase le cœur des hommes fidèles".

Parfois l'homme, touchant physiquement l'humidité de la pierre, attrappe une maladie qui l'affaiblit, de même l'homme qui considère le Père à la légère, dans l'instabilité de ses pensées, perd la foi.

Comme les hommmes, grâce à la solidité de la pierre, se font des habitations pour se défendre contre leurs ennemis, le Fils de Dieu qui est "la vraie pierre angulaire" (*Ep* 2, 20), est l'abri du peuple fidèle pour le protéger de ses ennemis.

Comme le feu rutilant illumine les ténèbres en consumant tout ce qui les touche, l'Esprit-Saint met en fuite l'infidélité en enlevant toute tache d'injustice (= de péché).

6. Des trois forces de la flamme

De même que la flamme a trois forces en une seule ardeur, de même il y a un seul Dieu en trois personnes. Comment? La flamme se compose d'une lumière splendide, d'une verdeur vermeille et d'une ardeur ignée.

Dans la splendide lumière, vois le Père qui, dans son amour paternel répand sa lumière sur ses fidèles et dans la verdeur vermeille qui est en Lui comme cause, dans laquelle la flamme manifeste sa force, comprends qu'il s'agit du Fils qui a pris chair de la Vierge et dans lequel la Divinité a manifesté ses merveilles; dans l'ardeur du feu, considère le Saint-Esprit qui se répand dans l'esprit des croyants. Là où il n'y a ni lumière splendide, ni verdeur vermeille, ni ardeur ignée, on ne voit pas la flamme; de même, là où ni le Père, ni le Fils, ni le Saint-Esprit ne sont honorés, Dieu n'est pas vénéré comme il convient.

De même que dans une seule flamme on peut distinguer trois forces, de même il faut comprendre qu'il y a trois Personnes dans l'unité de la Divinité.

7. Des trois éléments de la parole humaine

Comme il y a trois éléments constitutifs de la parole humaine, de même il faut considérer la Trinité dans l'unité de la Divinité. Comment? Dans la parole, il y a le son (*sonus*), la force expressive (*virtus*) et le souffle (*flatus*). Le son, pour qu'on l'entende, l'expression, pour qu'on la comprenne, le souffle, pour qu'elle atteigne son but.

Dans le son, entends le Père qui manifeste toute chose par sa puissance indicible, dans la force expressive, le Fils qui est merveilleusement né du Père, dans le souffle l'Esprit-Saint qui brûle doucement en eux. Là où le son n'est pas entendu, l'expression ne se manifeste pas ; là où le souffle ne s'élève pas, la parole n'est pas comprise, car Père, Fils et Esprit-Saint ne sont pas séparés mais exercent leur œuvre en commun. De même que ces trois éléments constituent la parole, de même la Trinité suprême est dans la suprême Unité ...

Comprends, o homme, que Dieu est Un en trois Personnes. Mais toi, dans la faiblesse de ton âme, tu penses que Dieu n'est pas assez puissant pour être en trois Personnes, qu'il est seulement en une. Dieu est le vrai Dieu en trois Personnes, le "Premier et le Dernier" (*Ap* 1, 17).

8. De l'Unité de l'essence

Mais le Père n'est pas sans le Fils, ni le Fils sans le Père, ni le Père et le Fils sans l'Esprit-Saint, ni l'Esprit-Saint sans les deux autres, parce que ces trois Personnes sont inséparables dans l'unité de la Divinité. Comment ? La parole résonne dans la bouche de l'homme, mais il n'y pas de bouche sans parole, ni parole sans vie. Et où réside la parole ? Dans l'homme. Et d'où sort-elle ? De l'homme. Comment ? De l'homme vivant. De même que le Fils est dans le Père, lui que le Père a envoyé dans les ténèbres de la terre pour le salut des hommes, et qui a été conçu du Saint-Esprit. Le Fils est unique dans sa divinité, de même qu'il est unique dans la (naissance) virginale et, comme il est l'Unique du Père, il est l'unique de la Mère, car, de même que le Père l'a engendré avant tous les siècles, de même la Vierge Marie n'a engendré que lui, puisqu'elle est restée vierge après sa naissance.

O homme, considère ton Dieu en trois Personnes, Lui qui t'a créé par la puissance de sa Divinité et t'a racheté de la perdition ...

DE L'HOMME ET DE LA FEMME[10]

Lorsque Dieu créa Adam, Adam ressentit un grand amour durant le sommeil que Dieu lui avait envoyé. Et Dieu fit une figure à l'image de l'amour de l'homme et ainsi, la femme est l'amour de l'homme. Et au moment où la femme fut formée, Dieu donna à l'homme le pouvoir de créer pour qu'il procrée des enfants par son amour – qui est la femme. Quand Adam regarda Eve, il fut rempli de toute sagesse, car il vit la mère par laquelle il devait procréer les enfants. Et quand Eve regarda Adam elle le vit comme si elle regardait vers le ciel, de même que l'âme qui désire les biens célestes se tourne vers le haut, car son espoir était tourné vers l'homme et c'est pourquoi il ne doit y avoir qu'un seul amour entre l'homme et la femme et point d'autre amour.

Mais l'amour de l'homme pour l'amour de la femme est aussi ardent que le feu des volcans qui peut difficilement s'éteindre et il se tourne vers un feu de bois qui s'éteint facilement. L'amour de la femme pour l'amour de l'homme est comme une douce chaleur qui vient du soleil et qui porte du fruit; il va vers un feu de bois très ardent et c'est pourquoi, dans l'enfant, il porte un fruit de douceur.

Mais après la transgression, le grand amour qui était en Adam alors qu'Eve sortait de lui et la douceur de ce sommeil dont il dormait ont changé de nature. Et parce que dès lors, l'homme sent en lui une grande douceur, il court vers la femme "comme le cerf vers les eaux vives" (*Ps* 41) et la femme vers lui comme une aire de battage qui s'échauffe sous les coups qui détachent les grains (de l'épi).

LA PLAINTE DES ELEMENTS
a) SCIVIAS I, 2, c. 27[11]

Et tous les éléments du monde qui étaient auparavant dans un grand calme furent agités de phénomènes terribles, parce que la création qui était destinée au service de l'homme ne ressentait en elle aucune hostilité, mais, après la désobéissance de l'homme qui s'était opposé à Dieu, bouleversée, elle perdit son équilibre et infligea aux hommes de grandes et nombreuses tribulations, afin que l'homme qui s'était tourné vers le mal fût par elle châtié. Puisque l'homme, dans le lieu paradisiaque, s'était rebellé contre Dieu, la création soumise à l'homme s'opposa à lui.

b) LIBER VITAE MERITORUM [12]

Et j'entendis que les éléments du monde se tournaient vers l'Homme de Dieu avec un cri sauvage. Ils criaient: "Nous ne pouvons plus nous mouvoir et achever notre course selon le dessein de notre maître. Car les hommes nous bouleversent avec leurs actions mauvaises, et nous secouent de bas en haut comme dans un moulin. Nous puons déjà comme la peste et mourons de faim dans l'attente de la vraie justice." L'Homme leur répondit: "Avec mon balai, je vais vous purifier et tourmenter les hommes jusqu'à ce qu'ils se tournent à nouveau vers moi. Alors je vais préparer bien des cœurs selon mon propre cœur. Avec les tourments de ceux qui vous ont souillés, je vous purifierai chaque fois que vous serez pollués. Et qui pourrait s'égaler à moi? Maintenant, tous les vents sont remplis de la pourriture du feuillage, l'air crache de la saleté à tel point que les hommes ne peuvent même pas ouvrir la bouche comme il faut. La force verdoyante s'est fanée à cause de la folie impie des foules humaines aveuglées. Elles ne suivent que leur bon plaisir et crient: Où est leur Dieu que nous ne voyons jamais?"

Je leur réponds: "Ne me voyez-vous pas jour et nuit? Ne me voyez-vous pas lorsque vous semez et que la semence lève, arrosée de ma pluie? Toute créature tend vers son Créateur et reconnaît clairement qu'Un seul l'a créée. Seul l'homme est un rebelle. Il déchire son Créateur dans la multiplicité des créatures.

Qui donc, dans sa sagesse, a composé les livres saints? Ouvrez-les donc pour voir qui vous a faits. Tant qu'une seule créature n'agira que pour satisfaire vos désirs, vous n'aurez pas la joie parfaite. Mais quand la création usée aura disparu, les élus contempleront la joie la plus haute dans une vie de félicité ..."

RESTAURATION DE LA CREATION A LA FIN DES TEMPS [13]

Une fois le jugement terminé, l'épouvante cesse d'agiter les éléments : éclairs, tonnerre et tempêtes se calment ; tout ce qui était caduc et périssable disparaît et ne reviendra plus, comme la neige qui a fondu au soleil. Le calme absolu et la tranquillité règnent par décret divin.

Quand tout sera achevé, les éléments, comme tu vois, étincelleront d'une clarté et d'une beauté sans pareilles, toute marque de noirceur ou de saleté ayant disparu. Car le feu brille sans brûler, comme l'aurore, l'air étincelle dans tout sa transparence, l'eau est claire et tranquille sans débordement ni dévastation et la terre apparaît forte et toute plane, sans fragilité ni défectuosité. Tout n'est que calme et beauté.

Et le soleil, la lune et les étoiles, brillent dans le ciel de tout leur éclat, comme des pierres précieuses serties d'or. Leur course inquiète pour séparer le jour et la nuit s'est achevée. Ils sont devenus immuables depuis que le monde a disparu. Les ténèbres de la nuit ne se lèveront plus et le jour ne cessera pas, comme l'affirme Jean, mon bien-aimé : "Il n'y aura plus de nuit, nul n'aura besoin de la lumière du flambeau ni de la lumière du soleil, car le Seigneur Dieu répandra sur eux sa lumière (*Ap* 22, 5)".

LA SYMPHONIE [14]

Sans cesse, il faut louer le Créateur suprême par la voix de la bouche et du cœur, car, par sa grâce, il met sur le trône céleste non seulement les hommes debout, mais aussi ceux qui tombent, qui sont courbés [15].

Vois, homme, cet air très lumineux qui désigne l'éclat de la joie des citoyens du ciel, air qui, d'une manière admirable, transmet à tes oreilles, selon tous les symboles expliqués plus haut, la diversité des musiques par lesquelles les fidèles qui ont persévéré courageusement dans la voie de la vérité chantent les joies d'en-haut dont ils jouissent en même temps que ceux qui, dans les gémissements, ont été ramenés à la louange de ces mêmes joies.

En effet, comme l'air embrasse et soutient tout ce qui est sous le ciel, de même – ainsi que tu l'entends de toutes les merveilles de Dieu qui t'ont été montrées ici – une symphonie douce et suave fait résonner dans la joie les miracles (accomplis pour) les élus qui se trouvent dans la cité céleste après avoir persévéré dans leur douce dévotion à Dieu ; à travers les plaintes, tu perçois la peine de ceux qui sont courbés, ceux que l'antique serpent a essayé de perdre et que, cependant, la force de Dieu a ramenés vigoureusement dans la société de ceux qui jouissent des joies d'en haut, proclamant à travers eux ces mystères qui restent inconnus aux esprits humains tournés vers la terre ; et dans les encouragements des vertus pour sauver les gens qui s'opposent aux ruses du diable ; ces ruses, les vertus les écrasent, de telle sorte que les hommes fidèles parviendront par la pénitence à la cité d'en-haut ...

C'est pourquoi ce son, voix d'une multitude, chante symphoniquement la louange des lieux célestes, car la symphonie redit, dans l'unanimité de la concorde, la gloire et l'honneur des citoyens du ciel, faisant monter ce que la parole profère à haute voix.

De même que la parole désigne le corps, la symphonie manifeste l'esprit, car l'harmonie céleste annonce la Divinité et la parole publie l'Humanité du Fils de Dieu.

LA VERDEUR, FORCE ERUPTIVE D'UNE GRACE PRINTANIERE [16]

O, très noble verdeur,
Toi qui prends racine dans le soleil,
Tu brilles dans la sereine clarté,
Dans le mouvement d'une roue
Qui échappe à l'intelligence humaine.
Toi, verdeur, tu es enveloppée
Par la force des mystères célestes.
Tu rougeoies comme l'aurore,

Tu flambes à l'ardeur du soleil,
O toi, noble verdeur.

Trad. G. E.-B.

NOTES

1. Cette lettre, qui fait allusion à la prédication de la seconde croisade par Saint Bernard (Vézelay, 1146) est donc postérieure à cette date et antérieure au synode de Trèves (1147/48). Encore inconnue et dans son incertitude quant à son charisme visionnaire, Hildegarde s'adresse à un homme célèbre dans la chrétienté, ami du pape Eugène III. A cette époque, Bernard n'avait pas encore lu l'œuvre de Hildegarde; dans sa réponse, il l'encourage, mais en termes assez généraux. C'est au synode de Trèves qu'il prendra connaissance des écrits de l'abbesse et du rapport de la commission envoyée au Disibodenberg. Il demande alors au pape de confirmer par son autorité la mission prophétique de Hildegarde "afin que la lumière ne soit pas couverte par le silence" (Cette formule surprenante montre bien qu'il y a pour Hildegarde équivalence entre lumière et parole). (Cf. *Vita*, I, 5, 94-95.)

   Le texte des lettres est emprunté au manuscrit de Zwiefalten (Stuttgart, Landesbibliothek, Cod. theol. 4° 141, fol. 31v-33r) qui semble, dans sa gaucherie littéraire, plus proche de l'original que la transcription du grand codex du Rupertsberg.

   Texte des lettres: *Echtheit*, p. 105-107. Commentaire et discussion de leur authenticité, p. 104, 108-110.

2. Il s'agit ici de Volmar. Cf. *supra*, p. 30.

3. Le son est à l'origine de la création. Cf. *infra*, p. 56.

4. *Echtheit*, p. 107.

5. Sur Guibert, cf. *supra*, c. I, n. 20, p. 42. La lettre traduite ici constitue une réponse aux questions pressantes de Guibert: Hildegarde oublie-t-elle ses visions après les avoir fait rédiger? Les dicte-t-elle en latin ou en allemand pour les faire traduire ensuite? Sa connaissance de l'Ecriture sainte est-elle le fruit de l'étude ou de l'inspiration de l'Esprit-Saint? (*Analecta*, *Ep.* L, p. 328-331).

   Après des considérations générales sur la vie humaine et la foi, Hildegarde passe à la description de ses visions; elle en distingue les différents degrés: "ombre de la lumière vivante" ou "lumière vivante" qui désigne un mode plus élevé, mais plus rare. On notera la synthèse de l'audition et de la vision: la lumière parle et les paroles sont comme une flamme brillante.

   Malgré ses protestations de faiblesse, Hildegarde est ici beaucoup plus sûre d'elle et de sa vocation que dans sa lettre à saint Bernard.

   Texte de la lettre: *Ep.* II, *Analecta*, p. 331-334. Sur sa date (1175), *Echtheit*, p. 14-16. Commentaire, DRONKE, *Women writers*, p. 167-169.

6. Cette lettre est adressée au chapitre cathédral de Mayence. Alors que l'évêque Christian von Buch était à Rome pour prendre part au troisième concile du Latran en 1179, les chanoines qui expédiaient les affaires courantes, fulminèrent l'interdit sur le couvent du Rupertsberg qui avait accepté d'enterrer un jeune noble excommunié, puis réconcilié avec l'Eglise en privé, mais non publiquement. Hildegarde se soumet à l'interdit, mais refuse d'exhumer le corps. Qui plus est, elle fait aplanir le lieu de la sépulture pour qu'elle ne soit pas profanée, se bornant à tracer avec sa crosse abbatiale une croix sur la terre (*Acta inquisitionis*, ch. 6, PL 197, 135).

   Elle écrit ici pour demander au chapitre de reconsidérer sa décision. Devant son refus, elle dut s'adresser à l'évêque lui-même par deux fois avant que son bon droit soit reconnu.

Cette épître oppose une attitude juridique (si on n'est pas vraiment sûr que le jeune homme ait réellement reçu l'absolution, on ne peut lui accorder une sépulture en terre consacrée, telle était la position des chanoines) à une attitude de type charismatique. Hildegarde accepte la sanction, se soumettant à l'Eglise institutionnelle mais – par respect pour les sacrements du Christ reçus par le défunt – refuse de l'exhumer. Dans son argumentation, elle rappelle le rôle des sacrements issus du Christ pour notre sanctification, en vue de notre union à Dieu, et qui peuvent être reçus avec assurance si *en conscience* et avec une *intention pure*, on se considère comme exempt de péché grave.

Le deuxième thème est celui de l'*harmonie* originelle qui enveloppait le chœur des anges et la voix de l'homme. Si celui-ci a perdu la suavité de sa voix, prophètes et musiciens la lui rappellent par la variété des instruments et des sons qu'ils émettent, de même que par les paroles des cantiques. Interdire aux sœurs de chanter la louange divine, l'*opus Dei* qui est le principal office des bénédictines, c'est faire le jeu du diable. D'où la semonce au clergé.

Troisième thème : celui du *souvenir* de Dieu qui est partout sous-jacent. Le péché grave est oubli du Dieu créateur. La foi et le désir de Dieu consistent en un ressouvenir (*recordatio*) comme une réinsertion consciente dans le plan de Dieu. D'où l'importance du "mémorial" liturgique.

Texte de la lettre : *Ep.* 47, PL 197, 218-221, avec les variantes de DRONKE, *Women writers*, p. 314-315. Traduction partielle et commentaire, *ibid.*, p. 196-199. Cf. *Echtheit*, p. 158 et n. 13.

7. Cf. commentaire de ce psaume, *Scivias*, III, vis. 13, ch. 16, 633 sv.

8. Allusion à la main "main guidonienne" sur laquelle Guido d'Arrezzo (v. 995 - v. 1050) indique la position des notes.

9. *Scivias*, CC XLIII, p. 124-132. Cette vision regroupe les principales caractéristiques de l'art et de la pensée de Hildegarde. Sa beauté en est admirablement rendue par l'enluminure du manuscrit du Rupertsberg : ces cercles lumineux au centre duquel se tient le Fils de Dieu fait homme recèlent tout le symbolisme de la lumière chez la visionnaire :

a) La lumière claire, argentée, représente Dieu, origine et source de toute lumière ; le feu rutilant, c'est-à-dire traversé d'or, désigne le Saint-Esprit, embrassement-embrasement du Père et du Fils ; le bleu de la figure centrale est moins une couleur qu'une qualité de la lumière divine qui s'est en quelque sorte concrétisée dans la forme humaine par l'Incarnation du Fils. Ces trois lumières n'en font qu'une, se compénétrant sans toutefois se confondre ; c'est pour Hildegarde le moyen d'exprimer quelque chose du mystère de la Trinité.

b) A plusieurs reprises, surtout dans ses lettres théologiques (cf. *supra*, c. I, n. 25), Hildegarde est revenue sur le mystère d'un seul Dieu en trois Personnes. Elle fait ainsi écho à la controverse qui agitait les théologiens sur les "noms" trinitaires : paternité, filiation, procession, et qui a opposé saint Bernard à Gilbert de la Porrée condamné au concile de Reims en 1148. (Cf. E. GILSON, *La théologie mystique de saint Bernard*, Paris, 1969[3], p. 70-71).

Comme saint Bernard, Hildegarde représente ici la théologie monastique qui s'enfonce dans l'obscurité lumineuse du mystère sans vouloir l'expliciter, en face de la scolastique naissante qui raisonne sur le mystère à partir de catégories logiques et grammaticales.

c) Ce mystère, elle l'approche par le jeu des analogies qui décrivent "la plus grande ressemblance dans la plus grande dissemblance" comme l'a défini le treizième siècle. Hildegarde insiste davantage sur la ressemblance et ramène ici à son appréhension globale de l'univers : la structure des éléments s'apparente – de quelque manière, mais sans qu'il y ait identité puisque Dieu est incompréhensible – avec l'Etre même de Dieu. Elle recourt à trois éléments : le minéral, le feu, le souffle (l'air) : dans la *pierre*, qui selon sa Physique (*Physica*, IV, *De lapidibus*, PL 197, 1247-1250) est issue de la concrétion de l'eau au contact des montagnes ignées, il y a à la fois l'humidité féconde, le feu, la solidité de la masse, qualités attribuées aux Personnes divines. Pour la *flamme*, on retrouve les données de la vision elle-même ; lumière, verdeur (*viriditas*), ardeur. La dernière analogie décompose la *parole* en son, puissance originelle, verbe qui donne une forme intelligible au son primordial et souffle qui propage son et parole.

Enfin, la vision se clot, comme toujours, par un appel à l'homme pour qu'il se souvienne de Dieu et qu'il atteigne la plénitude de son humanité par le moyen des vertus.

Un siècle plus tard, Dante a repris cette vision dans le dernier chant du Paradis et c'est avec les yeux de Hildegarde qu'il contemple le mystère de la Trinité dans l'Unité : (*Commedia*, III, *Paradiso*, cant. XXXIII, v. 115-137 :

"Nella profonda e chiara sussistenza
dell'alto lume parvemi tre giri
di tre colori e d'una continenza.

...

Dentro da sè del suo colore stesso
mi parve pinta della nostra effige ;
per che il mio viso in lei tutto era messo."

(Dans sa profonde et claire subsistance
de la sublime lumière m'apparurent trois cercles
de trois couleurs et d'une seule contenance.

...

Au-dedans et de sa propre couleur
m'apparut peinte notre image ;
c'est pourquoi ma vue se plongeait toute en lui.)

10. *Causae et curae*, 136-138, *Analecta*, p. 477-478. Cf. P. DRONKE, *Women writers*, p. 244 ; traduction et commentaire, *ibid.*, p. 176.

Hildegarde décrit ici de manière archétypique l'union de l'homme et de la femme. Mais, même si l'amour charnel décrit très clairement dans la dernière image a changé de nature après la faute, elle n'en insiste pas moins sur la beauté et la fécondité de la rencontre homme-femme, la femme étant la terre qui accueille les germes issus de l'ardeur de l'homme.

11. CCCM 43, p. 32.
12. *Liber vitae meritorum*, III, I, II, *Analecta*, 105-106.
13. *Scivias*, III, vis. 12, ch. 12, CCCM 43 A, p. 611-613.
14. *Scivias*, III, vis. 13, ch. 10, 11, 12, CC 43 A, p. 630-631.
15. L'homme "courbé" est celui qui se tourne vers la terre au lieu de se dresser vers le ciel. Cf. Saint Bernard, *Sur le Cantique*, S. 24, 6-7.
16. *Scivias*, III, vis. 13, ch. 7, CCCM 43 A, p. 620.

La *viriditas*, notion propre à Hildegarde, est une force germinatrice, créatrice, qui se retrouve à tous les niveaux de la vie divine et terrestre. Splendeur rayonnante de Dieu, elle qualifie l'œuvre du Verbe et de l'Esprit-Saint dont l'action conjuguée soutient les créatures dans l'être. Fécondité de la terre, la verdeur exprime aussi celle de l'âme qui anime le corps, nourrit les vertus, chacune étant accompagnée de sa propre verdeur.

CHAPITRE 3

Mechthilde de Magdebourg (entre 1207 et 1210 – entre 1282 et 1294)

VIE

Mechthilde naquit entre 1207 et 1210 dans le diocèse de Magdebourg, d'un milieu sans doute aisé où elle dut recevoir une bonne instruction, comme en témoignent son style et sa connaissance de l'idéal courtois. Il est peu probable qu'elle fût d'origine noble, vu le mutisme des auteurs médiévaux à ce sujet[1]. "Saluée" par le Saint-Esprit dès l'âge de douze ans, elle quitta sa famille vers 1230 pour répondre à l'appel de Dieu "dans l'exil", c'est-à-dire dans la ville de Magdebourg où elle dit n'avoir connu à ce moment là qu'une seule personne. Elle entra dans une communauté de béguines, et y dissimula pendant de longues années les grâces exceptionnelles dont elle était l'objet, puis finit par se confier à son confesseur, le Dominicain Henri de Halle. Encouragée par lui, elle se mit à rédiger, à partir de 1250, son livre intitulé *Das Fliessende Licht der Gottheit* (*La Lumière ruisselante de la Déité*)[2].

Il s'agit d'une série de poèmes, courts ou longs, alternant avec des morceaux de prose narrative rythmée. Mechthilde y exprime avec lyrisme son expérience mystique, compose des scènes dialoguées entre Dieu et l'Ame, entre Dame Ame et Dame Amour et d'autres figures allégoriques, telles que Fidélité, Constance, ou Peine et Aliénation de Dieu. Elle évoque aussi bien le Purgatoire, l'Enfer et les démons que la joie ineffable de l'union. Au nom même de l'Eglise, elle critique si acerbement la décadence du clergé, celle de l'Empire et même celle de l'Ordre dominicain auquel elle est pourtant profondément attachée, qu'avec l'admiration de certains milieux elle parait s'être attiré de fortes inimitiés cléricales. On pense que c'est pour fuir les calomnies et les persécutions qu'elle se retira, dans ses vieux jours, au couvent cistercien de Helfta, auprès de l'abbesse Gertrude de Hackeborn. Cette dernière raconte avoir demandé, sans succès, des signes divins lors de la mort de Mechthilde, dans l'espoir de faire taire ceux qui la critiquaient. L'abbesse et sa sœur cadette, Mechthilde de Hackeborn, ainsi qu'une autre Gertrude, appelée plus tard la Grande, furent fortement influencées par la personne et par les écrits de la béguine, et leurs œuvres connurent une plus grande notoriété que celle de leur inspiratrice. Ces œuvres, certes moins originales, témoignent du haut niveau d'instruction de ces religieuses qui comportait l'étude de l'Ecriture, des Pères et des théologiens : une instruction quasi cléricale dont Mechthilde se plaint sans cesse d'être dépourvue, mais c'est au profit de l'inspiration directe de son livre, "jailli du cœur même de Dieu"[3].

Nous traduirons ici quelques passages du bel essai de Hans Urs von Balthasar, "La mission ecclésiale de Mechthilde"[4], car il est l'un de ceux qui ont le mieux parlé d'elle à notre époque, prenant la relève des auteurs médiévaux Henri de Halle et Henri de Nördlingen (ses traducteurs respectivement et langue latine et en moyen haut allemand) et peut-être aussi de Dante décrivant, dans la *Divine Comédie* une Matelda qui pourrait bien être notre Mechthilde[5].

"Comme béguine, Mechthilde se tient entre la vie religieuse et la vie dans le siècle. Elle a décidé de tout quitter pour Dieu sans entrer toutefois dans l'abri d'un couvent, mais elle vit sa mission sans recevoir aucune protection , s'exposant autant à l'extérieur qu'à l'intérieur, poursuivie, calomniée, soupçonnée par un clergé puissant et par des religieux dont quelques-uns seulement lui font, timidement, confiance. Elle critique les spirituels avec sévérité, parfois avec amertume, et requiert pour eux la perfection (III, 8), ne reculant elle-même devant aucune exigence. Elle prie pour tous ceux qui tourmentent le Christ (*alle meine Christenpeiniger*) (V, 35) pour celui qu'elle appelle 'son pharisien' (VI, 36), pour les 'menteurs aux saintes apparences' (VII, 41) et les chanoines lubriques qu'elle traite de 'boucs puants' (VI, 3). Mais quand elle voit ses tourmenteurs dans le feu du purgatoire, elle n'hésite pas une seconde à assumer leur terrible fardeau : 'Ah, cher Seigneur, accorde-moi de rendre le bien pour le mal !' (VII, 41). Ses billets, dont elle affirme qu'ils ont 'flué en son cœur de la Déité vivante' (VI, 43), et dont elle dit qu'il faut les relire neuf fois pour les comprendre (I, Prol.), ont passé de main en main. Mais elle joue avec le feu et elle le sait : 'On m'a mise en garde au sujet de ce livre – Et voici ce qu'on m'a fait savoir : Que si je ne le faisais pas enterrer – il deviendrait la proie du feu.' Tout en s'humiliant, et protestant de son manque d'instruction, elle met sur Dieu la responsabilité de ce qu'elle écrit, prie, et continue.

Elle n'entre au couvent que dans sa vieillesse. Le Helfta des dames cultivées et soignées accueille la vieille Sybille battue par les tempêtes avec une vénération intimidée [...] Mais les forces qui l'avaient soutenue dans le monde l'ont quittée. La dernière partie de son livre, écrite à Helfta, contient bien des textes qui ne sont plus qu'un écho, en partie de faibles rimailleries pour occasions conventuelles. Elle le sent, elle se plaint à Dieu de ce que les forces de son corps et de son esprit l'ont quittée, de ce que sa vie continue à se traîner de façon inutile, d'être 'froide en grâces' et de ne plus pouvoir supporter 'l'amour brûlant de Dieu de sa jeunesse' (VII, 3). Tandis que la honte de devoir gérer les mystères de Dieu l'accompagne jusqu'à la fin (VII, 8), elle croît intérieurement jusqu'à la plus haute dimension et devient véritablement, (comme Dieu le lui dit) : 'en ta vieillesse une compagne (*Hausfrau*) de ma Déité' (VII, 3). Les accents de la 'sainte crainte' deviennent toujours plus précis : de même que le début de sa course était marqué par la douleur que toutes choses ne fussent pas bonnes (VI, 5), de même sa fin dut ressembler à son commencement : amour et désir, remords et crainte la caractérisent, mais maintenant de façon universelle et catholique : 'Le péché de tous les hommes me cause du remords, de telle sorte que je suis comme un malade' (VI, 6) ... Elle tremble sous la férule jusqu'à la fin (VII, M), elle ne veut ni honneur ni sécurité (VII, 7), elle ressemble au vieil Augustin dans sa façon humble et impitoyable de s'accuser elle-même (VIII, 38). Les visions disparaissent, Dieu se tait : 'Ah, mon Seigneur, comme tu te tais maintenant ! Je te remercie de ne pas te montrer pendant si longtemps !' (VII, 46) ..."[6].

Ainsi trouvons-nous un parallèle saisissant chez Mechthilde entre l'expérience de la vie humaine en sa courbe biologique qui jaillit avec l'exubérance de la jeunesse et retombe avec le déclin de l'âge, et l'expérience de la vie spirituelle qui a commencé par combler Mechthilde de ses dons pour ne plus lui faire ressentir ensuite que l'éloignement des forces de la Vie et de l'Amour.

L'ŒUVRE ET L'INSPIRATION

On ne possède de *La Lumière ruisselante de la Déité* qu'un seul manuscrit en langue alémanique – transcription du quatorzième siècle, en haut allemand, qui paraît suivre de près le manuscrit original disparu, en moyen bas allemand. Il donne le texte complet en sept livres, les six premiers ayant été édités par Henri de Halle, le septième rédigé à Helfta, après la mort de ce dernier. On a d'autre part deux manuscrits qui transmettent une version latine, moins complète et affadie par la traduction. Enfin il reste une série de fragments qui attestent la diffusion de l'œuvre au moyen âge. Elle semble avoir été particulièrement goûtée dans le fameux cercle des "Amis de Dieu", qui avait son centre à Bâle et dans la Rhénanie du quatorzième siècle. L'un de ses membres les plus connus, le prêtre séculier Henri de Nördlingen, cité plus haut, écrivit dans une de ses lettres à Marguerite Ebner, Dominicaine de Medingen, qu'il allait lui envoyer un livre intitulé "*Lumière de la Déité*". C'est, dit-il, "l'allemand le plus merveilleux et le fruit de l'amour le plus parfaitement apaisant que j'aie jamais lu en allemand." Mais c'est un allemand qui lui est étranger (moyen bas allemand), c'est pourquoi il lui fallut deux ans pour le traduire en sa propre langue (moyen haut allemand). Il demande à Marguerite, sa fille spirituelle, de lire l'œuvre avec grand respect[7]. W. Preger a montré que cette traduction, faite dans les années 1344-1345 était bien le codex retrouvé au dix-neuvième siècle à Einsiedeln, et édité par le Père Gall Morel en 1869[8].

Il faut faire un bond de plusieurs siècles pour trouver des jugements qui entérinent celui de Henri de Nördlingen. D'après Alois Haas, Mechthilde s'exprime "avec la garantie sans faille d'une langue incomparable", langue si spontanée, si indépendante de tout genre et de toute figure de rhétorique que cette œuvre fournit "la phénoménologie de l'expérience religieuse à l'état pur"[9]. Quant à Balthasar, il estime que Mechthilde représente le deuxième sommet de la théologie charismatique au moyen âge, après Hildegarde et avant Eckhart, et blâme sévèrement la corporation des théologiens qui, en sept cent ans, n'ont produit aucune étude sérieuse concernant *La Lumière ruisselante de la Déité*. En effet, Mechthilde fait la jonction entre Hildegarde et la *Minnemystik*, de même qu'elle relie le moyen âge féodal et sacral, sur son déclin, à l'avènement du moyen âge courtois et individualiste.

"Ce qui la relie à Hildegarde, mais seulement pour une part de son œuvre, c'est la vision cosmique et symbolique de l'épopée des premiers commencements dans les cieux, de la chute (de l'âme, événement cosmique) et de l'ordre du salut qui y répond : le Christ, Marie, l'Eglise et la représentation amplement structurée de la fin des temps. Cette dernière possède pour la visionnaire le même caractère concret et coloré que l'histoire sacrée passée et présente. Dans ces parties de son œuvre Mechthilde est, au même sens que Hildegarde, prophétesse, sybille. C'est méconnaître foncièrement la portée de ce qu'elles disent que de les jauger à l'aune ordinairement utilisée depuis Augustin jusqu'à sainte Thérèse d'Avila pour mesurer les visions mystiques, et selon laquelle les visions 'imaginatives' seraient fort au-dessous de celles qui sont 'purement spirituelles, intellectuelles'" [10]. Selon Balthasar, cette superstition intellectualiste pourrait expliquer en partie la façon dont les théologiens ont sous-estimé ces deux femmes. Peut-être la réhabilitation actuelle de l'imaginaire contribuera-t-elle à mieux faire comprendre la valeur de leur message?

Toutefois la structure hiérarchique de l'ordre ancien laisse de plus en plus place, chez Mechthilde, aux accents modernes du *Minnesang*, et son chant d'amour, même quand il reprend les images du *Cantique des Cantiques*, ne se contente pas de les répéter. Ces images sont restituées, après un processus d'intériorisation qui est celui de l'expérience amoureuse spécifique de Mechthilde, sous une forme nouvelle. Cette expérience est celle d'un désir plein d'impatience qui, désespérant de l'inanité des choses créées, fuit le *icht*, le quelque chose, et recherche le *niht*, ce qui n'est rien des choses créées, c'est-à-dire le désert (I, 35).

Tout en vivant cette expérience de façon intense et personnelle, c'est néanmoins le langage des Pères grecs et de la tradition issue d'eux que Mechthilde utilise. Le retour de l'âme à son être originel en Dieu, c'est là ce qui motive son désir et constitue le thème foncier de son œuvre : la Lumière ruisselante de la Déité où sa véritable nature est de vivre, comme celle de l'oiseau est de voler dans l'air, celle du poisson de nager dans l'eau. Si l'influence de la "métaphysique de l'Essence" est moins marquée que chez ses sœurs flamandes, Béatrice et Hadewijch, et que chez Marguerite Porete, ce thème du retour à sa vraie nature originelle la relie profondément à elles. Outre les influences d'ordre général indiquées dans l'Introduction, on doit probablement reconnaître celle des Dominicains implantés à Magdebourg dès 1224, en particulier celle d'Albert le Grand que Mechthilde vénère (V, 28).

"Elle dépeint en grandes fresques, par-delà le monde et le temps, la naissance de l'âme à partir de Dieu le Père ; son appartenance naturelle à Dieu en raison de cette naissance divine ; sa destination originelle à être la fiancée du Fils en un mystère nuptial précosmique, de telle sorte qu'elle ressent sa vraie nature justement comme une surnature qu'elle aspire à recouvrer en une irrésistible nostalgie de la patrie : 'Dieu a donné à toutes les natures de vivre selon leur nature. Comment pourrais-je donc résister à ma nature ? Il faut que je quitte les choses pour aller vers Dieu qui est mon Père par nature ... mon fiancé par amour, et moi (je suis) sienne sans commencement' (I, 44 et VI, 31). 'Emanée du cœur de Dieu', elle tremble parmi les créatures et devant sa propre sensualité corporelle, comme une princesse humiliée, et dans son dialogue avec les sens elle parle, en une langue fière et voilée, d'un secret originel qu'ils ne peuvent comprendre ni même deviner. Dieu est un pur feu (VI, 29) auquel elle veut retourner ; par-delà toutes les vertus terrestres et humaines, elle s'efforce de recouvrer la nudité sans honte devant Dieu et en Dieu : 'Seigneur, maintenant je suis une âme nue !' (I, 44). Le secret des fiançailles essentiel à cette âme, qui 'la mène à la sainte Trinité' (I, 22), l'élève au-dessus des anges (I, 9 ; II, 3 ; II, 22 ; IV, 14 ; VII, 1)." [11]

En effet, comme chez nos autres béguines et moniales, les mystères de l'amour sont enveloppés pour Mechthilde dans le mystère trinitaire : "Dieu le Père est l'échanson de cette vie enivrante, le Fils est la coupe, l'Esprit est le vin" (V, 24). Les amis de Dieu "sont entièrement consumés dans la Trinité" (I, 16 ; VI, 25) et inversement le désir de Dieu pour l'homme est décrit d'après ce mystère : "Accorde-moi de rafraîchir en toi le brasier de ma Déité, le désir de mon Humanité, et la joie de mon Esprit Saint" (IV, 2).

A la différence de l'enseignement "objectif" des théologiens, sa sotériologie est pleinement existentielle. C'est ce qu'elle a vécu personnellement qui devient la matière des ses "révélations": "Il faut que je m'annonce moi-même, si je veux pouvoir vraiment montrer la bonté de Dieu" (III, 15). "Je ne veux et ne peux rien écrire, si ce n'est en le voyant avec les yeux de mon âme et en l'entendant avec les oreilles de mon esprit éternel, et en ressentant dans tous les membres de mon corps la force du Saint-Esprit" (IV, 13; cf. V, 12). C'est pourquoi on a pu dire que son livre s'inscrit, d'une certaine façon, dans la tradition augustinienne des *Soliloques* et des *Confessions*. En effet, dans tous les genres que Mechthilde aborde: récits, dialogues, poèmes, visions, prières, extases, réminiscences liturgiques et surtout lyriques, "ce qui y est décisif est toujours et de façon quasi exclusive le *je* qui répond de l'ensemble de ces révélations."[12] "La dernière des sottes béguines" (*minste ... torheten beginen*), (III, 15), comme elle se désigne elle-même, ne fait qu'un avec la grâce et la connaissance qui lui sont données. Elle le dit clairement dans les premières lignes de son Introduction: "On doit recevoir volontiers ce livre, car Dieu en dit lui-même les paroles. Ce livre, Je l'envoie en message à toutes les personnes spirituelles, tant aux méchantes qu'aux bonnes, car quand les piliers tombent, l'œuvre ne peut subsister, et il me désigne Moi seul, et annonce avec louange Mon secret. Tous ceux qui veulent comprendre ce livre doivent le lire jusqu'à neuf fois" (I, Introd.).

Son expérience de Dieu, qui est amour, mais aussi connaissance, la porte à se méfier de la mystique de l'inconnaissance. Quoiqu'on retrouve constamment chez elle le thème patristique de l'abîme de Dieu et de l'âme, elle n'apprécie guère "les saints aveugles qui aiment et ne connaissent pas" (I, 2). L'ultime degré de la vie spirituelle est pourtant chez elle aussi la nuit, mais c'est la nuit de l'amour qui est la mort sacrificielle:

"Amour sans connaissance / paraît ténèbres à l'âme sage.

Connaissance sans fruition / lui paraît peine infernale.

Fruition sans mort / elle ne peut assez la déplorer." (I, 21).

"... elle pénètre par effraction dans les régions mortelles de l'amour, où 'Dieu infini attire à lui l'âme sans fond', et où elle, 'devant cette

73

merveille, oublie la terre' (I, 2); où le prince et sa servante s'embrassent et s'unissent 'comme l'eau et le vin' (I, 4); où la fiancée aspire à aimer mortellement, sans mesure, sans interruption (I, 28). 'Celui qui meurt d'amour, il faut l'enterrer en Dieu' (I, 3). L'Eros qui la pousse vers Dieu a chez Mechthilde quelque chose qui fait violence, une sorte de cruauté brutale, et cela parce que, pour elle, il provient de la propre nature éternelle de Dieu. Tandis que les platoniciens et les aristotéliciens voyaient avant tout dans l'Eros le cœur sans repos de la créature qui se presse d'atteindre le repos du moteur éternel de tout amour, Mechthilde a introduit l'inquiétude du désir (*gerunge*) en Dieu lui-même. C'est lui-même qui 'montre avec grand désir son cœur embrasé à l'âme et qui l'y dépose' (I, 4); il est 'le Dieu brûlant dans son désir (*Sehnsucht*)' (I, 17), qui voit en l'âme 'un ruisseau pour (rafraîchir) son ardeur' (I, 19). 'Que je t'aime intensément, je le tiens de mon désir (*Sehnsucht*), car c'est mon désir (*Begehr*) d'être aimé intensément' (I, 24). 'Dieu désire (*gelüstet es*) l'âme affamée' (III, 1); il est 'malade de l'amour d'elle (*minnesiech nach ihr*)' (III, 2). 'Le désir (*Verlangen*) plus que doux, joyeux, affamé, plein d'amour flue de Dieu sans mesure, toujours plus profond dans l'âme' (VI, 22), en un flux qui – justement parce qu'il est la vie éternelle – est par-delà la faim et le rassasiement. 'Couvre-moi du manteau de ton long désir (*Verlangen*)', prie l'âme (VII, 35), car où 'les deux désirs brûlants se rencontrent, là l'amour est parfait' (VII, 16)." [13]

Mais Mechthilde sait, et répète souvent que cet accomplissement du *Minneweg* ou voie d'amour est passager en cette vie: "Cela ne peut durer longtemps" (I, 44). "Quand le jeu est le meilleur, il faut le quitter" (I, 2). Telle fut son expérience, à elle qui connut pendant longtemps les consolations divines pour ensuite se les voir refuser. C'est le grand thème de la *goetzvroemdunge*: l'aliénation de Dieu.

"Là nous approchons le point central de l'expérience mechthildienne de Dieu en ce qui lui donne sa bouleversante nouveauté. Déjà dans le *Cantique des Cantiques* se trouve un passage où la fiancée, apparemment abandonnée, recherche en gémissant le bien-aimé perdu. Les Pères de l'Eglise avaient interprété ces ténèbres de l'amour de façon très platonicienne, c'est-à-dire en les expliquant par l'absolu de l'être divin, qui demeure dans son éternité inaccessible au-dessus de la créature et qui pour cette raison même – lorsqu'on l'a déjà saisi, possédé et goûté – se dérobe dans la hauteur et de par son ab-solu tient en éveil l'insatiable Eros émané de lui, même dans l'éternelle contemplation. Origène, Grégoire de Nysse, Augustin, Denys et Maxime se rencontrent ici, quoique chacun avec sa tonalité particulière. Il importe de noter que, même dans la nouvelle mystique de Bernard et des Victorins, cette conception ne change pas de manière fondamentale. Ce sont toujours des théologiens qui réfléchissent, écrivent, et projettent toutes leurs expériences personnelles dans ce schème platonicien. Mechthilde, la non lettrée, n'est pas liée par ce modèle. C'est de façon tout à fait spontanée qu'elle décrit, d'après sa propre expérience, l'extase comme une 'ascension' et un 'vol d'amour' de la créature à Dieu, comme un moment suprême, mais qui ne peut durer et loin duquel elle 'se précipite', 'se refroidit' (V, 4) et se trouve rejetée dans son désir douloureux. Toutefois l'essentiel n'est pas dit, à savoir que ce n'est pas pour elle matière de foi ou de doctrine, mais qu'elle en fait l'expérience de façon absolue et l'exprime comme elle le pense : Dieu est l'infinie *Liberté*. Il est libre de venir comme de s'en aller : 'Je viens à toi selon mon plaisir, quand je veux' (II, 25). Pour l'âme qui, afin d'adhérer à Dieu, renonce à tout, a tout quitté et s'en est allée dans le désert de Dieu, cette expérience est l'absolument incompréhensible. Dieu ne l'a-t-il pas appelée ? N'a-t-elle pas obéi ? Ne le suit-elle pas 'avec la voix d'un lion affamé' (II, 25) ? Et quoique l'ordre des pages de Mechthilde ne corresponde à la chronologie ni dans la version allemande ni dans la version latine, nous pensons cependant pouvoir établir le développement de cette expérience centrale en ceci : depuis le premier effroi concernant cette possibilité, à travers la répétion de la 'nuit' mystique jusqu'à la connaissance pleine de tremblement qu'il en est réellement ainsi, et que Dieu lui-même le veut, et que pour cette raison l'âme doit le supporter. Et, très lentement et avec des résistances indicibles, l'acceptation du retour de cette possibilité. Puis finalement, de façon presqu'incompréhensible, le désir de ce retour, la compréhension qu'elle répond à la volonté et à la loi les plus intérieures de l'amour, que l'amoureux choisira précisément cette possibilité et aucune autre, quand Dieu la lui présente. Et, tout à la fin, une familiarité avec ce que Mechthilde a appelé, en une sorte d'expression technique, 'l'aliénation de Dieu', et que maintenant elle saisit comme un mode de la Lumière ruisselante elle-même : le vide de ce qui ruisselle, l'inutilité de l'émanation. Cela est indubitablement le centre." [14]

C'est alors que se révèle à elle le dessein de Dieu : cet enfer de l'amour qu'elle doit subir, l'amour précipité qui lui fait suivre le destin du Christ dans sa Passion et sa descente aux Enfers, conditions de la Résurrection, pour lui comme pour l'âme qui, désormais, accepte et en vient même à désirer cette Aliénation de Dieu qui seule peut la rapprocher de lui de façon définitive. C'est pourquoi elle se réjouit de tomber en Enfer "jusque sous la queue de Satan" et demande, dans son "humilité abyssale", à être la dernière des créatures (VII, 18).

"Ainsi, la demande finale est celle de la nuit (VI, 15), du fiel et de l'amertume (II, 24). Et l'amour n'atteint la plénitude de sa croissance que lorsqu'elle est descendue avec le Fils sous la terre et s'est élevée au-dessus de tous le cieux, pour tout accomplir (*Ep* 4, 8-10). L'âme est devenue adulte, qui a été élevée jusqu'au plus haut de ce qui peut lui arriver tant qu'elle demeure encore dans le corps, et qui est tombée au plus bas, dans la plus profonde profondeur qu'elle puisse trouver (V, 4) ; alors elle a la pleine dimension de l'histoire du salut. C'est pourquoi la formule mechthildienne des trois stades de l'âme corrige la formule platonicienne traditionnelle des voies purgative, illuminative et unitive d'après son expérience personnelle : 'C'est la nature de l'Amour de couler d'abord dans la douceur, puis elle devient riche de connaissance, et en troisième lieu elle exige et désire être rejetée.' (VI, 20)." [15]

Dans de nombreux textes, Mechthilde nous décrit son expérience des mondes de la souillure et de la souffrance, auxquels elle voudrait arracher la chrétienté tout entière, non seulement à la "cité dont le nom est la Haine éternelle" (III, 21) mais au Purgatoire dont elle s'efforce sans cesse de délivrer les âmes. Dieu lui conseille de les laver dans les larmes de l'Amour, et elles sortent de ce bain brillantes comme le soleil (II, 8).

C'est une des raisons qui l'ont désignée comme pouvant être la Matelda de Dante, qui au Paradis terrestre plonge les âmes dans un bain purifiant et les conduit ensuite vers l'eau qui leur rend la mémoire du bien qu'elles ont fait [16]. Mais d'autres traits du poème paraissent évoquer l'œuvre de Mechthilde :

"On se souvient peut-être de cette page, dont la ferveur se traduit par un symbolisme si ardent, où Mechthilde dit son désir d'aller avec le Fils de Dieu parmi les fleurs de la sainte connaissance (IV, 12), ou encore de ce dialogue où l'âme apprend que son fiancé doit venir à sa rencontre à l'heure de la rosée, quand les oiseaux font entendre leurs chants, et lorsque le fiancé arrive, la vierge danse pour lui plaire (I, 44). Ces symboles ne nous rappellent-ils pas la Dame enamourée qui va, d'un pas allègre, cueillant dans le matin pâle les fleurs du Paradis?" [17]

Ces rapprochements sont fondées sur les sérieuses études entreprises par Wilhelm Preger et Hubert Stierling, poursuivies par Jeanne Ancelet-Hustache. Stierling a découvert dans la célèbre *Vie de Saint Dominique* de Thierry d'Apolda de longs passages du livre de Mechthilde, cités d'après la version latine, qui célèbrent saint Dominique et son Ordre. L'auteur donne ces fragments comme empruntés à des révélations "très secrètes et très vraies", faites à une personne qui aimait grandement saint Dominique [18]. L'un de ces passages a été indubitablement repris par Dante [19]. En outre, "... nous pouvons rappeler (dans l'œuvre de Mechthilde) certains tableaux – quelque évocation de l'enfer, telle envolée d'âmes claires hors du purgatoire, le paysage idyllique du paradis terrestre – qui, placés à côté des passages correspondants de Dante, s'en rapprochent d'une façon assez troublante, même pour les critiques les moins prévenus en faveur de Mechthilde. Il n'est pas jusqu'à cette prophétie sur le nouvel Ordre et l'esprit apocalyptique de Mechthilde qui ne rappellent certaines pages mystérieuses de Dante." [20]

En effet, l'un des traits communs à Dante et à Mechthilde est le millénarisme hérité de Joachim de Flore, et fort répandu au moyen âge où, d'ailleurs, l'idée du Jugement dernier est partout.

Pour Mechthilde ce sont les attaques contre l'Ordre dominicain qui signalent l'arrivée des derniers jours. La vision qu'elle en propose commence par ces mots : "L'Ordre des Prêcheurs fut jadis attaqué par de faux clercs, et de plus par beaucoup de cupides pécheurs" (IV, 27). La note marginale qui accompagne ces lignes, certainement de la main d'Henri de Halle pour le manuscrit allemand (et reproduite sur le manuscrit latin), est significative : "En l'an 1256". Rappelons que c'est en 1255 que l'Inquisiteur Guillaume de Saint-Amour fait éclater toute sa rancœur contre les Ordres mendiants, principalement contre les Prêcheurs, dans un livre intitulé *Des dangers des derniers temps*. Ce livre était dirigé contre l'*Introduction à l'Evangile éternel* du Franciscain Gérard de Borgo San Donnino qui y explique à sa façon la doctrine de Joachim de Fiore. L'Ordre religieux annoncé par ce dernier, qui doit prêcher l'Evangile à l'aube des temps nouveaux, est selon Gérard celui des Franciscains. Une commission réunie à Anagni par le pape Alexandre IV condamna l'*Introduction à l'Evangile éternel* en 1255. Mais le pape, dont la sympathie pour les Ordres mendiants n'est pas douteuse dans toute cette affaire, à son tour condamna au feu le livre de Guillaume de Saint-Amour, ce dont Mechthilde dut se réjouir si, comme il est probable, les échos de cet événement parvinrent jusqu'à elle. Car de son côté elle annonçait aussi la venue d'un Ordre religieux qui devait prendre part aux combats de la fin du monde, mais selon elle ce serait une réforme et une réviviscence de l'Ordre des Prêcheurs. Le passage les plus intéressant est celui où elle évoque le prince qui sera le premier maître de cet Ordre. Son nom, dit-elle, signifie *vor got*, devant Dieu. Comme l'a suggéré Mme Ancelet-Hustache, il est aisé, pour qui connaît la fantaisie des étymologies médiévales, d'y reconnaître le nom de Conradus ou Conradin (*coram deo*): celui du petit-fils de Frédéric II. En effet, Mechthilde se veut fidèle tout ensemble au pape et à la foi du peuple allemand en l'empereur Frédéric II. Elle rêve d'un avenir meilleur dans lequel le pape aurait le premier rôle, mais qui assurerait au descendant de Frédéric la possibilité d'accomplir la mission prédite par la légende – un avenir en lequel s'accomplirait enfin la réconciliation promise pour les derniers temps. [21]

Si, pour conclure, nous cherchons à situer Mechthilde dans l'histoire de la chrétienté occidentale, on rappellera tout particulièrement son expérience de la nuit, vécue de façon en quelque sorte moderne. Ce primat de l'expérience, de concert avec la création d'une langue originale, souligne l'autonomie du sujet religieux.

C'est néanmoins à l'intérieur d'un contexte culturel précis que cette expérience religieuse a pu s'exprimer. C'est en effet la tradition cistercienne, victorienne et sans doute albertinienne qui a enseigné à Mechthilde le grand thème, néo-platonicien et patristique, du retour à notre nature originelle en Dieu. Il est vrai que cette expérience est bien moins assujettie que celle des théologiens contemporains à une interprétation philosophique et scolastique. Remarquons d'autre part qu'on ne saurait dégager en son œuvre une doctrine dégagée de tout contexte sociologique, quoique cet aspect – du fait même du statut, ou manque de statut des béguines – soit beaucoup moins marqué que chez Hildegarde. Mais nous sommes devenus plus conscients aujourd'hui des déterminismes socio-culturels auxquels nul n'échappe. C'est pourquoi, en dépit de ce qu'elle affirme de son livre, qui lui aurait été tout entier révélé, il nous est impossible de considérer comme divinement révélée par exemple l'attitude que Mechthilde recommande d'adopter envers les Juifs. On se contentera de reconnaître que cette attitude est modérée en comparaison des exactions et des persécutions contre les Juifs qui ont souillé l'Allemagne médiévale, et que Mechthilde ne peut avoir ignorées à Magdebourg[22]. Ceci dit, on retiendra qu'elle est parmi celles et ceux qui ont fait avancer l'histoire vers une modernité respectueuse de la personne, puisque, comme on l'a vu, c'est dans la transition d'un statut sacral et hiérarchique vers un statut libéral et individuel que s'expriment sa conception et son expérience de Dieu. Elle prélude ainsi au tournant de la pensée médiévale et à l'avènement de la spiritualité moderne : c'est-à-dire au primat de la liberté et de la volonté qui vient renverser – en Dieu comme en l'homme – le primat traditionnel de l'intellect[23]. La dimension exceptionnelle que l'expérience religieuse revêt chez Mechthilde a contribué à briser les schémas d'interprétation traditionnels. Du même coup, elle a frayé la voie à une compréhension plus profonde des valeurs féminines, tant en ce qui concerne le total abandon de l'âme qu'au rôle imparti à Dame Amour en Dieu lui-même[24].

E. Z.

NOTES

1. "On a toujours admis que Mechthilde avait appartenu à la noblesse. On trouve en effet, dans de nombreux passages de son livre, des allusions à la vie aisée qu'elle a menée dans sa jeunesse et aux biens du monde qui eussent été son partage si elle n'avait tout sacrifié pour Dieu. Elle se plaint à l'Amour qu'il lui ait pris le monde, l'honneur du monde et toute la richesse du monde (I, 1). Elle parle des femmes nobles et de leur impiété en termes si violents qu'on se demande si cette indignation ne correspond pas à des faits personnellements observés (V, 34. Cf. III, 21). D'autre part, dans la notice sur Baudoin, le propre frère de Mechthilde, l'auteur parle des bonnes mœurs et des vertus dans lesquelles il fut élevé dès son enfance, et on entend qu'il faut entendre par là l'éducation soignée des jeunes nobles dont sa sœur dut jouir aussi. Il n'est pas juqu'aux comparaisons et aux symboles inspirés de la chevalerie et de la poésie courtoise dont on n'ait fait un argument en faveur de cette origine noble. Cependant la question ne nous paraît pas résolue, et nous ne sommes qu'à demi convaincu par toutes les raisons invoquées. Il est évidemment possible que Mechthilde soit née d'une famille aisée, mais nous ne croyons pas suffisamment établi qu'elle ait appartenu à la noblesse, comme le répètent à l'envi les articles des dictionnaires et les préfaces placées en tête des extraits de son livre. Nous n'avons contre les conclusions habituelles qu'un seul argument, mais il nous semble en valoir plusieurs autres : c'est le silence des premiers rédacteurs et de ceux qui l'ont connue. En effet, quand une religieuse est issue de la noblesse, son biographe ne manque guère de nous en informer ..." J. ANCELET-HUSTACHE, *Mechthilde de Magdebourg. Etude de Psychologie religieuse.* Paris, 1926, p. 52.

2. Les textes que nous traduisons ici le sont d'après l'édition de P. G. Morel du Manuscrit E d'Einsiedeln : *Offenbarungen der Schwester Mechthild von Magdeburg oder dans Fliessende Licht der Gottheit, édité d'après le seul manuscrit existant par le P. Gall* MOREL. Regensburg, 1869, Darmstadt, ³1980. Cette édition comportant des erreurs, il est utile de se référer à la version latine, *Sororis Mechtildis ... Lux Divinitatis,* donnée dans le Tome II des *Revelationes Gertrudianae et Melchthildianae,* éditées par L. Paquelin, Poitiers-Paris, 1877, d'après les deux manuscrits latins, A VIII 6 et B IX 11 de la Bibliothèque Universitaire de Bâle. Nous avons aussi utilisé la traduction complète en allemand moderne de Margot Schmidt qui, outre les manuscrits cités, a pris en compte l'édition donnée en 1929 par W. SCHLEUSSNER d'un fragment provenant du Codex W I, 110 de Würzburg. Ce fragment, contenant près d'un tiers de l'œuvre, ne dérive pas de E, mais d'un fonds antérieur de forme alémanique, comme les fragments plus courts de Stuttgart et de Coblence. Voir M. SCHMIDT, *Mechthild von Magdeburg, Das fliessende Licht der Gottheit.* Introduction de M. Schmidt, avec une étude de H.U. VON BALTHASAR, Einsiedeln, 1955. – Les références à l'œuvre de Mechthilde données dans les notes ou entre parenthèses dans notre texte indiquent les parties ou livres en chiffres romains, les chapitres en chiffres arabes.

3. "Ce qui est écrit dans ce livre a jailli de la Déité vivante dans le cœur de Sœur Mechthilde et est rapporté ici de façon entièrement fiable parce que cela nous a

été donné par son propre cœur (et) par Dieu et de sa propre main. Deo gratias." (VI, 43). Ces lignes sont sûrement d'Henri de Halle, dont l'édition se termine avec ce dernier texte du Livre VI.

4. Il s'agit de l'étude mentionnée, note 2, de H.U. VON BALTHASAR, "Mechthilds kirchlicher Auftrag", p. 19-45, que nous citerons simplement par le nom de l'auteur.

5. Voir p. 76-77.

6. BALTHASAR, p. 19-21.

7. P. STRAUCH, *Margaretha Ebner und Heinrich von Nördlingen. Une contribution à l'histoire de la mystique allemande.* Freiburg in Brisgau und Tübingen, 1882. Lettre 43, p. 246-247. Voir B. GORCEIX, *Amis de Dieu en Allemagne au temps de Maître Eckhart*, Paris, 1984, p. 78 svv.

8. Voir W. PREGER, *Geschichte der deutschen Mystik im Mitelalter nach den Quellen untersucht und dargestellt.* I Teil: *Geschichte der deutschen Mystik bis zum Tode Meister Eckharts*, Leipzig, 1874, p. 70-71 et 91-112. J. ANCELET-HUSTACHE, *Mechthilde*, p. 3 svv., rapporte l'essentiel de l'argumentation de Preger.

9. A. HAAS, "Mechthild von Magdeburg, Dichtung und Mystik" dans *Sermo mysticus, Studien zur Theologie und Sprache der deutschen Mystik*, Freiburg, Schweiz, 1979, p. 71. Voir aussi la belle étude de la langue de Mechthilde dans H. STIERLING, *Studien zu Mechthild von Magdeburg*, Nürnberg, 1907, p. 27 svv. L'auteur montre que les éléments courtois ne constituent pas chez elle des ajouts superficiels, mais donnent force et réalisme à son langage mystique. Les images chevaleresques, au lieu de demeurer, comme souvent, de fastidieuses allégories, procurent une claire intuition de la réalité religieuse ou morale – et c'est le signe d'un art consommé.

10. BALTHASAR, p. 22-23.

11. BALTHASAR, p. 24.

12. A. HAAS, *Sermo mysticus*, p. 77.

13. BALTHASAR, p. 32-33.

14. BALTHASAR, p. 34-35.

15. BALTHASAR, p. 37.

16. DANTE, *Purgatoire*, XXVIII, v. 121-133; XXXI, v. 94-105.

17. J. ANCELET-HUSTACHE, *Mechthilde*, p. 369. Cf. *Purgatoire*, XXVIII, v. 37-47:
> "Et là m'apparut, comme apparaît
> subitement une chose qui écarte
> par l'émerveillement toute autre pensée,
>
> une femme seulette, qui s'en allait
> chantant, et choisissant des fleurs parmi les fleurs
> dont s'émaillait tout son chemin"
>
> "Oh, belle Dame, qui aux rayons d'amour
> te réchauffes, si j'en veux croire les apparences
> qui ont coutume d'être les témoignages du cœur
>
> qu'il te vienne la volonté de te porter en avant lui dis-je ..."
> DANTE, *La Divine Comédie*, trad. J. BERHTIER, p. 327.

18. "Il n'est pas étonnant que Thierry, compatriote de Mechthilde, puisqu'il était né

81

près d'Iéna et appartenait au couvent dominicain d'Erfurt, ait connu les révélations de Mechthilde, mais il faut que le renom de sainteté de cette mystique ait été bien grand pour que Thierry invoque son témoignage dans un document de cette importance." J. ANCELET-HUSTACHE, *Mechthilde*, p. 362-363. Voir H. STIERLING, *Studien zu Mechthild von Magdeburg*, p. 5-15. (Rappelons que Mechthilde avait fait entrer dans l'Ordre dominicain son frère cadet, Baudoin, qui devint sous-prieur au couvent de Halle).

19. "Quelle n'a pas été notre émotion en constatant qu'un critique aussi autorisé que Alfonso Bertoldi ... donne comme source des beaux vers qui forment l'introduction de passage où Dante célèbre saint Dominique quelques lignes de Thierry d'Apolda qui – sans que le critique s'en doute – sont empruntées au texte même de Mechthilde de Magdebourg duquel Thierry n'a omis *qu'un mot!*" J. ANCELET-HUSTACHE, *Mechthilde*, p. 365. Les textes mis en parallèle sont *Revelationes Gertrudianae et Melchtildianae*, t. II, *Sororis Mechtildis ... Lux Divinitatis*, p. 493; T. D'APOLDA, *Vie de saint Dominique*, AA.SS. Aug., t. I, p. 627 et DANTE, *Paradis*, XII, 37-45.

20. J. ANCELET-HUSTACHE, *Mechthilde*, p. 361-362. On consultera avec profit les indications sur la critique dantesque concernant Matelda.

21. J. ANCELET-HUSTACHE, *Mechthilde*, p. 285-292. Voir le texte de Mechthilde IV, 27: *De la fin de l'Ordre des Prêcheurs, de l'Antechrist, d'Elie et Enoch*.

22. "Ensuite Dieu m'apprit comment les chrétiens doivent se conduire envers les Juifs. Il ne faut pas leur faire honneur. Il ne faut pas habiter avec eux. Il ne faut pas demeurer avec eux de nuit. Il faut leur acheter et leur vendre sans leur prêter aimable compagnie et sans fausse cupidité" (IV, 11). Pour le reste, comme il est de coutume au moyen âge, Mechthilde voit en Enfer les "païens" et les Juifs, moins bas toutefois que les mauvais chrétiens qui ont eu plus grande chance d'accès à la vérité (III, 21). Elle prévoit beaucoup de conversions de "païens" et de Juifs, dans les derniers temps, ce qui irritera fort l'Antéchrist (IV, 27). – On lit dans les Annales de Magdebourg, *Geschichte der Stadt Magdeburg*, I, Encyclopaedia Judaica, t. XI, Jérusalem p. 102-104 que l'archevêque Ruprecht, en 1261, le jour de la fête des Tabernacles, fit prisonniers les Juifs les plus riches, ordonna de piller leurs maisons et ne les relâcha que contre une forte rançon. La même chose se passa à Halle, quoique les habitants y eussent pris fait et cause pour les Juifs, mais en vain.

23. Voir là-dessus W. SCHULZ, *Der Gott der neuzeitlichen Metaphysik*, Pfullingen, 1957. *Le Dieu de la métaphysique moderne*, trad. J. Colette, Paris, 1978.

24. "Il y a des passages dans lesquels Mechthilde élève la louange de son propre sexe à une hauteur qui ne peut se comprendre qu'en fonction du culte chevaleresque de la femme: la récompense la plus haute que les êtres humains puissent jamais obtenir est attribuée aux vierges qui seront au-dessus des anges, des martyrs et des Prêcheurs." Elles doivent en effet prendre place dans le dixième chœur d'où Lucifer fut précipité et n'auront dans ce degré de gloire qu'un seul compagnon masculin, non moindre que Jean-Baptiste (III, 1). Ce renversement de la hiérarchie traditionnelle des sexes jusque dans la béatitude céleste paraît choquer quelque peu la critique qu'on vient de citer: H. STIERLING, *Studien zu Mechthild von Magdeburg*, p. 28, ainsi que la description du couronnement des vierges au Paradis: on y voit le Christ se lever à

leur approche, comme un chevalier, et "les couronner en se tenant debout, comme un prince impérial" (IV, 24).

CHAPITRE 4

Extraits de *La Lumière ruisselante de la Déité*

DE CE LIVRE ET DE SON AUTEUR (II, 26)

On m'a avertie au sujet de ce livre
Et voici ce qu'on m'a fait savoir:
Que si je ne le faisais pas enterrer
Il deviendrait la proie du feu!
Alors, comme j'avais coutume de faire dès mon enfance
Quand j'étais triste, je me mis à prier.
Je me tournai vers mon Aimé
Et lui dis: "Ah, Seigneur, me voici affligée
Pour ton honneur.
Me laisseras-tu sans consolation?
Car c'est toi qui m'a menée là,
Toi-même qui m'as ordonné de l'écrire."
Alors Dieu se manifesta sans délai à mon âme attristée,
Portant le livre en sa main droite,
Il parla: "Mon Aimée, ne te désole pas tant,
Personne ne peut brûler la vérité.
Celui qui veut prendre ce livre de ma main,
Il faut qu'il soit plus fort que moi!
Ce livre est tripartite
Et me désigne moi seul.
Le parchemin qui l'enveloppe
Est l'image de mon Humanité pure, blanche, juste,
Qui pour l'amour de toi souffrit la mort.

Les paroles signifient ma merveilleuse Déité;
Elles s'écoulent heure par heure
De ma bouche divine en ton âme.
Le son des paroles proclame mon Esprit vivant
Et exprime avec lui la juste vérité.
Vois donc comment toutes ces paroles
Annoncent mon secret de façon digne d'éloges.
Tu ne dois aucunement douter de toi-même."

(L'âme)
Ah, Seigneur, si j'étais un homme spirituel et savant
En qui tu aurais opéré ce miracle exceptionnellement grand,
Tu en recevrais une gloire éternelle.
Mais, Seigneur, qui donc pourrait croire
Que dans un sale bourbier
Tu as construit une maison d'or
En laquelle tu habites véritablement
Avec ta mère et toute la création
Et avec tout tes serviteurs célestes?
Seigneur, en cet endroit la sagesse terrestre ne peut pas te
trouver!

(Dieu)
Ma fille, plus d'un homme sage a perdu son or précieux
Par négligence, sur la grande route des armées,
Alors qu'il voulait l'employer pour se rendre aux hautes écoles.
Maintenant, il faut que quelqu'un le trouve.
C'est par nature que je l'ai retenu tant de jours:
Quand il m'est arrivé de faire des dons extraordinaires,
J'ai chaque fois recherché l'endroit le plus bas,
Le lieu le plus infime, le plus caché.
Les montagnes les plus hautes ne peuvent recevoir la charge
De révéler mes grâces,
Car le flot de mon Saint-Esprit
Coule par nature vers la vallée.
On rencontre maint sage maître ès Ecritures
Qui à mes yeux n'est pourtant qu'un sot!

Et je t'en dis encore davantage:
Devant eux, cela me fait grand honneur
Et renforce énormément la sainte chrétienté
Que la bouche dénuée d'instruction
Enseigne par mon Saint-Esprit la langue instruite.

(L'âme)
Ah, Seigneur, je soupire et désire
Et t'implore en faveur des copistes
Qui ont écrit le livre après moi
Pour que tu leur donnes aussi en récompense la grâce
Qui ne fut jamais refusée aux hommes.
Car tes dons, Seigneur, sont mille fois plus nombreux
Que ne le sont tes créatures pouvant les recevoir.

Alors Notre Seigneur parla ainsi:
"Ils ont écrit le livre en lettres d'or:
Désormais toutes ses paroles
Seront marquées sur leurs vêtements de dessus,
A jamais manifestées en mon royaume
Dans l'or céleste, lumineux,
Inscrites sur toutes leurs parures.
Car la libre Amour doit toujours être ce qu'il y a de plus haut
en l'homme."

Et tandis que le Seigneur disait ces paroles,
Je vis la Vérité seigneuriale
En son élévation éternelle.
Ah, Seigneur, je t'implore
De préserver ce livre
Du regard de l'attention mensongère
Qui est venue vers nous depuis l'Enfer:
Jamais le Ciel ne l'a produite!
Elle est conçue dans le cœur de Lucifer
Et née de l'orgueil spirituel
Et nourrie dans la haine,
Et dans la violente colère elle a tant enflé

Qu'elle croit que nulle vertu ne peut l'égaler.
C'est pourquoi les enfants de Dieu doivent dépérir
Et être honteusement asservis
Afin qu'avec le Christ ils gagnent les plus hauts honneurs.
C'est une sainte attention que nous devons nous prêter à nous-
mêmes
Et porter en nous en tout temps
Afin de nous garder des fautes.
C'est une attention pleine d'amour
Que nous devons prêter aux autres chrétiens
En leur découvrant avec bienveillance leurs défauts.
Ainsi pourrions-nous nous épargner maint discours inutile.
Amen.

DU VOYAGE DE L'AME A LA COUR, OU DIEU SE REVELE (I, 4)

Quand l'âme pauvre vient à la cour, elle est sage et courtoise, aussi regarde-t-elle son Dieu avec joie. Ah, avec combien d'amour on la reçoit là. Elle se tait, désirant immensément qu'il la loue. Alors il lui montre avec grand désir son cœur divin : il est pareil à l'or rouge brûlant dans un grand feu de charbon. Puis il la met dans son cœur ardent de sorte que le haut prince et la petite servante s'embrassent et sont unis comme l'eau et le vin. Alors elle est anéantie et se départit d'elle-même, comme si elle n'en pouvait plus, tandis que lui est malade de l'amour d'elle, comme il l'a toujours été, car (en ce désir) il n'y a ni croissance ni diminution. Elle parle ainsi : "Seigneur, tu es ma consolation, mon désir, ma fontaine ruisselante, mon soleil, et je suis ton miroir." – Tel est le voyage à la cour de l'âme aimante, qui ne peut être sans Dieu.

L'AMOUR DE DIEU EN CINQ POINTS (I, 17)

O Dieu, toi qui te déverses en ton don!
O Dieu, toi qui ruisselles en ton amour!
O Dieu, toi qui brûles en ton désir!

O Dieu, toi qui fonds dans l'union avec ton aimé !
O Dieu, toi qui reposes entre mes seins, sans toi je ne peux
être ![1]

DE SEPT CHOSES CONCERNANT LA VOIE D'AMOUR ... (I, 44)[2]

(Les sens)
Dame, si vous voulez vous rafraîchir amoureusement,
Penchez-vous sur le sein de la Vierge
Vers le petit enfant, voyez et goûtez
Comment lui, la joie des anges, de la Vierge éternelle
A sucé le lait surnaturel.

(L'âme)
C'est un amour enfantin
Que d'allaiter et bercer un enfant;
Je suis une fiancée adulte;
Je veux suivre mon fiancé.

(Les sens)
O Dame, si tu vas là-bas,
Il nous faut devenir tout à fait aveugles,
Car la Déité est un feu brûlant,
Comme tu le sais bien toi-même.
Tout le feu et toute la braise
Qui éclaire le Ciel et tous les saints,
Cet incendie a ruisselé tout entier
De son souffle divin
Et de sa bouche humaine
Et du conseil du Saint-Esprit.
Comment demeurer là ne fût-ce qu'une heure?

(L'âme)
Le poisson ne peut se noyer dans l'eau,
L'oiseau ne peut tomber dans l'air,
L'or ne peut se détruire dans le feu,

Car c'est là qu'il reçoit sa clarté et sa couleur brillante.
Dieu a donné à toutes les créatures
De suivre leur nature.
Comment pourrais-je donc résister à ma nature?
Il m'a fallu quitter toutes choses pour aller en Dieu
Qui est mon Père par nature,
Mon Frère par son Humanité, Mon Fiancé par Amour,
Et je suis sienne sans commencement.
Croyez-vous que je ne l'éprouve pas (cette nature)?
Il peut faire les deux: brûler fortement, et rafraîchir par sa consolation
Mais ne vous attristez pas trop:
Vour pourrez encore m'enseigner, quand je reviendrai,
Alors j'aurai bien besoin de vos conseils,
Car le royaume terrestre est plein d'embûches.

Alors la très aimée va vers le Très beau, dans les chambres cachées de l'invisible Déité. Là elle trouve le lit et le plaisir de l'Amour, et Dieu qui l'attend de façon surhumaine. Voici ce que dit Notre Seigneur:
– Demeurez, Dame Ame. – Qu'ordonnez-vous, Seigneur?
– Que vous soyez nue. – Seigneur, comment cela doit-il m'arriver?
– Dame Ame, vous êtes si "naturée" en moi qu'entre vous et moi rien de rien ne peut être[3]. Jamais à aucun ange ne fut accordé l'honneur qu'on lui prêtât pendant une heure ce qui vous est donné éternellement. C'est pourquoi il faut vous dépouiller de ces deux choses: la peur et la honte, ainsi que de toutes les vertus extérieures. C'est uniquement celles que vous portez en vous-même par nature qu'il vous faut vouloir éprouver éternellement: ce sont votre noble désir et votre avidité sans fond que j'emplirai éternellement de ma surabondance infinie[4].

Seigneur, maintenant je suis une âme nue,
Et toi en toi-même un Dieu richement orné.
Notre communauté à tous deux
Est la vie éternelle dénuée de mort.
Il y règne un silence bienheureux
Selon leur mutuelle volonté.
Il se donne à elle et elle se donne à lui.

Ce qui lui arrive maintenant, elle le sait,
Et c'est cela qui fait ma consolation.
Mais cela ne peut pas durer longtemps,
Car où deux amants se rejoignent en secret,
Ils doivent souvent se séparer sans prendre congé.
– Cher ami de Dieu, j'ai écrit pour toi cette voie d'Amour.
Que Dieu la donne à ton cœur. Amen.

LE DESERT A DOUZE CHOSES (I, 35)

Tu dois aimer néant,
Tu dois fuir quelque chose,
Tu dois demeurer seule
Et n'aller chez personne.
Tu dois être très active
Et libre de toutes choses.
Tu dois délivrer les captifs
Et forcer ceux qui sont libres.
Tu dois réconforter les malades
Et pourtant ne rien avoir toi-même.
Tu dois boire l'eau de la souffrance
Et allumer le feu de l'Amour avec le bois des vertus.
Ainsi tu habites dans le vrai désert.

COMMENT LA FIANCEE QUI EST UNIE A DIEU REJETTE LA CONSOLATION DE TOUTES LES CREATURES, A L'EXCEPTION DE CELLE DE DIEU, ET COMMENT ELLE S'ENFONCE DANS LA SOUFFRANCE (IV, 12)

Voici ce que dit la fiancée de Dieu, qui repose dans la chambre sacrée du trésor de la sainte Trinité tout entière:
Ah, vous toutes, créatures, arrêtez-vous et quittez ma route, vous me faites mal et n'avez pas le pouvoir de me consoler!
Les créatures demandent: Pourquoi?
La fiancée dit:

Mon bien-aimé s'est enfui loin de moi pendant mon sommeil, alors que je reposais avec lui dans l'union (*Ct* 2, 4).

(Les créatures)
Ce monde magnifique ne peut-il vous consoler, et tout ce qu'il possède de bon?

(La fiancée)
Non, je vois le serpent de la Fausseté qui, avec sa ruse trompeuse, s'immisce dans toutes les joies du monde. Je vois aussi la Douceur sans noblesse attraper beaucoup d'humains grâce aux hameçons du désir cachés dans ses appâts.

(Les créatures)
Le Ciel peut-il vous consoler?

(La fiancée)
Non, quant à lui, il serait mort
S'il n'y avait le Dieu vivant.

(Les créatures)
Voyons, Dame Fiancée, les saints
Ne peuvent-ils pas vous consoler?

(La fiancée)
Non, s'ils devaient être séparés
Du flux, qui les traverse,
De la Déité vivante,
Ils pleureraient davantage que moi
Parce qu'ils trônent loin au-dessus de moi
Et habitent plus profondément en Dieu.

(Les créatures)
Le Fils de Dieu ne peut-il pas vous consoler?

(La fiancée)
Je le lui demande bien, quand nous allons

91

Parmi les fleurs de la sainte connaissance,
Et je le prie, pleine de désir,
Qu'il me révèle, en son déduit, le flux
Qui ruisselle dans la sainte Trinité
Et dont l'âme vit uniquement.
Si je dois être consolée selon ma noblesse,
Il faut que le souffle de Dieu m'attire à lui sans (qu'il y ait en moi
aucune) pesanteur,
Car, en son déduit, le soleil de la Trinité vivante
Resplendit à travers l'eau claire de l'Humanité,
Et la douce joie du Saint-Esprit
Provient des deux ensemble,
Et m'a pris tout
De ce qui habite au-dessous de la Déité.
Rien n'a de goût pour moi que Dieu seul ;
Me voici très merveilleusement morte.
Ce goût, j'y renoncerai avec joie
Afin qu'Il soit célébré de façon splendide.
Car puisque moi, être humain indigne,
Je ne puis avec mes forces louer Dieu,
J'envoie toutes les créatures à la Cour
et leur ordonne de glorifier Dieu pour moi
Avec toute leur sagesse,
Avec toute leur Amour,
Avec toute leur beauté,
Avec tout leur désir,
Ainsi qu'elle furent créées par Dieu dans leur intégrité,
Et aussi avec toutes leurs voix,
Comme elles chantent maintenant.
Quand je contemple cette grande louange,
Alors je n'ai mal nulle part.

Mais je ne puis supporter que me touche une seule consolation,
sauf si elle me vient de mon Très Aimé. J'aime mes amis terrestres
en tant que compagnons vers l'éternité. Et j'aime mes ennemis en
une sainte souffrance pour leur salut. Dieu a suffisance de toutes
choses, mais du contact de l'âme il n'a jamais suffisance.

Lorsque cette merveille et cette consolation eurent duré pendant huit ans, Dieu voulut trop me consoler, plus que ne le comportait la noblesse de mon âme. Alors l'âme indigne dit:
"Ah, mon cher Seigneur, ne m'élève pas trop! C'est encore trop bon pour moi que la partie la plus basse, c'est là qu'en ton honneur je veux demeurer toujours." Alors la pauvrette fut précipitée parmi les âmes pendues et les âmes damnées, et là, il lui sembla être beaucoup trop bien. Alors Notre Seigneur la suivit de la façon dont peuvent le recevoir ceux qui n'ont connu que les joies les plus infimes. Car la beauté de Dieu resplendit pour tous, mais dans la mesure où l'on s'est, ici-bas, sanctifié dans l'amour et ennobli par les vertus. Saint Jean dit dans son Epître: "Nous verrons Dieu tel qu'il est" (1 Jn 3, 2). C'est vrai. Mais le soleil brille selon le temps qu'il fait. Le temps varie ici sur terre sous le soleil – de même qu'il y a des demeures différentes au Ciel (Jn 14, 12). Par conséquent, de la façon dont je peux Le pâtir et Le voir, c'est ainsi qu'Il est pour moi.

Alors Notre Seigneur dit: "Combien de temps veux-tu demeurer ici?" – La fiancée répondit: "Ah, éloigne-toi de moi, cher Seigneur, et laisse-moi descendre encore plus bas en ton honneur!"

Là-dessus mon corps et mon âme entrèrent tous deux dans une telle ténèbre que je perdis connaissance, ne sachant (plus) rien de l'intimité de Dieu, et la très bienheureuse Amour s'en alla aussi son chemin. L'âme dit alors: "Où êtes-vous donc, Dame Fidélité? Je vais maintenant vous passer la charge de l'Amour, et vous défendrez en moi la Seigneurie de Dieu." Cette camériste s'occupa alors de sa dame avec une si sainte patience et tant de gaie indulgence que je vécus sans souffrances. Alors vint l'Incroyance et elle m'enveloppa dans une telle ténèbre et cria après moi avec tant de sauvagerie et de véhémence que sa voix me fit frémir d'horreur; et elle dit: "Si cette grâce était venue de Dieu, il ne t'aurait pas abandonnée ainsi!" Alors l'âme dit: "Où êtes-vous donc, Dame Constance? Faites venir à moi la vraie foi!" Alors le Père du Ciel parla à l'âme: "Pense à ce que tu as ressenti et vu quand il n'y avait rien entre toi et moi!"[5] Alors le Fils parla: "Pense à ce que ton corps a enduré de mes tourments!" Et le Saint-Esprit parla ainsi: "Souviens-toi de ce que tu as écrit!" Alors l'âme et le corps répondirent ensemble, fondés sur la stabilité de la vraie foi : "Aussi vrai que j'ai cru, aimé, goûté et connu, je partirai d'ici intacte."

Ensuite vint la constante Aliénation de Dieu et enveloppa l'âme si complètement que celle-ci, bienheureuse, dit : "Sois la bienvenue, très bienheureuse Aliénation ! Quel bonheur pour moi d'être venue au monde, puisque toi, ô Dame, tu vas maintenant être ma camériste ! Car tu m'apportes une joie inhabituelle et des merveilles incompréhensibles, et de plus, une douceur insupportable. Mais, Seigneur, il faut que tu m'ôtes la douceur et ne me laisses garder que ton Aliénation. Ah, quel bonheur pour moi, Dieu intime, que je puisse la recevoir en vertu des variations de l'amour !"

Comment cela m'arriva, je n'ose l'exprimer, mais je déclare ceci : "Dans le palais de mon âme le fiel se transforma en miel." Je désirai alors que toutes les créatures glorifient Dieu en chantant "Te Deum laudamus". Elle ne voulurent pas le faire et me tournèrent le dos. L'âme s'en réjouit sans mesure et dit : "Que vous me méprisiez et que vous me tourniez le dos, voyez, c'est pour moi le salut ! Cela glorifie immensément Notre Seigneur. Désormais la Seigneurie de Dieu s'accomplit en moi ; car à présent Dieu procède avec moi de façon merveilleuse, parce que son Aliénation m'est plus chère que lui-même." L'âme savait bien que Dieu voulait la consoler dans la plus grande Aliénation. C'est pourquoi elle dit : "Considère, Seigneur, ce que je suis, et abstiens-toi de moi !" Alors Notre Seigneur me dit : "Accorde-moi de rafraîchir en toi le brasier de ma Déité, le désir de mon Humanité, et la joie de mon Saint-Esprit." A cela l'âme répondit : "Oui, Seigneur, mais avec tant de mesure que le plaisir en soit pour toi seul, non pour moi !"

Là-dessus, la fiancée entra dans une ténèbre telle que son corps sua et se retourna dans la peine. Alors une personne pria la Peine de lui servir de messager auprès de Dieu, et je dis :
"Dame Peine, je vous ordonne ceci :
Que vous me libériez maintenant
Parce que vous avez à présent puissance sur moi."
Alors la Peine sortit du corps et de l'âme
Comme un rayon ténébreux
Et alla vers Dieu avec sagesse
Et appela à haute voix :

"Seigneur, tu sais bien ce que je veux!"
Alors le Seigneur vint à sa rencontre devant le portail du royaume
et dit: "Bienvenue, Dame Peine!
Sur terre vous fûtes à mon corps,
Avant tout ce que je portais, mon vêtement le plus proche,
Et la honte du monde entier,
Etait mon manteau le plus précieux.
Mais, quoique là-bas vous fussiez pour moi la bienvenue,
Ici vous ne pouvez entrer.
Mais à la vierge, qui veut faire deux choses,
Je vais faire don de deux choses.
Si cette vierge est constamment recueillie en elle-même et sage,
Alors elle contribue à faire de toi son messager,
Et je lui fais cadeau de mes embrassements
Et de l'union avec mon cœur."
Alors la Peine parla ainsi:
"Seigneur, je procure le bonheur à beaucoup de gens
Et pourtant je ne suis pas bienheureuse;
Je dévore beaucoup de corps saints
Et pourtant je suis moi-même méchante;
J'en conduis beaucoup au royaume des cieux,
Et pourtant, moi-même, je n'y entre jamais."
Voici comment le Seigneur lui répondit:
"Peine, tu n'es jamais née du royaume des cieux,
C'est pourquoi tu ne peux y rentrer.
Bien pis, tu es née du cœur de Lucifer,
C'est à lui que tu dois revenir
Et demeurer éternellement avec lui."
Ah, bienheureuse Aliénation de Dieu,
Comme je suis amoureusement liée à toi!
Tu affermis ma volonté dans la peine
Et me fais aimer la longue et lourde attente dans mon pauvre
corps.
Et plus je m'associe avec toi
Plus grandement et plus merveilleusement Dieu m'envahit.
Oh Seigneur, je ne puis m'engloutir loin de toi,
Car si je t'échappe facilement dans l'orgueil,

Plus je m'enfonce dans la profondeur de l'humilité sans mélange,
Plus grande douceur me désaltère.

L'HOMME BON DOIT AVOIR TROIS ENFANTS POUR QUI IL DOIT PRIER (V, 8)

Personnne ne sait ce qu'est la consolation, la peine ni le désir, s'il
n'est pas touché lui-même par ces trois choses. Je cherche de
l'aide, car, hélas, je souffre trop. J'ai trois enfants en qui je vois
grande détresse. Le premier, ce sont les pauvres pécheurs qui sont
dans la mort éternelle ; ma seule consolation est qu'ils aient leur
corps humain[6]. Hélas, c'est le cœur sanglant que je regarde cet
enfant, et les yeux pleins de larmes que je le tiens avec amour dans
les bras de mon âme, et que je le porte aux pieds de son Père,
dont je l'ai reçu. Ainsi je regarde cet enfant, et prie son Père fidèle,
Jésus, qu'il réveille cet enfant avec la voix de sa divine miséricorde,
cette même voix avec laquelle il réveilla Lazare.
    A cela Dieu répondit :
        Je veux transformer la maladie de l'enfant.
        S'il veut ne pas retomber dans cette mort,
        Alors il me sera toujours semblable
        En ma beauté, en ma noblesse,
        En ma richesse.
        Investi et inondé
        De toute volupté dans l'éternelle éternité.
        Lève-toi, cher enfant qui est mien, tu es guéri,
        Tourne (vers moi) la libre volonté que je t'ai donnée,
        Je ne te l'ôterai jamais.
        Car c'est selon elle
        Qu'est pesée toute la valeur
        Dans le beau royaume du Ciel
        Où tu deviens pareil aux saints.
        Hélas, cet (enfant) demeure encore figé
        En sa volonté propre !
    Mon autre enfant, ce sont les pauvres âmes tourmentées dans le
Purgatoire, à qui je dois donner à boire le sang de mon cœur.

Quand j'implore pour eux, et que je regarde les multiples aspects de leur misère et le goût amer qu'ils sentent pour chacun de leurs péchés particuliers, j'éprouve une douleur maternelle, et pourtant j'aime qu'ils souffrent un juste châtiment de leurs péchés en l'honneur de Dieu.

Ils endurent leur peine avec grande patience,
Car ils voient clairement leur péché,
Souffrant leur misère avec sagesse bien ordonnée,
Ils absorbent en eux-mêmes grande peine de cœur.
Si cet enfant doit guérir vite
Il faut que la mère soit très fidèle et miséricordieuse.

Mon troisième enfant, ce sont les personnes spirituelles imparfaites. Quand je regarde tous mes enfants malades, je n'en vois aucum qui me fasse autant souffrir que celui-là, car hélas, ayant tourné ses sens vers l'extérieur, s'étant plongé dans les choses passagères, il s'est tellement séparé des choses célestes qu'il a complètement perdu sa noble façon d'être et la douce familiarité avec Dieu à laquelle Dieu l'avait attiré par un choix particulier. Ils deviennent alors si faussés qu'aucune parole ne peut les convertir; c'est ainsi qu'ils insultent l'intériorité et détournent la douceur de Dieu, et tout ce qu'ils voient et entendent, ils l'accueillent avec malveillance. Ils ont l'air sage au dehors, mais hélas ne sont pourtant tous que des sots au dedans! Cet enfant-là a le plus de mal à guérir, car il tombe d'abord dans les querelles obstinées, puis dans l'inertie, puis dans les fausses consolations, puis dans le désespoir et finalement, hélas, dans la privation de toute grâce. Aussi est-il fort risqué de dire de quel côté se tournera l'âme égarée.

Trad. E. Z.

NOTES

1. Cf. Ct 1, 13 : "Mon bien-aimé est pour moi un bouquet de myrrhe, Qui repose entre mes seins."
2. Nous ne donnons ici qu'un extrait de ce dialogue entre Dieu et l'âme d'une part, l'âme et les sens d'autre part.
3. *nihtes niht* : rien de rien, c'est-à-dire sans aucun intermédiaire entre Dieu et l'âme.
4. On reconnaît ici le thème du dépouillement ou dépassement des vertus (extérieures) pour atteindre celle qui constitue en quelque sorte la nature ou l'essence de l'âme : l'amour ou désir de Dieu.
5. Comme plus haut, n. 3 : rien, c'est-à-dire aucun intermédiaire entre toi et moi.
6. "Dans leur corps" signifie : vivant encore sur terre, c'est-à-dire ayant encore la possibilité de faire leur salut.

CHAPITRE 5

Béatrice de Nazareth
(1200-1268)

VIE

Cette moniale cistercienne n'a laissé qu'une œuvre brève écrite en moyen-néerlandais, *Les Sept Manières d'amour*. Sa vie, en revanche, connue au moins jusqu'à son accession au priorat de Nazareth, est une œuvre exemplaire que nous pouvons retracer grâce à la biographie laissée par un "frère et serviteur", confesseur du couvent de Nazareth[1]. Ce religieux, qui n'a pu être identifié, n'a pas connu Béatrice, mais il disposait d'un *Livre de vie*, journal en néerlandais de la Bienheureuse, et des souvenirs communiqués par ses sœurs en religion et sa propre sœur Christine[2]. Il avoue n'avoir que peu remanié ce journal, "limant le style d'une langue balbutiante", l'enjolivant grâce aux figures de style de la rhétorique latine. Au texte primitif il a ajouté des considérations morales ou au contraire résumé des passages qui lui semblaient trop élevés pour le lecteur moyen (*Vita*, III, § 275, p. 185 sv.).

Malgré ces modifications, cette biographie, qui certes obéit aux lois de la narration hagiographique, doit être considérée comme authentique et sa véracité peut être prouvée par d'autres documents[3].

Etonnante famille que celle de Béatrice, qui forme une vraie communauté religieuse! Père et mère se présentent comme des figures de vitrail: la mère, Gertrude, remarquable par sa piété et sa charité; le père, Barthélémy, après la mort de sa femme, accompagne ses filles Béatrice, Christine et Sibylle dans les différents couvents qu'il aide à fonder (I, § 8-15, p. 17-21; p. 193-196). Tout en suivant avec son fils, convers comme lui, les observances cisterciennes, il s'occupait des affaires extérieures des monastères de Florival (Bloemendael), du Val des Vierges (Maagdendael), près d'Oplinter en Brabant, enfin de Nazareth près de Lierre. Deux autres de ses enfants étaient également entrés dans les ordres.

Née en 1200 à Tirlemont (Thienen) au diocèse de Liège, Béatrice fut une petite fille sérieuse, attentive aux autres; à l'âge de cinq ans, dit-on, elle savait par cœur le psautier, qui servait alors d'abécédaire (I, § 19, p. 23-24). A sept ans, après la mort de sa mère, son père la confia à l'école des béguines de Léau qui lui ont enseigné les rudiments[4]. Pour une fois, il est possible de suivre la filière scolaire d'une femme cultivée de l'époque. Sans qu'on sache, à vrai dire combien de filles fréquentaient ces écoles, Béatrice suivit les cours d'arts libéraux de l'école latine. Elle rentra chez elle sans avoir achevé le *trivium* qui englobait la grammaire, la rhétorique, la dialectique (I, § 21, p. 25). Selon son désir, elle entra comme oblate au monastère de Florival, passé à la règle cistercienne vers 1210. Elle devait y suivre l'enseignement de l'école conventuelle où elle termina le programme du *trivium* et du *quadrivium* (musique, arithmétique, géométrie, astronomie) (I, § 23, p. 26).

Dès ce moment, avec une amie avec laquelle elle avait conclu une sorte de pacte d'émulation spirituelle, elle pratique autant que possible les observances conventuelles, se levant en cachette la nuit pour chanter l'office (I, § 28, p. 29).

C'est le temps d'affreuses pénitences qui ne laissent intact aucun endroit de son corps: coucher sur des épines, se flageller, se priver de nourriture, porter des vêtements inconfortables, etc[5].

A l'âge de quinze ans, Béatrice souhaite devenir novice. Malgré les réticences de l'abbesse "qui pâlit de stupeur" à sa demande et veut l'écarter à cause de sa faiblesse et de son mauvais état de santé (I, § 45-48, p. 38-41), elle parvint à convaincre le chapitre et on l'autorisa à prendre l'habit le Jeudi-Saint de 1215; elle fera sa profession un an plus tard. Elle est alors envoyée au couvent de la Ramée[6] où se trouvait un *scriptorium*, atelier de copistes, pour y apprendre l'art de la calligraphie et de l'enluminure. Elle s'y lia d'amitié avec Ida de Nivelles, encore novice, mais qui, plus mûre que Béatrice, la guida avec dévouement. Toute la vie de notre moniale est jalonnée de ces amitiés, bien dans la ligne cistercienne, si l'on pense au traité d'Aelred de Rievaulx, *De l'amitié spirituelle* [7].

Béatrice est restée en contact avec Ida de Nivelles; elle requit son assistance dans un moment de dépression et tomba malade au moment de sa mort [8].

Béatrice demeura à Florival jusqu'en 1221, puis avec son père, son frère, ses sœurs et quelques moniales, elle se rendit au Val-des-Vierges à Oplinter, où elle prononça ses vœux solennels en 1225. Dès 1236, elle résida au couvent de Nazareth [9], où elle fut prieure de 1237 au 29 août 1268, date de sa mort. Ces événements sont brièvement décrits dans la *Vie* et on ne sait rien de son priorat, à part le récit de deux visions et le fait qu'elle remplit sa charge "parfaitement".

L'HISTOIRE D'UNE AME

L'auteur de la *Vie* nous livre moins une relation de faits extérieurs qu'une biographie spirituelle.

L'évolution de Béatrice se déploie selon un schéma traditionnel, décrivant les stades de débutant, de progressant et de parfait. Pourtant, le même type d'événements se retrouve à chaque stade, mais à un niveau différent: les pénitences, les manifestations extatiques, les visions.

Les pénitences constituent une rupture avec le cadre psychique et l'environnement, même strictement ascétique, comme l'était un couvent cistercien. Elles ont pour motivation la conscience d'être pécheurs, c'est-à-dire absolument incapables de rejoindre Dieu, l'Etre parfaitement bon, par ses propres forces.

Le *désir* est le moteur de cette attitude: il est "fervent", "très pressant", voire "dément" [10]. La mystique sent l'*attraction* de Dieu, d'où une aspiration véhémente à suivre le Christ et à être uni à Dieu, une tension presqu'insoutenable de la volonté, qu'il s'agisse de mortifications ou d'une application scrupuleuse à s'imposer des exercices de piété ou à imiter les vertus des autres religieuses.

La force de ce désir confine à la folie, cette folie de l'amour décrite par Richard de Saint-Victor dans les *Quatre degrés de violente charité* [11]. Des manifestations extérieures extravagantes traduisent la violence de cet amour, comblé de grâces et en même temps confronté aux limites de la nature humaine, blessant l'âme et le cœur d'une langueur pitoyable.

Extatique, Béatrice, mais aussi ses amies comme Ida de Nivelles, Ida de Léau, et bien d'autres: elles tombent en extase, voire en catalepsie, ou au contraire se mettent à rire, à battre des mains (p. 224-226). Béatrice va même jusqu'à simuler la folie totale pour être mieux méprisée; son directeur lui fait toutefois comprendre qu'il en résulterait de graves inconvénients pour la communauté et elle renonce à son projet (III, § 208-212, p. 134-135). A quelques exceptions près, lorsqu'elles troublaient l'ordre liturgique[12], ces manifestations étaient acceptées par la communauté, ce qui explique vraisemblablement leur fréquence et, sans doute, une certaine contagion.

Pourtant, tous ces signes extérieurs d'une vie affective souvent bouleversée par le mouvement même de l'amour qui se sent tantôt proche, tantôt éloigné de Dieu, n'empêchent pas Béatrice de scruter avec lucidité son état, de réfléchir sur sa place dans le dessein de Dieu. A ce stade, la lumière de la raison joue un rôle éminent dans la connaissance de soi, comme elle ressort de la spiritualité d'un saint Bernard ou d'un Guillaume de Saint-Thierry[13]. C'est ici que le biographe insère dans la *Vie* quelques méditations traitées sous un mode plutôt allégorique et moralisateur, sans doute des points de méditation rédigés à l'intention de ses sœurs[14].

Pécheresse certes, Béatrice découvre également la noblesse de sa nature dans le fond de l'âme. Dans la lumière de la grâce, elle voit ce qu'elle a reçu de Dieu: des biens naturels, une "noble fierté" qui cherche les biens les plus élevés, la subtilité et l'acuité de l'esprit qui mènent à la contemplation, la générosité, la largesse, toutes ces qualités qui sont les attributs d'une âme créée à l'image et à la ressemblance de Dieu (II, § 121, p. 87). Le but désormais de son combat, c'est de reformer et réformer la nature blessée par le péché et de retrouver la pureté de l'état dans lequel elle a été créée, à la fois dans le sens d'un dépouillement de tout ce qui n'est pas Dieu et d'intégrité, de liberté, signes de la restauration de l'image divine en soi[15].

Ces réflexions vont de pair avec la méditation de l'Ecriture sainte où Béatrice cherche un enseignement tantôt moral, tantôt mystique, pour elle et pour les autres; quand elle ne comprend pas, c'est l'Esprit

Saint qui illumine son intelligence et la console dans les épreuves (II, § 85-86, p. 67-68).

Cette étape de la lucidité et de la réflexion fut suivie durant trois années de souffrances indicibles, d'épreuves passives cette fois et non plus de pénitences choisies par elle: tentations charnelles, images honteuses, perte de la foi, désespoir, dégoût de la vie considérée comme un cachot obscur (II, § 130-132, p. 92-94; § 156, p. 105).

Béatrice lutte pied à pied contre les assauts attribués au démon, mais reste ferme dans son propos.

Ces épreuves d'amour se prolongeront tout au long de la vie de Béatrice. Pourtant, il y a un tournant important et même capital dans sa vie spirituelle. Déjà à un stade antérieur, elle avait pressenti qu'elle présumait de ses propres forces et qu'elle devait laisser agir Dieu en elle (I, § 67, p. 54).

Peu à peu, en méditant sur la Passion du Christ, sur le mystère de la Trinité, elle s'ouvre à une autre dimension. Tout d'abord, à la messe, après l'élévation, elle voit le Christ, les bras étendus. Elle lui est unie littéralement cœur à cœur et tout l'esprit du Christ passe en elle. Par un pacte d'amour, elle est prête à faire tout ce que le Seigneur demande et le Christ imprime en elle son image comme sur une cire molle pour la rendre semblable à lui [16].

Dans la lumière de la contemplation, elle est dépouillée de sa volonté propre, toutes ses puissances sont unifiées par le même élan, de telle sorte que tous ses actes participent au service de Dieu. Il n'y a plus alors de distinction entre vie active et vie contemplative: "Elle ordonna en même temps tous ses actes et ses sentiments tant internes qu'externes aux décisions de sa raison, de telle sorte qu'aucune de ses facultés ne restait oisive, mais elle les mit toutes sans relâche au service de son Créateur; son esprit voué aux saintes affections, sa bouche aux divines louanges, ses mains aux œuvres pies et tous ses membres aux offices qui leur incombaient." (II, § 181, p. 117-118).

Deux visions trinitaires viennent corroborer cet état et élargir son champ de conscience. Dans l'une d'elles, vers Noël 1232, elle voit Dieu comme la source d'un fleuve d'où découlent rivières et ruisseaux, le fleuve étant le Fils de Dieu, les rivières, stigmates du Christ, marques de notre rédemption, les ruisseaux, les dons du Saint-Esprit. Elle comprend alors les jugements de Dieu, la procession des Personnes au sein de la Trinité et de l'Essence divine. Il y a en elle comme un retournement et elle prend conscience des dimensions universelles de la charité : là où elle cherchait la perfection par l'ascèse et les exercices de piété, elle perçoit que, faire la volonté de Dieu, c'est s'occuper du prochain, tant par des soins matériels que spirituels (III, § 213-218, p. 137-140).

Enfin, dans l'union transformante, sa volonté se confond parfaitement avec la volonté divine, de telle sorte qu'elle ne peut plus vouloir que ce que Dieu veut ; elle est alors parvenue à la paix intérieure, dans l' "indifférence" aux épreuves et, du même coup, elle devient physiquement plus forte (III, § 222-227, p. 143-146). Entre l'esprit pacifié et le corps souffrant s'établit un équilibre que les cisterciens du douzième siècle avaient perçu et décrit [17]. Le volontarisme crispé de Béatrice s'est transformé en adhésion sereine à la volonté de Dieu.

De la vie de Béatrice à Nazareth, le biographe ne rapporte que deux visions. Tout l'accent est mis ici sur les manifestations de la charité dans laquelle elle est enracinée sans jamais en être détournée. Comme une "mère de famille", soumise au chef de famille, Dieu, (également présenté ici sous les traits de la maîtresse, *magistra, domina*) (III, § 264, p. 180), elle pourvoit aux besoins de tous ceux qui recourent à son aide, tant parmi ses religieuses qu'envers les gens de "tout âge, de toute condition et profession" qui viennent à elle comme leur "patronne", soutien et conseillère (III, § 266, p. 182). Les malades, les pauvres, les pécheurs, les âmes troublées s'en retournent guéris ou consolés. Dans les cas graves, elle va jusqu'à s'identifier au pécheur jusqu'à ce qu'il soit libéré par sa prière.

Et, note franciscaine, sa compassion s'étend au règne animal, aux bestioles et aux oiseaux dont elle partage les souffrances (III, § 242, p. 155). Sans avoir les dimensions cosmiques des visions d'Hildegarde, on peut dire cependant que son amour embrasse la création entière.

LES VISIONS DE BEATRICE

Chez Béatrice, les visions sont toutes liées à la vie liturgique : elles sont introduites par le verset d'un psaume, les paroles d'un sermon, par la célébration de l'Eucharistie et elles prolongent sa méditation consciente; elles ont lieu dans l'extase ou en sont suivies, jusqu'à la perte totale du mouvement et de l'usage de ses sens[18].

A la différence de Hildegarde et de son univers chatoyant et animé, l'*élément visuel* extérieur est très peu marqué. La description de l'espace fait défaut et les visions se déroulent dans un lieu abstrait en dehors de toute indication de temps. Très stéréotypées, elles ne dépassent pas les schémas de l'imagerie traditionnelle : Jésus sur l'autel, les bras étendus; les neuf chœurs des anges et leurs demeures brillantes; la roue du monde.

Par contre, les sensations *tactiles* jouent un rôle important : elle sent passer la présence de Dieu dans tout son corps; le Seigneur lui perce l'âme du feu de son amour, comme de la pointe d'une épée flamboyante (II, 170, p. 113), attire son cœur contre le sien; le sang des plaies du Christ se déverse dans son âme (III, § 238, p. 152-153).

Béatrice insiste sur le profond ébranlement affectif provoqué par les visions qui stimulent son amour et lui font "goûter" la douceur de l'amour divin. Le *goût* est encore un de ces sens spirituels qui lui font expérimenter avec joie la grâce de Dieu en elle (II, § 163, p. 108-109).

L'*audition* intervient également : Jésus lui parle "non en langue vernaculaire, mais en latin" pour lui proposer un pacte d'union que Béatrice s'engage à respecter (II, § 165, p. 110). Un autre jour, elle entend la voix du Seigneur qui clame qu'elle a été élue et inscrite au livre de vie. Un dialogue s'instaure entre les deux et Béatrice prend l'initiative de demander au Seigneur ce qui lui a valu cette faveur "sans mérite antécédent de sa part"; il lui répond qu'elle n'a pas commis de péché mortel et qu'elle l'a suivi, attirée par la force et la violence de son amour à lui (II, § 171, p. 113-114).

Si l'élément sensible lié à la volonté occupe une place importante, l'élément intellectuel (de l'intelligence éclairée par l'amour) est fortement marqué. On notera au cours du récit des visions la fréquence du verbe *comprendre* et parallèlement, l'abstraction croissante des visions. Le biographe rapporte qu'elle avait une "quantité" de livres sur la Trinité dont il n'indique d'ailleurs pas le détail.

Certes, elle a foncièrement conscience de l'incompréhensibilité finale de Dieu, mais il lui vient en aide en lui infusant sa propre lumière.

Il y a chez Béatrice convergence entre l'acte d'intelligence intuitive qui, à la fine pointe de l'âme, accède autant que faire se peut à la connaissance des mystères de Dieu, et entre l'amour fruitif qui assimile dans la joie les dons reçus. Mais finalement, toute cette expérience débouche sur la charité active, ainsi que nous l'avons vu.

LES SEPT MANIERES D'AMOUR [19]

Dans un des derniers chapitres de la *Vie* de Béatrice, le biographe donne une adaptation latine de son œuvre (III, § 246-261, p. 157-175). C'est à partir de cette traduction que l'on a pu identifier l'auteur du texte thiois contenu dans les *Sermons limbourgeois* redécouverts en 1895 [20].

Le texte lui-même a posé de grands problèmes aux érudits, en particulier la *Septième Manière* qui semblerait être une répétition des stades antérieurs. Aurait-elle été rajoutée par la suite? Il ne nous appartient pas de résoudre ici ce problème. Sachons qu'il se pose et qu'on peut lui donner des solutions différentes [21].

Toujours est-il qu'avec le petit traité de Béatrice, nous possédons une œuvre originale où le langage mystique apparaît pour la première fois en dialecte brabançon. Il s'agit donc d'une création, en une prose riche et souvent rythmée. Si, dans la biographie du confesseur cistercien, nous tenions un récit chronologique, autant que faire se peut, de la vie spirituelle de Béatrice, celle-ci était présentée selon un schéma traditionnel, dans le cadre de la vie monastique et comme un reflet de sa théologie. Les *Sept Manières*, certes, sont garanties , authentifiées par ce récit et l'on pourra découvrir de nombreux parallèles entre la *Vie* et le traité de Béatrice [22]. Toutefois, il ne s'agit pas d'un récit chronologique, mais d'une synthèse de ce qu'elle a vécu : ses exaltations, voire ses excès trouvent dans cette œuvre une expression parfaitement maîtrisée sur le plan de la forme et de la pensée. L'élément ordonnateur, structurant en est l'amour, la *Minne*. Dans le sous-titre, en une ligne, se manifeste toute la dynamique de l'expérience fondamentale: "L'amour prend sept formes qui viennent de la cime (*uten hoegsten*) et font retour au sommet (*ten oversten*)" [23]. L'amour part de ce qu'il y a de plus haut et y revient : mouvement néo-platonicien de la sortie et du retour. On peut se demander si, pour Béatrice, la cime et le sommet sont Dieu ou la cime de l'âme, l'expression restant imprécise. C'est au lecteur d'entrer dans ce mouvement même de l'amour. Il s'agit bien de l'amour personnel de Béatrice pour Dieu qui déploie dans son corps, son cœur et son âme toutes ses riches harmoniques, tous ses effets doux ou cruels, mais à l'intérieur d'un échange avec un Amour transcendant, un abîme d'amour qui attire l'âme pour qu'elle rejoigne son être foncier en Dieu "haute et suprême noblesse qu'il est en son essence" (I, p. 7, l. 61) et qui se donne à qui se livre à lui. Le don suscite le désir qui, à son tour, se nourrit du don. "Rendre amour à l'Amour" suppose donc bien la rencontre de deux sujets.

La *Première Manière* montre le désir d'aimer et de suivre le Seigneur comme une attraction puissante à retrouver pureté, noblesse et liberté, marques de notre création à l'image et à la ressemblance de Dieu, constitutives de notre perfection ultime. Ce désir ne laisse aucun répit car il instaure une tension entre l'être actuel, "ce qu'elle est", (qui doit être reconnu avec lucidité par le cœur et l'intelligence), et son être idéal "ce qu'elle doit être", entre ses dons naturels, ses acquisitions et ce qui lui manque pour être à l'image de l'amour "dans la proximité de la ressemblance". Quels que soient les effets douloureux de cette tension, elle évacue d'emblée la crainte, se situant au-delà de la peur du jugement et du châtiment.

Cette première Manière s'ouvre comme un apprentissage, fondamental car il pose la finalité de l'amour : union à Dieu, liberté de conscience, purification de l'esprit, lucidité de l'intelligence, et indique le moyen d'écarter les obstacles qui se trouvent sur le chemin par la réflexion sur soi et l'assujettissement progressif du *cœur*, moteur de la quête, de la requête, à l'amour.

Très brève, la *Deuxième Manière* est vouée à la gratuité de l'amour : Béatrice veut servir Dieu gratuitement "sans nul pourquoi"[24], formule qui, apparaissant ici pour la première fois, connaîtra plus tard une grande fortune chez les mystiques postérieurs. Gratuité et service vont de pair et ici Béatrice utilise le vocabulaire courtois en inversant la relation puisque c'est la damoiselle qui veut servir son seigneur, sans autre récompense que de "rendre amour à l'Amour", en l'aimant sans mesure, par-dessus tout mesure[25], au-delà de toute intelligence humaine. L'exigence de totalité est rendue par la répétition du mot *tout*, qui reviendra avec plus de force encore dans la troisième Manière : "servir en toute fidélité … avec tout ce qu'elle a, elle veut lui faire plaisir".

Dans la *Troisième Manière*, la note dominante est la *peine*. Elle voudrait en effet faire plus que toutes les créatures humaines et célestes; l'exigence de totalité devient obsédante: en dix lignes, le mot *tout* revient une dizaine de fois. Le désir de servir l'amour se heurte à la finitude de l'être humain dont la nature limitée ne peut satisfaire aux exigences illimitées de l'amour dont il reste le débiteur insolvable[26]. Ce reste, ce manque (*ontbliven*) bouleverse son âme. Pourtant, elle fait tout son possible: louanges, actions de grâces, travaux, quête, désir, rien ne lui apporte le repos: il lui semble être établie dans une "mort vivante", subir les peines de l'enfer. Dans cet état, elle restera jusqu'à ce que le Seigneur la console en lui donnant une connaissance plus intime de lui.

La *Quatrième et la Cinquième Manières* forment comme les deux volets d'un diptyque, ainsi que l'indiquent les premières lignes: "Notre Seigneur fait goûter à l'âme tantôt de grandes délices, tantôt de grandes peines".

Le premier volet est celui de la douceur. Ce don gratuit de Dieu met toute la personne en émoi jusqu'à l'absorber totalement. Un bel hymne à l'amour en montre tous les degrés: "Et le cœur est touché par l'amour, intensément attiré l'amour, fortement saisi par l'amour; elle est si amoureusement embrassée par l'amour qu'elle est vaincue par l'amour". Tout son être participe à cette béatitude: son esprit est illuminé et libéré par cette intimité avec Dieu, ses sens sont comblés, sa volonté transformée. Dans cet engloutissement, "elle est devenue amour"[27].

Les consolations sont fréquentes dans la *Vie* de Béatrice. Elles sont toujours mises en relation avec un événement précis: prière, méditation, communion. Dans la quatrième *Manière*, elle en souligne le caractère imprévu, gratuit; il semble bien qu'elle regroupe toutes ses expériences de joie spirituelle en un hymne à l'amour. Le vécu spirituel est mis ici en rapport avec une énumération littérairement plus composée des propriétés de l'amour: beauté, pureté, justice, noblesse (IV, p. 14-16).

Le contre-coup de ces expériences comblantes se fait sentir dans la *Cinquième Manière*. D'une part, elle ressent un surcroît d'énergie au sein même de ce bien-être que confèrent les embrassements de l'amour et la fruition de ses dons: qu'elle œuvre ou qu'elle soit en repos, la même force s'empare d'elle. Mais à la douceur qui pousse à l'accomplissement des grandes œuvres succède parfois la tempête allant jusqu'à la folie. D'où le retour du thème du désir, absent de la précédente "manière". L'impuissance à satisfaire l'amour provoque chez Béatrice des maux sans cesse renaissants, décrits de manière à la fois concrète et symbolique : ses veines s'ouvrent, son sang est en ébullition, sa moëlle dépérit, ses os défaillent, sa poitrine brûle, sa gorge se dessèche. Parfois une flèche lui traverse la gorge. Blessure, navrure d'amour. Pourtant, au sein de cette colère d'amour (*orewoet*) se manifeste un sentiment de sécurité. Si l'âme souhaite dénouer ce lien qui l'enserre et l'oppresse, elle ne veut pas renoncer à l'union : plus elle demande (dans la douleur), plus elle reçoit et plus elle s'approche de la pureté, de la noblesse et de la fruition de l'amour. Son insatisfaction même la guérit et la blessure lui confère la santé. L'absence contient déjà la promesse de la présence [28].

Les parallèles avec la *Vie* sont nombreux, bien que la description des phénomènes somatiques soit beaucoup plus ramassée dans la cinquième *Manière* : il y a en outre intériorisation d'événements présentés comme extérieurs dans la *Vie* : la flèche qui lui traverse la gorge qui, dans la *Vie*, est une image visionnaire, devient ici une métaphore pour exprimer une émotion intérieure.

Dans la *Sixième Manière*, toutes les contradictions, tous les conflits se résolvent : l'amour est devenu maître de sa personne et l'établit dans l'aisance et la liberté. Ces biens auxquels elle aspirait lui sont acquis : pureté, douceur spirituelle, science de Dieu, égalité avec le Seigneur [29]. Tous les niveaux de la personne sont touchés : la conscience libérée, elle est devenue "libre d'elle-même"; ses sens orientés, ordonnés, l'âme renoue avec sa noblesse primitive. Le thème du *détachement* systématique qui connaîtra une telle importance chez les mystiques ultérieurs est absent. La liberté apparaît plutôt comme le résultat d'une dynamique; fruit de l'amour, victoire sur ses obstacles intérieurs, une maîtrise sur l'être profond (*wesen*) [30].

Autant, dans la cinquième Manière, le cœur était oppressé, dans la conscience de ses limitations, autant ici il est au large et Béatrice d'utiliser les images traditionnelles du poisson et de l'oiseau qui s'ébattent chacun dans son élément, image certes, mais liée à la parole de saint Paul (*Ep* 3, 18) sur les dimensions infinies de l'amour de Dieu : la longueur, la largeur, la hauteur, la profondeur. Cette liberté la rend si hardie qu'elle ne craint plus ni créature, ni ange, ni démon, ni Dieu même (dans la mesure où elle ne peut en être dissociée).

Corollaire de la liberté, la souveraineté de la personne sur toute sa vie extérieure et intérieure, avec l'image de la maîtresse de maison qui règle son ordonnance selon l'inspiration de la Sagesse (*Pr* 31, 10-31). Action et contemplation vont de pair et l'une ne fait pas obstacle à l'autre. Une réminiscence discrète du texte de *Jn* 10, 9 dans la phrase "elle fait entrer, elle fait sortir", situe ce passage dans la tradition qui y voit l'harmonie entre vie active et contemplative, introversion et extraversion.

La *Sixième Manière* constitue un sommet, "une vie angélique" qui correspond bien à l'adhésion parfaite à la volonté de Dieu, suivi d'une maîtrise de soi durable, d'une belle aisance à servir les autres, telles que les a décrites la *Vie*.

La *Septième Manière* a posé quelques problèmes ainsi que nous le disions plus haut. Comme elle semble reprendre tous les stades antécédents, on a pu croire que ce texte aurait dû se trouver avant la sixième *Manière* ou que Béatrice l'aurait ajouté plus tard, à la fin de sa vie, pour résumer en quelque sorte son expérience.

On peut aussi émettre l'hypothèse qu'il s'agit d'un autre degré de l'amour qui repasse par tous les états précédents, mais à un autre niveau, comme si l'on parcourait une spirale en se rapprochant toujours plus du sommet. Ce qui nous permet cette supposition, c'est un changement de vocabulaire: la notion de *cœur*, qui jusqu'alors était le centre de tous les sentiments, de toutes les forces vives, le lieu d'où sourd le désir, fait place au mot *être* (*wesen*); on voit apparaître, parallèlement, un mot nouveau la *nostalgie* (*verlancnisse*) lié à celle de patrie (*lantscap*) opposé à l'exil (*ellende*) dans la région de la dissemblance.

Toujours aussi véhément, le désir se traduit par les paradoxes déjà évoqués: douceur et peine, vie et mort, tristesse et joie. L'élément passif semble dominer: l'âme est entraînée dans un autre espace où les attributs positifs de Dieu "tout-puissant, comprenant tout" etc., ont pour pendant les négations "sagesse incompréhensible, hauteur inaccessible..." Pour s'immerger dans le "profond abîme de la Divinité", Béatrice doit être attirée au-delà du temps, au-delà de tout mode humain, au-dessus de sa propre *nature* pour entrer dans un état, un être différent (*ein hoger wesen*) où se trouve son être propre (*hare wesen*), le plus intimement lié à Dieu (*dat naeste wesen*), autrement dit dans la plus grande ressemblance[31].

La fruition, pour Béatrice, c'est la vision de la Divinité dans la Trinité, évocation de celle qu'elle eut durant sa vie, ainsi que la participation à l'amour et à la connaissance des esprits bienheureux. Cet amour englobe les créatures dans l'amour de Dieu. Pour la première fois en thiois apparaît le terme d'"amour commun" (*gemeenre minne*) qui connaîtra un tel développement chez Ruusbroec, après avoir été défini par les victorins et les cisterciens du siècle passé[32].

En même temps qu'un espace nouveau, la septième *Manière* dévoile un temps nouveau. Dans la sixième, Béatrice se mouvait dans ce qu'on pourrait appeler un "temps final", son être ayant atteint sa finalité par l'union à Dieu ; ici, il lui faut encore attendre le "temps plénier". Le désir de la mort par excès de souffrance revient à plusieurs reprises dans la vie de Béatrice, mais après la grande vision trinitaire de Noël 1232, Dieu lui promet qu'elle ne souffrira plus de façon à désirer la mort : elle n'éprouvera plus ce sentiment que par désir des joies célestes. N'est-ce pas à cette expérience que se rapporte la septième *Manière* ? Souffrance de l'exil, aspiration à être "délivrée" et à "s'en aller vers le Christ", patrie de l'éternité et fruition dans la gloire, alors qu'elle se trouve dans une situation intermédiaire entre l'ici-bas et l'au-delà. C'est là qu'intervient la nostalgie qui accompagne le désir.

Le livret se termine sur une promesse apaisée de la béatitude : après avoir tant cherché et servi l'amour, elle sera reçue par le Bien-Aimé et ne fera plus "qu'un esprit avec lui". Sur cette espérance nuptiale s'achève la quête de Béatrice.

Outre la beauté formelle du texte, la richesse de l'affectivité, on peut y voir un texte-frontière. Béatrice se situe au confluent de deux courants spirituels : la mystique de l'union à Dieu dans le Verbe incarné et la mystique de l'Etre. L'amour reste chez elle tension du désir, soif d'être unie à Dieu sans toutefois que soit explicitement recherché le dépassement de tout le créé qu'impliquerait le retour à son être originel au sein de l'abîme divin. Pour Béatrice, comme d'ailleurs pour les béguines contemporaines, il n'y a pas de contradiction entre l'adoration de la Trinité, l'union au Christ-Epoux et cette tendance au dépassement.

G. E.-B.

NOTES

1. L. REYPENS (éd.), *Vita Beatricis, De autobiografie van de Z. Beatrijs van Tienen*, *o.cist.*, 1200-1268, Antwerpen, 1964. (Cité *Vita*; les chiffres ( ) dans le texte se réfèrent à cet ouvrage). Sur la tradition manuscrite: *Vita*, 17*-25*; 26*-40*; *Prologus*, p. 13-14. L'auteur (§ 1, p. 13) dédie son œuvre à la prieure de Nazareth et à son couvent comme leur "frère et compagnon dans le service de Dieu". Guillaume d'Afflighem († 1297), bénédictin, n'est pas, comme on l'a cru, l'auteur de la *Vita Beatricis*. D'après le texte lui-même, il s'agit bien d'un cistercien, attaché au couvent de Nazareth, sans doute comme confesseur. Cf. l'argumentation de l'éditeur: *Vita*, 26*-40*.

2. *Vita*, III, § 274, p. 185. L'auteur insiste sur le fait que son œuvre est véridique car Béatrice aurait-elle pu dire sur elle-même des "choses fausses ou inventées"? (I, § 5, p. 14).

3. En particulier les documents de fondation en rapport avec l'activité de son père (*Vita*, p. 47*-56*). Sur les couvents cisterciens en Brabant, E. BROUETTE, *Monasticon belge*, t. IV, *Brabant*, fasc. 2, Liège, 1968. Sur le père de Béatrice: *Vita*, § 8-15, p. 17-21; *Bijlage* I, 3, p. 193-196; *Bijlage* XI, p. 260-262.

4. *Vita*, I, § 20, p. 24-25. La vie en communauté des béguines était donc antérieure, comme ce fut souvent le cas, à leur installation dans un béguinage (*curtis beghinarum*), qui eut lieu en 1242.

5. *Vita*, I, § 30-40, p. 30-35. Le biographe note bien que, malgré ses plaies infectées qui lui permettaient à peine de se tenir debout, elle ne manquait que très rarement la classe. Elle s'y rendait soit en rampant (!), soit conduite par d'autres "afin de ne pas perdre son temps sans le viatique de la science (sacrée)".

6. Sur La Ramée, à Jauchelette, près de Nivelles, cf. *Vita*, p. 192-193. Sur Ida de Nivelles (vers 1199-1231), CR. HENRIQUEZ, *Quinque prudentes virgines*, Antwerpiae, 1630, p. 199-297. R. DE GANCK, "Chronological Data in the Lives of Ida de Nivelles and Beatrice of Nazareth", *Ons Geestelijk Erf*, 57, 1983, p. 14-29.

7. Qualifié de "sentiment indissoluble d'amour", lien indéchirable, le sentiment d'amitié spirituelle est une application particulière de l'unité de cœur et d'esprit, fondement de la vie apostolique (*Ac* 4, 32). Dans ce culte de l'amitié, il y a rencontre entre le mouvement féminin extatique du treizième siècle et la spiritualité cistercienne du douzième qui a cultivé un véritable humanisme. Cf. Aelred de RIEVAULX, *De spiritali amicitia*, *Opera omnia*, éd. A. HOSTE, C.H. TALBOT, Turnhout, 1971; t. 1, p. 285-350.

8. *Vita*, I, § 67, p. 54. Pour ne pas paraître sainte, Béatrice avait renoncé à bien de ses oraisons et exercices habituels. Il en était résulté une grande "torpeur" et dans ce trouble, Ida lui recommanda vivement de recourir plus souvent à la réception vivifiante de l'Eucharistie. Sur la mort d'Ida, *Vita*, III, § 188-189, p. 123-124. La vie d'Ida contient le récit d'une vision qu'elle aurait eue en même temps que Béatrice. Elles auraient alors pressenti l'amour de la Vierge pour la Trinité et auraient été incluses dans cet amour. (*Vita*, *Bijlage* VI, p. 218-220).

9. *Vita*, III, § 228-232, p. 147-150. Avant de s'établir dans le nouveau monastère,

Béatrice et ses sœurs passent six mois à recopier les livres liturgiques nécessaires à l'office conventuel.

10. *Vita*, III, § 185, p. 122; § 219-221, p. 141-143. Ce désir va jusqu'à la frénésie traduite par toute une série d'expressions: délire, langueur frénétique, passion paralysante etc. On y parle d'inondation, d'ébullition, de tourbillon. Mais, paradoxalement, au lieu d'être obnubilé par cette houle d'émotions, son esprit n'en ressort que "plus pur et plus fort".

11. Richard de SAINT-VICTOR, *Les quatre degrés de la violente charité*, éd. G. DUMEIGE, Paris, 1955, p. 88-200. G. DUMEIGE, *Richard de Saint-Victor et l'idée chrétienne de l'amour*, Paris, 1952, p. 117-122. Richard qualifie le désir fou, cette faim insatiable de Dieu de "saine et sainte déraison" dans la ligne de la Sagesse de Dieu (selon *I Cor* 1, 25), ce qui correspond bien aux dires du biographe de Béatrice.

12. Dans certains couvents, on interdisait aux sœurs qui n'étaient pas maîtresses d'elles-mêmes après la communion de s'approcher de la table sainte.

13. *Vita*, II, § 120, p. 86. Dans le monastère spirituel (II, § 112) la raison, l'abbesse, est la source du discernement; la prieure est la sagesse. Le discernement s'obtient à la suite d'une recherche (*inquisitio*), d'une exploration, d'un examen critique et purificateur (*circumspectio, perlustratio*). Cf. S. Bernard, *Des degrés de l'humilité*, III, 6, (*Opera*, t. 3, p. 20); Guillaume de SAINT-THIERRY, *Lettre aux Frères du Mont-Dieu*, éd. J.M. DECHANET, (Sources chrétiennes 223), Paris, 1975, § 228-229, p. 326-328.

14. "Les deux cellules de son cœur", "Les cinq miroirs de son cœur", "Le monastère spirituel" où chaque office est représenté par une vertu (II, § 101-117, p. 76-84).

15. *Vita*, II, § 123, p. 88; III, § 197, p. 129; § 236, p. 152. Cette doctrine de l'image et de la ressemblance a été développée par l'école cistercienne: S. Bernard, *De la grâce et du libre-arbitre*, IX, 28 (*Opera*, t. 3, p. 185); *Sur le cantique des cantiques*, S. 81, *Opera*, t. 2, p. 287-291; S. 82, p. 292-298. Guillaume de Saint-Thierry, *De la nature et de la dignité de l'amour*, éd. M.M. DAVY, Paris, 1953, § 5, p. 75. *Exposé sur le Cantique des cantiques*, éd. J.M. DECHANET, (Sources chrétiennes 82), Paris, 1962, § 1, p. 71; § 88-89, p. 208-210. E. GILSON, *La théologie mystique de saint Bernard*, Paris, 1969[3], p. 67 sv. R. JAVELET, *Image et ressemblance au 12ème siècle*, 2. vol., Paris, 1967, I, c. VI-VII, p. 169-297.

16. *Vita*, II, § 166, p. 110-111. L'impression du cachet divin sur la cire de l'âme devenue molle (Cf. *Ps* 21, 5) la conforme à l'image et à la ressemblance divines.

17. Cf. Guillaume de SAINT-THIERRY, *De la nature et de la dignité de l'amour*, § 50, p. 131-132.

18. La douceur de ces consolations surabondantes conduit à une ivresse spirituelle bien connue des mystiques (en réf. à *Ep* 5, 18).

19. Editions et traductions, cf. Bibliographie.
Nous citons d'après: Beatrijs van Nazareth, *Seven manieren van minne*, critisch uitgegeven door L. REYPENS en J. VAN MIERLO (Leuvense Studiën en Tekstuitgaven), Leuven, 1926 (cité: *Seven manieren.*). Béatrice de Nazareth, *Sept degrés d'amour*. Traduction du néerlandais par J.B. PORION, Genève, Cl. Martingay, 1972.

20. J.H. KERN, *De Limburgsche Sermoenen*, Leiden, 1895, p. 570-582. Les *Sermons*

limbourgeois (vers 1330) sont un recueil de sermons et de textes spirituels. Ils contiennent entre autres la Xème lettre de Hadewijch.

21. L. REYPENS, *Vita*, Bijlage IX, "De 'Seven manieren van minne' geinterpoleerd", p. 237-256. P. WACKERS, "Het interpolatie probleem in de 'Seven manieren van minne' van Beatrijs van Nazareth" (Le problème de l'interpolation dans les 'Sept manières d'amour' de B. v. N.), *Ons Geestelijk Erf*, 45, 1971, p. 215-230.

22. H. VEKEMAN, "Vita Beatricis en 'Seven manieren van minnen'. Een vergelijkende studie" (Une étude comparative), *Ons Geestelijk Erf*, 46, 1972, p. 3-54.

Nous pourrions dire que, si le biographe lisait la vie et l'œuvre de Béatrice à partir de la théologie cistercienne de l'amour, notre propre lecture s'enrichira en outre des perspectives nouvelles ouvertes par un courant plus spéculatif.

23. *Seven manieren*, I, p. 3, l. 3-5: "Sur le retour de la nature humaine et grâce à elle, de toutes les créatures, dans les idées éternelles d'où elle a procédé, sur son retour et sa restitution à sa dignité première ..." cf. J. SCOT ERIGENE, *De divisione naturae* (Le partage de la nature), PL 122, 862 A, cité par J.B. P., *Hadewijch/Béatrice*, Annexe B, p. 290. Pour Guillaume de Saint-Thierry et saint Bernard, le retour est lié à la théorie de l'image (cf. n. 15) et de l'amour. S. Bernard, *Sur le cantique*, S. 83, 4 (*Opera*, t. 2, p. 299): "Quelle grande chose que l'amour, pourvu qu'il revienne à son principe, retourne à son origine et, refluant vers sa source, lui emprunte de quoi couler sans arrêt."

24. *Seven manieren*, II, p. 7, l. 4-6: "sonder enich waeromme". La source latine de cette expression est sans doute le début du traité *De l'amour de Dieu* de saint Bernard: "La raison pour laquelle on doit aimer Dieu est Dieu lui-même" (*Opera*, t. 3, *De diligendo Deo*, I, 1, p. 119). J.B. P., *Hadewijch d'Anvers*, Paris, 1954, p. 147, n. 6.

25. Saint Bernard, *De l'amour de Dieu*, I, 1: "La mesure de cet amour, c'est d'aimer sans mesure" (*Opera*, t. 3, p. 119).

26. *Seven manieren*, III, p. 11, l. 24-25. Par l'adjectif *onwesenlec* ("qui n'appartient pas à son être foncier"), Béatrice marque la différence entre son être idéal en Dieu et la condition humaine. Cette notion de "déficience" traverse toute la mystique rhéno-flamande. Cf. J.B. P., *Hadewijch d'Anvers*, p. 135, 136. Elle revenait à plusieurs reprises dans l'œuvre de saint Bernard: *Sur le Cantique*, S. 9, 2 (*Opera*, t. 1, p. 43): "J'ai reçu, plus que je ne le méritais, mais beaucoup moins que je ne désirais". Ce thème est lié à celui de la langueur, par exemple chez Guillaume de Saint-Thierry, *Sur le Cantique*, éd. J.M. DECHANET, M. DUMONTIER, Paris, 1962, § 120, p. 258-260. Ce manque est le moteur même du progrès spirituel; sans cesse il relance la créature au-delà d'elle-même. Cf. *La contemplation de Dieu*, éd. J. HOURLIER, (Sources chrétiennes 61 bis), Paris, 1968, § 6, p. 76.

27. *Seven manieren*, IV, p. 15, l. 25. On a pensé que cette expression était une création de Béatrice; on la trouve pourtant chez saint Bernard, *Sur le Cantique*, S. 83, 5 (*Opera*, t. 2, p. 301): "L'amour pur, c'est celui de l'Epouse, parce que l'Epouse est toute amour" (traduction A. BEGUIN, Saint Bernard, *Œuvres mystiques*, Paris, 1953, p. 850).

28. *Seven manieren*, V, l. 77-80, p. 23.

29. *Seven manieren*, VI, p. 24, l. 20-24. Egalité (*effenheit*) au sens d'une ressemblance.

30. *Seven manieren*, p. 25, l. 35-42. Pour décrire le même état, le biographe utilise les images tout aussi traditionnelles de la goutte d'eau perdue dans l'océan, du feu liquéfiant de l'amour (*Vita*, § 206, p. 133). Cette liberté souveraine est le fruit de l'unité d'esprit divin et de la volonté humaine selon *I Cor* 6, 17. E. GILSON, *Théologie mystique*, p. 148-152. Guillaume de Saint-Thierry, *Lettre aux Frères du Mont-Dieu*, éd. J. DECHANET, (Sources chrétiennes 223), Paris, 1975, § 276, p. 364-367: "Quand l'âme embrasse, quand l'âme enserre en elle toutes les vertus, non comme des éléments empruntés d'ailleurs, mais comme des productions quasi naturelles de son être, selon cette ressemblance de Dieu, en vertu de laquelle il est tout ce qu'elle est. Alors, comme Dieu est ce qu'il est, ainsi les dispositions de la bonne volonté vis-à-vis du bien de la vertu se trouvent si consistantes et, par ailleurs si bien disposées à l'égard de l'esprit bon, lui-même adhère au bien immuable avec un telle véhémence qu'en aucune manière, semble-t-il, il ne puisse s'écarter jamais de ce qu'il est."

31. *Seven manieren*, VII, p. 31, l. 36; p. 36, l. 140-141. Notons ici le superlatif. Dans la *VIème manière*, Béatrice utilisait un comparatif: un "être plus proche" (*naerren wesene*); une "connaissance plus haute" (*in hogeren bekinne*).

32. L'amour "commun" est le fait de celui qui ne peut aimer les êtres et les choses que de l'amour de Dieu même. Saint Bernard, *De l'amour de Dieu*, IX, 26 (*Opera*, t. 3, p. 141). Guillaume de Saint-Thierry, *Lettre aux Frères du Mont-Dieu*, § 263, p. 354, met explicitement cet amour en rapport avec les relations intratrinitaires. Cette notion se déploiera dans toute son ampleur théologique chez Ruusbroec. B. FRALING, *Mystik und Geschichte. Das "ghemeyne leven" in der Lehre des Jan van Ruusbroec*, Regensburg, 1974.

CHAPITRE 6

Extraits de la *Vie* de Béatrice et des *Sept Manières d'amour*

VISION TRINITAIRE ET VISION DU MONDE[1]

Comment, dans son désir, Béatrice aspira à la connaissance de la Sainte Trinité[2]

§ 215 "Comme elle était demeurée un certain temps dans le désir de cette compréhension, il arriva qu'au jour de la Très-Sainte Nativité du Seigneur, appliquant son cœur à la méditation, elle se mit à repasser assidûment le mystère de l'Incarnation du Seigneur, quand, soudain, dans une extase, elle fut ravie dans les hauteurs célestes; emporté par l'Esprit divin, son esprit fut élevé en un instant à la contemplation d'une admirable vision. Que voyait-elle? Le Père tout-puissant et éternel donnait naissance à un grand fleuve d'où découlaient dans toutes les directions de nombreux rivières et ruisseaux qui offraient à boire de l'eau 'jaillissant en vie éternelle' (*Jn* 4, 14). Certains buvaient au fleuve, d'autres aux rivières, quelques uns puisaient aux ruisseaux. Mais celle qui eut la faveur de voir ces choses eut le privilège de boire à tous les cours d'eau. En buvant, elle comprit aussitôt, avec la fine pointe de son esprit[3], la signification de ces images.

§ 216 Le fleuve était le Fils de Dieu lui-même, le Seigneur Jésus-Christ, éternellement engendré par le Père, né dans le temps de sa mère, pour la rédemption et le salut des hommes. Les rivières sont les signes de notre restauration, stigmates de la Passion du Seigneur que celui-ci a daigné subir sur le bois de la Croix pour nous

117

pécheurs. Puis les ruisseaux sont les dons des grâces que le Donateur de tous les biens ne cesse de dispenser à tous les fidèles pour qu'ils puissent faire sa volonté. Ceux qui buvaient au fleuve, ce sont ceux qui, par l'éminence d'une vie plus parfaite, suivaient les traces du Rédempteur avec un zèle indéfectible; ceux qui buvaient aux rivières sont ceux qui, grâce à la compassion, progressent par le souvenir de la Passion du Seigneur. Et ceux qui buvaient aux ruisseaux, ce sont ceux qui s'efforcent de transformer les grâces qu'ils ont reçues en œuvres de charité, accomplissant ainsi la volonté de Dieu. La foule des buveurs et leurs différentes manières de boire s'ordonne selon la hiérarchie des mérites, car le Christ abreuvait les premiers de sa propre personne; il réconfortait les seconds avec le calice suave de sa Passion et il comblait les autres des dons exquis de ses grâces et de la douceur céleste de ses consolations.

Il voyait que quelques uns refusaient de boire, ne voulant s'approcher ni du fleuve, ni des rivières, ni des ruisseaux, restant assoiffés et vides dans leur entêtement. Ce sont ceux qui, par les souillures de péchés graves et l'habitude des œuvres mauvaises, se sont volontairement séparés de la communauté des élus; méprisant le Seigneur qui ne les méprise pas, assoiffés et vides, ignorant des délices célestes, ils restent attachés aux seules voluptés terrestres.
§ 217 Après voir vu tout cela, la vierge du Seigneur, ayant remonté avec l'œil intense de la contemplation le cours du fleuve jusqu'à la source de l'éternité d'où il est né, eut le privilège de découvrir ce qu'elle avait voulu comprendre du mystère de la Sainte Trinité : comment le Seigneur, Fils de Dieu, était engendré éternellement par le Père et, à la fin des temps, né dans le temps d'une mère; comment le Saint-Esprit procède également du Père et du Fils, comment la différence des Personnes était englobée dans une seule Essence de divinité, d'éternité et de majesté, ainsi que tous les autres mystères saints et sacrés de la divine Trinité que vénère par la foi sur cette terre, notre sainte mère l'Eglise : tout cela, grâce à la révélation de l'Esprit-Saint, l'âme de Béatrice put le saisir pleinement, en même temps."

(Revenue à elle, Béatrice voudrait, par ses propres forces, continuer à méditer sur ces mystères. Le Seigneur l'en dissuade et lui enjoint de prodiguer ses soins aux autres.)

§ 218 "... Ayant accepté comme un présent divin cet office de la charité, il lui semblait que, d'une manière admirable, son cœur se dilatait et se déployait en même temps, jusqu'à exploser : dès lors, elle embrassa intérieurement tout le genre humain comme d'un immense filet[4]. Je pense que cet enveloppement ne signifie pas autre chose que la largeur de la charité dont, comme l'Apôtre, elle se fit alors la débitrice 'tant envers les sages que les insensés' (*Rom* 1, 14). Selon la grâce reçue, en toute pureté de la foi et du cœur elle se voua au service de chacun, selon ses besoins ; cet office de la charité, elle l'accepta pieusement et, plus pieusement encore s'en acquitta."

Comment elle vit le monde entier placé sous ses pieds comme une roue[5]

§ 234 "Après un long temps passé à exercer la charge de prieure, il arriva un jour qu'elle entendit une moniale lire la parole de saint Bernard où il dit que 'nombreux sont ceux qui souffrent des supplices pour le Christ, mais il y en a peu qui s'aiment parfaitement eux-mêmes pour le Christ'[6]. Elle retint dans sa mémoire la parole de ce saint homme et la rumina souvent pendant deux jours. Mais elle ne put pas du tout découvrir par elle-même comment il fallait la comprendre correctement, se demandant comment l'amour de l'homme ramené à soi pouvait être de quelque manière plus important que de supporter les supplices de la Passion pour le Christ. Comme l'homme, qu'il soit bon ou mauvais, s'aime lui-même naturellement car 'personne ne hait sa propre chair' (*Ep* 5, 29), cette brève incise 'à cause du Christ' lui semblait apporter beaucoup au sens premier de ces paroles, car seule l'expérience peut vérifier le sens de cette addition, mais non la subtilité des sens (et de l'intelligence) humains.

§ 235 Voyant qu'elle n'arrivait pas par le travail de la méditation à trouver le sens le plus profond de cette parole, la servante de Dieu recourut aussitôt à la prière, suppliant Dieu intensément de lui en donner l'intelligence. Qu'aurait pu refuser le Seigneur à son élue, dans sa bonté, devant cette recherche ardue et ce zèle fécond ? Non seulement la faveur de l'amour divin lui donna ce qu'elle demandait, c'est-à-dire le sens des paroles citées ci-dessus, mais encore elle l'enseigna en lui révélant en abondance les secrets de ses mystères.

§ 236 Aussitôt élevée en extase, elle vit placée sous ses pieds toute la machine du monde, telle une roue. Elle se vit posée dessus, fixant les yeux de la contemplation vers l'Essence incompréhensible de la divinité et considérant avec la pointe de son intelligence, d'une manière admirable, Dieu éternel et vrai , le Très-Haut incréé, le Seigneur, dans la majesté de sa substance. Elle était si adéquatement placée entre Dieu et l'homme que, inférieure à Dieu, mais plus élevée que le monde entier, elle en piétinait les biens terrestres, tout en était inséparablement unie à l'essence divine par l'embrassement de la charité.

Dans cette union où elle fut faite 'un seul esprit' avec Dieu (1 Cor 6, 17), elle reconnut qu'elle était parvenue à cette pureté et à cette liberté d'esprit, à cette gloire dans lesquelles elle fut créée dès le commencement. Et comme si son esprit s'était transféré totalement dans l'esprit divin, elle comprit ainsi que, pour un peu de temps, elle était unie à la Très-Haute Déité et rendue toute céleste.

§ 237 Revenue à elle, elle retint dans sa mémoire la douceur de cette contemplation, la savourant sans toutefois en refaire l'expérience. Et se souvenant de ce qu'elle avait vu et compris, réconfortée par la douceur divine au-delà de toute expression, elle reposa doucement entre les bras de l'Aimé, embrasée d'un incendie d'amour. Alors, le sens des paroles citées ci-dessus, elle le connut moins par l'intelligence que par l'expérience, dans un esprit purifié, et elle saisit qu'elle s'aimait parfaitement à cause du Christ mais qu'il y en a peu qui parviennent à ce sommet du parfait amour."

LES SEPT MANIERES DU SAINT AMOUR[7]

Il y a sept manières du saint amour: elles viennent du Très-Haut et retournent au sommet.

La première Manière[8]

est un désir actif issu de l'amour; il doit régner longtemps dans le cœur avant d'en écarter tous les obstacles et il doit œuvrer avec force et ingéniosité et progresser dans cet état.

Cette manière est un désir qui vient certainement de l'amour: c'est-à-dire que l'âme de bonne volonté qui veut suivre fidèlement Notre Seigneur et l'aimer en vérité est attirée par ce désir à recevoir, pour s'y établir, la pureté, la liberté et la noblesse dans lesquelles elle a été créée à l'image et à la ressemblance de son Créateur qu'il nous faut aimer et garder par-dessus tout.

C'est en cette voie qu'elle désire donc mener toute sa vie, travailler, grandir, monter vers un amour plus haut, une connaissance plus intime de Dieu, vers la perfection pour laquelle elle est faite, à laquelle elle a été appelée par Dieu.

Sans cesse, nuit et jour, elle s'y applique et s'y livre totalement. C'est là toute sa question, son étude, sa requête auprès de Dieu et toute sa réflexion: comment peut-elle y parvenir et comment s'approcher plus intimement de l'Amour, lui ressembler par l'ornement des vertus, en toute pureté et intime noblesse d'amour?

Cette âme examine sérieusement ce qu'elle est, ce qu'elle devrait être, ce qu'elle a, ce qui manque à son désir[9]. Avec tout son zèle, avec un grand élan et toute l'ingéniosité possible, elle s'efforce de se garder et de s'écarter de tout de qui peut faire obstacle ou entrave à sa marche. Et jamais son cœur ne se repose ni ne s'arrête de chercher et de quêter, d'apprendre, de saisir tout ce qui peut l'aider et la faire progresser en amour.

C'est le principal souci de l'âme placée en cet état, son œuvre et son effort: obtenir de Dieu par son zèle et sa fidélité, de pouvoir dorénavant, sans être arrêtée par les fautes passées, servir l'amour avec une conscience libre, un esprit purifié, une intelligence claire.

Ce désir d'une grande pureté, d'une grande noblesse vient assurément de l'amour et non de la crainte. Car la crainte fait agir ou pâtir, prendre et laisser par peur de la colère de Dieu et du jugement de ce juste juge, soit dans les châtiments éternels ou dans les peines temporelles. Mais seul l'amour tend vers la pureté et la haute et suprême noblesse qu'il est en son essence, dans la possession et la fruition. Cette œuvre, il l'enseigne aux âmes dès qu'elles s'adonnent à lui.

La septième Manière d'amour [10]

L'âme bienheureuse connaît encore une manière de haut amour qui la soumet à un rude labeur intérieur : attirée par l'amour au-dessus de son humanité, au-dessus de la raison et de l'intelligence humaines, au-dessus de toutes les opérations de notre cœur, attirée seulement par l'Amour éternel dans l'éternité de l'amour, dans l'incompréhensibilité, dans la largeur, la hauteur inaccessible, dans le profond abîme de la Divinité qui est "tout en toute chose" et qui demeure inconnaissable par-dessus toute chose, immuable, plénitude de l'Etre qui embrasse tout dans sa puissance, son intelligence, son œuvre souveraine. L' âme bienheureuse est si tendrement abîmée dans l'amour, si fort attirée par le désir que son cœur ébranlé se ronge d'impatience, que son esprit affolé est bouleversé par la force des désirs. Tous ses sens sont tendus vers la fruition de l'amour où elle veut s'établir (wesen). C'est ce qu'elle exige intensément de Dieu, ce qu'elle cherche ardemment de Lui, dans la force de son désir. Car l'amour ne lui laisse ni paix, ni répit, ni repos. L'amour l'élève et l'abaisse ; il l'attire soudain pour la tourmenter ensuite ; il la fait mourir pour la faire revivre ; il la blesse et la guérit, la rend folle et puis sage [11]. C'est ainsi qu'il attire à un état plus élevé (in hoger wesen). En esprit, elle s'est élevée au-dessus du temps, dans l'éternité, au-dessus des dons de l'amour qui est hors du temps, au-dessus des modes humains d'aimer, au-dessus de sa propre nature, dans son désir de la dépasser. Tel est son être (wesen) et sa volonté, son désir et son amour : entrer dans la certitude de la vérité, dans la pure clarté, dans la haute noblesse, dans la beauté exquise – dans la douce compagnie des esprits supérieurs qui s'écoulent dans l'amour débordant, eux qui connaissent clairement leur Amour et le possèdent dans la fruition.

Sa volonté est d'être là-haut, par le désir elle va, elle vient parmi ces esprits, surtout au milieu des Séraphins ardents ; mais c'est au sein de la grande Divinité, la très-haute Trinité qu'elle souhaite reposer doucement et demeurer dans la fruition.

Elle cherche (le Seigneur) dans sa majesté, elle le suit là-haut, le contemple avec son cœur et son esprit. Elle le connaît, elle l'aime. Elle le désire si fort qu'elle ne peut considérer ni saint, ni homme, ni ange, ni créature sinon dans l'amour commun par lequel elle aime toute chose avec lui. C'est lui seul qu'elle a choisi en amour par-dessus tout, au fond de tout et en tout avec toutes les aspirations de son cœur, toute la force de son esprit, c'est lui qu'elle désire voir et posséder dans la fruition.

C'est pourquoi, dès lors, sa vie sur terre est un grand exil, une prison étroite et une cruelle souffrance. Le monde, elle le méprise et la terre la dégoûte ; tout ce qui est terrestre ne peut ni la satisfaire, ni la combler et c'est pour elle une grande souffrance d'être étrangère dans une région lointaine. Son exil, elle ne peut l'oublier, son désir, elle ne peut le satisfaire, sa nostalgie la tourmente. Passion et souffrance sans merci, au-delà de toute mesure.

Elle ressent donc grand désir et grande nostalgie d'être libérée de cet exil, libérée de ce corps et elle dit sans cesse, le cœur blessé, les paroles de l'Apôtre : *Cupio dissolvi et esse cum Christo*, c'est-à-dire "Je désire m'en aller et être avec le Christ" (*Phil* 1, 23). De même, l'âme, dans son désir violent et sa douloureuse impatience, souhaite être délivrée pour être avec le Christ, non par ennui du présent, ni par crainte des peines à venir, mais c'est en vertu d'un amour saint, d'un amour éternel qu'elle désire ardemment et véhémentement parvenir au pays d'éternité et à la gloire de la fruition. Sa nostalgie est grande et forte, son impatience dure et pénible et grande indiciblement sa souffrance, tant son désir la tourmente. Pourtant elle doit vivre dans l'espoir et cet espoir même la fait soupirer et languir. Ah, saints désirs de l'amour, quelle n'est pas votre force dans une âme aimante ! C'est une passion bienheureuse, un tourment violent, une peine durable, une mort brutale, une vie mourante. Là-haut, l'âme ne peut y parvenir, ici-bas, elle ne peut tenir en paix. Penser à l'Aimé, elle ne peut le supporter tant sa nostalgie est grande ; y renoncer la remplit de douleur à cause de son désir ; c'est ainsi qu'elle doit vivre dans le déchirement.

Aussi elle ne peut ni ne veut être consolée, comme dit le

Prophète: *Renuit consolari anima mea*, c'est-à-dire: "Mon âme refuse d'être consolée" (*Ps* 76 (77), 3). Elle refuse toute consolation de la part de Dieu lui-même et des créatures, car toutes les joies qu'elle en retire stimulent son amour et l'attirent vers un état plus haut (*in een hoger wesen*), renouvelant sa nostalgie de s'unir à l'amour et d'entrer dans sa fruition et rendant cet exil insoutenable. Malgré tous les dons, elle reste insatisfaite, inapaisée, loin de la présence de son amour. C'est une vie dure, pénible, car elle ne veut pas être consolée tant qu'elle n'aura pas reçu ce qu'elle cherche sans relâche.

L'amour l'a attirée et guidée, lui a enseigné ses voies; elle l'a suivi fidèlement dans de grands labeurs et des œuvres nombreuses, dans de grandes aspirations et des désirs violents, en grande patience et en grande impatience, dans la douleur et le bien-être, dans de nombreux tourments, dans la quête et la supplique, la perte et la possession, dans la montée et le suspens, dans la poursuite et l'élan, dans l'angoisse et les soucis, dans la détresse et la peine; dans une immense confiance et dans les doutes, dans l'amour et la douleur, elle est prête à tout supporter. Dans la mort ou la vie, elle veut s'adonner à l'amour; en son cœur elle endure mainte souffrance et c'est pour l'amour qu'elle désire gagner la patrie.

Après avoir tout tenté (en vain) dans cet exil, c'est dans la gloire qu'elle trouvera son refuge. L'œuvre de l'amour, c'est justement de désirer l'union la plus intime (*dat naeste wesen*), d'adhérer au plus près à cet état où l'âme se livre à l'Amour. Elle veut suivre l'amour, entrer dans la fruition de l'amour – chose impossible dans l'exil; elle veut donc migrer vers le pays où elle a fondé sa demeure et où elle repose avec l'amour et le désir. Elle le sait: tout obstacle sera écarté et elle sera tendrement accueillie par l'Aimé. Elle contemplera Celui qu'elle a aimé si tendrement et possèdera éternellement, pour son bien-être éternel, Celui qu'elle a si fidèlement servi. En toute plénitude, elle jouira de Celui que son âme a si fort embrassé dans l'amour. Ainsi elle "entrera dans la joie de son maître", comme dit saint Augustin: *Qui in te intrat, in gaudium domini* etc., c'est-à-dire: "Celui qui entre en toi entre dans la joie de son maître et il n'aura plus de crainte mais sera bienheureux dans le Bien souverain"[12].

C'est alors que l'âme sera unie à son Epoux et sera "un seul esprit avec lui" (*1 Cor* 6, 17) dans une indissoluble fidélité et un amour éternel. Et ceux qui l'ont pratiqué au temps de la grâce en jouiront dans la gloire éternelle où tout ne sera que louange et amour.

Que Dieu veuille nous y mener tous. Amen!

Trad. G. E.-B.

NOTES

1. Cette vision trinitaire reprend un thème scripturaire traditionnel, celui de la source de vie et des fleuves qui en découlent (Cf. *Gen* 2, 10-14, *Ps* 35 (36), 9-10; *Jn* 4, 14, *Ap* 22, 1). Le chapitre 24 de l'*Ecclésiastique* (*Si* 24, 32-47) est particulièrement intéressant puisqu'il compare la Sagesse au fleuve qui irrigue les terres jusqu'à la mer, mais aussi qui remonte au paradis (v. 41), associant les deux mouvements de sortie et de retour. Cf. G. DE CHAMPEAUX, Dom S. STERCKX, *Introduction au monde des symboles*, La Pierre qui-Vire, 1980, p. 213-214. Les Pères de l'Eglise ont appliqué ces textes au Christ. THOMAS A., "Brunnen", *Lexikon der christlichen Ikonographie*, I (1968), 330-336.

   De ce thème Béatrice donne une triple interprétation : symbolique, en appliquant l'image de la source au Père, celle du fleuve, des rivières et des ruisseaux au Christ incarné, rédempteur par sa Passion et dispensateur de la grâce (avec le Saint-Esprit qui n'est pas mentionné explicitement ici). L'exégèse tropologique (morale) distingue trois catégories de fidèles selon leur relation avec les eaux vivifiantes : ceux qui adhèrent étroitement au Seigneur; ceux qui sont particulièrement unis à la Passion et ceux qui s'adonnent aux œuvres de charité. La visionnaire participe à tous ces états de vie contemplative et active. Quant à ceux qui, faisant un mauvais usage de leur liberté, refusent de boire, ils s'excluent volontairement de cette communion.

   La troisième interprétation est mystique : la visionnaire remonte le cours du fleuve pour aboutir à la source où lui sont révélées les processions trinitaire à partir d'une seule Essence divine. Pourtant, la contemplation n'a pas sa fin en elle-même : elle conduit à un élargissement de la conscience à l'univers tout entier et à une activité de service.

2. *Vita*, III, § 213-218, p. 137-140.

3. L'*acies oculi* est le point où se concentre toute la force visuelle de l'œil. De même, dans l'âme, l'*acies mentis* est le point vers lequel convergent toutes les puissances, l'organe par lequel l'âme est capable de s'unir à Dieu. Il reçoit plusieurs noms selon les auteurs : cime de l'âme, fine pointe, étincelle ou, de manière plus scolastique, syndérèse.

4. Cf. *Mt* 13, 47. Pour l'image du filet de la charité, cf. S. Augustin, *In ps.* 49, 9 (CC 38, p. 583-584). S. Bernard, *De l'amour de Dieu*, XV, 40, (*Opera*, t. 3, p. 153).

5. *Vita*, III, § 234-237, p. 151-152. Cette vision unit un thème théologique bernardin à une expérience mystique. Partie d'une réflexion sur "l'amour de soi pour l'amour du Christ", Béatrice voit la place de la personne intimement unie à Dieu comme celle d'un intermédiaire entre l'Essence divine et le monde, symboliquement représenté comme une roue, monde qu'elle domine pour s'en être parfaitement détachée. L'aimée voit le monde dans la perspective de l'amour de Dieu.

6. Nous n'avons pas retrouvé ce texte précis dans les œuvres de saint Bernard. Pourtant la pensée est bien sienne : lorsque l'homme a retrouvé la ressemblance divine, l'amour de soi n'est pas détruit, simplement il est assimilé à l'amour pour Dieu. Nous nous aimons nous-mêmes comme Dieu nous aime et à cause de lui. *De l'amour de Dieu*, XV, 39 (*Opera*, t. 3, p. 152-153). E. GILSON, *Théologie mystique*, p. 139-140.

7. Traduction d'après l'édition de L. REYPENS et J. VAN MIERLO.

8. *Seven manieren*, p. 3-7.

9. Cf. *supra*, p. 104.

10. *Seven manieren*, p. 28-29. Cf. *supra*, p. 106 sv.

11. A trois reprises dans le texte, Béatrice fera entendre la complainte de l'amour avec ses effets antithétiques, marques de sa transcendance, qui ne peuvent se résoudre que dans l'union ultime.

12. S. Augustin, *Confessions*, II, 10, 18. Cf. Mat 25, 21.

CHAPITRE 7

Hadewijch d'Anvers
(vers 1240)

VIE ET ŒUVRE

Après avoir été célébrée et citée au quatorzième siècle par Jean Ruusbroec et son disciple, le Bon Cuisinier Jean de Leeuwen [1], l'œuvre de Hadewijch, dont il ne reste que quatre manuscrits, a été à peu près complètement oubliée jusqu'à ce qu'elle soit redécouverte au dix-neuvième siècle par des savants médiévistes, mais aussi par un poète comme Maeterlinck [2]. Son œuvre parut en édition critique à partir de 1920 grâce aux travaux de J. Van Mierlo [3].

Aujourd'hui, on engrange chaque année une telle moisson d'études tant littéraires que spirituelles qu'on peut dire qu'elle est actuellement beaucoup mieux connue que de son vivant [4]. Par contre, les faits extérieurs de sa vie restent dans l'ombre, car Hadewijch n'a pas, comme Béatrice, trouvé son biographe, sans doute parce que, béguine, elle vivait en dehors d'un milieu monastique. Seul un manuscrit a conservé son nom avec une indication géographique : "Bienheureuse Hadewijch d'Anvers".

On pense que la période de sa production littéraire s'étend dans le deuxième quart du treizième siècle. Dans la *Liste des Parfaits* qui fait suite à la XIVème *Vision*, elle mentionne une béguine qui aurait été condamnée à mort par Robert le Bougre "à cause de son juste amour". Or cet inquisiteur a sévi en Flandre de 1235 à 1238 [5].

Quant aux autres détails biographiques, on ne peut les tirer que des *Lettres* et de quelques poèmes où elle apparaît comme "maîtresse" ou guide spirituel d'un groupe non organisé de béguines auxquelles elle s'adresse avec autorité. D'après ses allusions, elle aurait été en butte à des oppositions venues soit de l'extérieur, soit de l'intérieur des communautés. Menacée de bannissement, voire de prison, si on prend ses affirmations à la lettre, elle se voit contrainte d'abandonner ses chères amies Sara, Emma, Marguerite, dont on tente de l'écarter et avec lesquelles elle reste cependant en correspondance[6]. En même temps, elle s'est adonnée à une activité caritative, probablement les soins aux malades, comme les béguines de son époque[7].

On a pensé qu'Hadewijch était de famille noble étant donné l'emploi de nombreux termes courtois dans ses poèmes. Dans quelle mesure a-t-elle été formée et portée par un milieu social cultivé? Il est impossible de répondre à cette question. Quoi qu'il en soit, Hadewijch fait preuve d'une culture étonnante, aussi bien profane que théologique. Elle savait le latin, connaissait les règles de la prosodie, la rhétorique, l'art épistolaire. L'usage de nombreux mots français remonte sans doute à sa familiarité avec la poésie des trouvères du Nord de la France. Au point de vue religieux, elle fait la preuve de ses connaissances scripturaires, liturgiques et théologiques. Elle cite implicitement, mais textuellement, Richard de Saint Victor (*L.* X) et Guillaume de Saint-Thierry (*L.* XVIII), un hymne trinitaire attribué à Hildebert de Lavardin († 1134) (*L.* XXII). Dans la vision VIII, elle est guidée par un "champion" qui est un théologien scolastique; celui-ci ne peut l'accompagner jusqu'au sommet de l'union parce qu'il a mis l'intellect avant l'amour. C'est dire que Hadewijch se meut dans un univers spirituel très proche de celui de la cistercienne Béatrice. Mais il n'y a chez elle aucun refus de l'intelligence: à ses amies, elle recommande le soin de leur progrès intellectuel comme source du progrès spirituel. Qu'elles s'informent, questionnent, étudient! Ce qui suppose autour d'elles un milieu cultivé, prêtres, communautés, capables de leur répondre, dit-elle, "en latin comme en flamand" (*L.* XXIV).

L'œuvre de Hadewijch, dont il est difficile d'établir la chronologie, se compose de *Visions*, de *Poèmes* et de *Lettres*. Ces textes ressortissent donc à des genres littéraires très différents où se manifestent la fécondité et la variété de son génie littéraire.

LES POEMES

Les *Poèmes* font de Hadewijch une des créatrices de la poésie lyrique néerlandaise. Ils se divisent en 45 *Poèmes strophiques* (*Strofische Gedichten*)[8] en 16 *Poèmes à rimes plates* qui sont souvent des lettres rimées (*Mengeldichten*).

On a pu dire que les poésies de Hadewijch ne formaient qu'un seul et même poème, avec des variations sans fin. Cette remarque a été faite également à propos de la poésie courtoise qui se déploie dans un espace clos déterminé par le canon des formes traditionnelles (le "registre"), répertoire de clichés et de procédés reconnus et appréciés par les auditeurs.[9] Hadewijch se coule dans ce moule en faisant précéder la plupart de ses poèmes par une strophe sur les saisons, en général le printemps, comme le veulent les "reverdies" des trouvères où l'on chante le renouveau de la nature, soit pour s'identifier à elle, soit pour s'en distancer, tant la souffrance du poète contraste avec la joie du dehors[10].

D'autre part, les strophes de Hadewijch sont divisées en trois parties sur deux ou trois rimes alternées ou croisées, avec une grande variété de rythmes. Enfin, un "envoi" résume tout le poème ou en souligne l'idée principale. Dans ce cadre un peu conventionnel, Hadewijch sait manier le vers parfois long, parfois court pour traduire l'intensité, l'émotion, tout le drame existentiel de sa relation à elle-même et à Dieu, décrite, magnifiée, multipliée[11].

L'Amour (*Minne*) y est chanté sous des aspects divers qui reflètent la polyvalence de ce mot. Il (au féminin en néerlandais comme en allemand) est présenté comme une personne à laquelle on s'adresse : dame, reine, maître suprême, dont on vante la force, la richesse, qui impose sa loi. A ce thème de l'amour personnifié se joignent des images de la vie chevaleresque : l'aventure (*avonture*), la chevauchée, la joute[12], la chasse où l'amour poursuit et se laisse poursuivre. Surgissent aussi ces ennemis que la poésie courtoise appelle les *losengiers*, médisants qui tendent à détruire l'amour et qui, chez Hadewijch qui leur donne une signification plus haute, sont les étrangers (*vremde*) qui refusent de reconnaître l'amour et s'opposent à ceux qui le servent[13].

Mais comme l'Amour-seigneur est aussi l'amour divin[14], l'expérience de Hadewijch va se dérouler entre sa propre quête humaine, amour de l'Amour et la transcendance d'un Amour qui se donne tout en échappant à l'emprise de l'amant. Au début de sa découverte spirituelle – selon ce qu'éprouvent tous ceux qui cherchent Dieu – elle est tout enivrée de ses dons s'offrent à elle comme autant de festins :

"Au temps de mes jeunes années,
où d'abord j'éprouvai les armes de l'amour,
il me fit admirer grand festin de promesses,
sa bonté, son savoir, sa force, sa richesse ;
...
Amour m'a ainsi trompée,
me montrant table servie
de maintes douceurs,
où jeunesse novice
trouve ses délices ..."

(*SG* XVI, trad. Porion, p. 82)

Puis vient le moment du heurt avec sa propre insuffisance. De la consolation, elle passe à la désolation : le manque (*ghebreken*) opposé à l'espoir de la fruition (*ghebruken*) engendre toutes les souffrances, les révoltes qui avaient déjà jalonné la route de Béatrice. Elle aboutit souvent à la "fureur d'amour" (*orewoet*) et à ces antithèses brutales, marques de l'impuissance et de l'insuffisances foncières de l'homme, attisées par le désir :

"Tantôt brûlant et tantôt froid,
maintenant timide et hardi tout à l'heure
nombreux sont les caprices de l'Amour [...]
Tantôt gracieux, tantôt terrible,
proche maintenant et lointain tout à l'heure [...]
Tantôt léger, tantôt pesant,
sombre maintenant et clair tout à l'heure ..."

(*SG* V, trad. Porion p. 68)[15]

Une des caractéristiques de la quête de Hadewijch, c'est le rebondissement constant que lui apporte la nouveauté de l'amour (*nuweheit*) : convergence de plusieurs thèmes, celui de l'éternelle création venue

131

du Père, du renouvellement de la vie dans le Christ, de la recréation de l'homme selon *Ephésiens* 4, 24, de la grâce saisie comme un perpétuel rajeunissement. En cela, la *nuweheit* de Hadewijch n'est pas très éloignée de la *verdeur* d'une Hildegarde. Il s'y mêle un élément plus subjectif : associée au désir, la nouveauté découvre les dimensions infinies de la vie spirituelle, à la fois douleur qui creuse et appel à pénétrer au-delà dans un mystère toujours plus profond[16].

Nouveauté, liberté sont alliées à des notions comme dignité et noblesse, qui toutes dessinent les contours de la "fine amour" des trouvères du Nord de la France ou la *hoghe minne* des Minnesänger. Parmi des définitions diverses, retenons celle-ci : "la fine amour ... en quoi je serais porté à comprendre *fine* en vertu de quelque connotation alchimique – affinée, raffinée, apurée de tout ce qui n'est pas elle, ramenée à sa quintessence."[17]

Si les troubadours et les trouvères chantent un amour inaccessible exigeant de l'amant un engagement sans réserve et orientant sa vie morale[18], ce qui correspondrait bien à la *minne* chez Hadewijch, il n'y en a pas moins une différence considérable entre elle et ces poètes.

En effet, si on en croit des interprétations récentes, c'est moins la dame aimée que le chant lui-même qui soutient l'amour du poète : le sentiment exprimé s'épuise dans le poème où il se dit totalement[19].

Chez Hadewijch, la métaphore peut s'interpréter à plusieurs niveaux (existentiel, ontologique), comme dans le poème XVI des *Mengeldichten* où l'amour est successivement appelé Lien, Lumière, Charbon, Feu, Rosée, Source vive, Enfer[20]. Le chant repose sur une expérience préalable qui dépasse le cadre du poème tout en en garantissant l'authenticité ; elle permet à Hadewijch de donner un élan, un enseignement à ceux qui veulent la suivre sur les chemins de l'"aventure" spirituelle[21]. Cette dernière mène à un au-delà du poème, dans une transcendance ressentie comme une perte, une ténèbre, un abîme, avec ce vers admirable :

"Son plus profond abîme est sa plus haute forme ...",

auquel fait écho l'image du silence comme terme de l'expérience :

"Son plus profond silence est son chant le plus haut."[22]

LES VISIONS[23]

Les visions remonteraient à la jeunesse de Hadewijch (dans l'une d'elles, elle fait allusion à sa dix-neuvième année) où elle aurait davantage été marquée par des phénomènes para-normaux. Ce qui paraît ici plus "juvénile" – disons plutôt: moins dépouillé – c'est la haute conscience qu'a Hadewijch d'elle-même et de sa vocation, sentiment qui fait place à une sobriété beaucoup plus grande dans les *Lettres*[24]. La rédaction des *Visions* a pu être plus tardive si l'on considère la profondeur et la maturité dont elle fait preuve et d'autre part, les nombreux parallèles qu'on peut établir avec les *Lettres*.

Sur les quatorze textes que comprend le recueil, seuls onze sont en réalité des visions où l'élément visuel-visionnaire est relativement mince et peu original: l'agneau, l'aigle, la nouvelle Jérusalem qui sont empruntés à la symbolique de l'Apocalypse. La vision I propose le thème allégorique du verger avec ses arbres, dont l'arbre renversé, symbole très élaboré de la connaissance de Dieu.

Hadewijch est souvent guidée par un ange (*Vis.* I, IV, V, VI) ou par le "champion" déjà nommé.

Comme chez Béatrice, les visions sont toutes rattachées à un événement liturgique: Pâques, Pentecôte, les fêtes mariales.

Hadewijch décrit trois états: tout d'abord le bouleversement de son affectivité avant l'extase; elle subit l'effet d'une force qui l'attire à l'intérieur d'elle-même, avant d'être arrachée à elle: "Pendant l'épître, mes sens ont été attirés vers l'intérieur: un esprit terrible comme une forte tempête me fit rentrer de l'extérieur en moi-même. De l'intérieur, je fus enlevée en esprit" (*Vis.* IV). Ou bien: "Je m'approchai de Dieu (dans l'Eucharistie). Il m'enveloppa de l'intérieur, dans mes puissances, et m'éleva en esprit" (*Vis.* III).

Au stade de l'introversion succède la vision et son message qui en est d'ailleurs la partie essentielle, puis la visionnaire est enlevée "hors de son esprit" (c'est-à-dire en extase), "loin de moi-même et de tout ce que j'avais vu de Lui, au-delà de tout concept, de tout savoir, de toute intelligence sinon (dans la conscience) d'être unie à Lui et de jouir de Lui" (*Vis.* VI). Puis elle revient à elle, à nouveau livrée à la vie quotidienne.

Les *Visions* se regroupent autour de trois thèmes:

Comme Béatrice, Hadewijch est invitée à prendre conscience de l'action de Dieu sur le monde. Toujours avec la référence implicite à *Ephésiens* 3, 18, la mystique entre dans les dimensions de l'amour divin. La Face de Dieu est entourée de trois paires d'ailes : "Les ailes supérieures volent vers le haut où Dieu goûte la plus haute puissance de l'amour, celles du milieu volent en largeur, dans les actions parfaites de l'amour ; les deux inférieures volent dans la profondeur sans fond, là où il engloutit tous les êtres" (*Vis.* XIII). L'amour divin est ici décrit comme le principe des œuvres *ad extra*, de la perfection des vertus, tandis que la dimension de la profondeur englobe l'union essentielle.

Dans les profondeurs de l'abîme, elle voit tous les êtres dans leur vérité : "Je vis un Enfant naître dans les âmes qui aiment en secret, les âmes cachées à leurs propres yeux dans le profond abîme dont je parle et auxquelles rien ne manque, sinon qu'elles doivent se perdre en Toi" (*Vis.* XI). C'est ici le thème de la "naissance de Dieu dans les âmes" qui est pour elle le plus souvent associé à la maternité de Marie et à sa propre maternité spirituelle. L'union nuptiale ("ton âme bienheureuse, lui dit Dieu, est la fiancée dans la Ville") est fécondité. Elle est "épouse et mère" (*Vis.* X).

Les différents stades de l'union sont décrits dans la septième Vision : le Christ se donne à Hadewijch sous les espèces sacramentelles, puis il vient à elle en tant que Personne, avec son cœur et son humanité, elle le sent dans tous ses membres. Puis cette forme belle s'évanouit et elle ne peut la percevoir en dehors d'elle-même : pour l'avoir complètement intériorisé, elle est assimilée au Christ : "C'est comme si nous étions un sans différence".

Même si le fond de l'Essence divine lui apparaît comme un abîme bouillonnant, Dieu reste néanmoins pour elle Etre et Amour. Elle ramasse les définitions d'*Exode* 3, 14 et de *I Jean* 4, 8 en une formule saisissante : "Dans la fruition tu expérimenteras qui Je suis, moi l'Amour" (*Vis.* III). L'extase n'est qu'un moment passager, alors que dans la vie quotidienne, elle sera marquée par l'humano-divinité du Christ. Dans la souffrance, dans les labeurs, elle ressentira la présence la plus intime du Christ qui a refusé les consolations. Etre humain, elle doit vivre en être humain et, dans la perfection des vertus "on devient Dieu et on le reste éternellement" (*Vis.* I).

C'est au cœur même de la vie sur terre, dans l'exil et la misère (les deux sens du mot *ellende*) que l'on peut posséder l'amour dans la fruition, ce qu'exprime la belle métaphore sur laquelle se clôt la première Vision. Après avoir dépeint l'arbre inversé avec tous ses rameaux, Hadewijch en vient à la quintessence du message. Le Christ lui dit : "Si tu veux faire (ce que je t'ai dit), emporte des feuilles de cet arbre, connaissance de ma volonté. Si tu te sens désolée, cueille une rose sur la couronne de l'arbre et détaches-en un pétale : c'est l'amour. Et si tu ne peux plus tenir, prends le cœur de la rose : ma présence te deviendra sensible. Sans cesse, tu connaîtras ma volonté, tu sentiras mon amour et, dans la détresse, tu jouiras de la fruition".

LES "LETTRES" ET LA DOCTRINE SPIRITUELLE DE HADEWIJCH

Les trente et une *Lettres*[25] de Hadewijch sont tantôt des missives personnelles adressées à ses dirigées qu'elle appelle affectueusement : "chère enfant, douce enfant" ou de petits traités de vie spirituelle comme la Lettre XV sur les neuf Règles du pélerinage ou la Lettre XX sur les "XII heures innommées". C'est dans les Lettres que Hadewijch peut le mieux déployer toutes les ressources de sa langue et la richesse de sa théologie spirituelle.

D'où vient l'âme et où va-t-elle ? Toute la vie se déroule entre ces deux questions. Selon la doctrine exemplariste que Hadewijch partage avec Béatrice, l'âme est en Dieu de toute éternité, en quoi consiste toute sa noblesse et sa liberté, son bien propre. Pour l'homme il s'agit de retrouver cet être foncier qu'il a en Dieu et dont il sent – même obscurément – la présence au fond de son âme : "Si vous voulez avoir enfin tout ce qui est à vous, donnez-vous à Dieu et devenez ce qu'il est" (*Br*. II, l. 163-165). Il faut se laisser "recréer" par Dieu (*Br*. XI, l. 15). "Si vous voulez rejoindre votre être dans lequel Dieu vous a créée, il vous faut en toute noblesse ne refuser aucune peine ; en toute hardiesse et fierté, vous ne devez rien négliger, que vous n'emportiez vaillamment la meilleure part, je veux dire votre bien propre, qui est le Tout de Dieu (*Br*. VI, l. 191-196 ; *L*. VI, p. 89).

L'âme est appelée par un commandement intérieur (*manen*) à retrouver cette dignité première selon le modèle du Christ : "C'est ainsi qu'il nous a élevés et attirés par sa vertu divine et ses droits

135

humains à la dignité première, nous rendant la liberté dans laquelle nous avions été créés d'abord et aimés de Dieu, confirmant son appel et consommant notre élection selon qu'il avait pourvu de toute éternité" (*Br.* VI, l. 338-343; *L.* VI, p. 94). (Cf. *Gal* 5, 13; *Ep* 1, 4-5).

La réponse de l'homme à ce qui est authentiquement pré-destination, vocation éternelle (selon *Ep* 1, 5), se manifeste en lui par des "désirs indicibles" qui lancent l'âme dans l'espace incommensurable de la vie divine. C'est assurément dans les *Poèmes* que Hadewijch a le mieux évoqué les affres de ce désir qui se heurte à la finitude humaine[26], alors que ce à quoi elle aspire n'est rien moins, comme nous l'avons vu, que la Totalité de Dieu, la plénitude de l'Amour qui exige en retour la totalité de la personne.

Si l'expérience spirituelle est tout d'abord marquée par une sorte d'illumination, l'amour a besoin de temps pour atteindre à sa perfection. Le mot de croissance (*wassen*, *volwassen*) revient à mainte reprise sous la plume de Hadewijch. Il y a chez elle toute une *pédagogie du temps* sans laquelle il n'y aurait pas d'enseignement possible à "l'école de l'amour". Cette croissance est continue et s'arrêter en chemin reviendrait, dit-elle dans une métaphore bien féminine, à "arrêter le travail d'une femme en couches" (*L.* XXI). N'a-t-elle pas dans une poème comparé la vie spirituelle aux neuf mois de la gestation d'un enfant, dans le cas précis, celle de Jésus par Marie? (*MD* XIV).

Ce chemin passe par la souffrance: "Si on ne souffre pas, on ne grandit pas" (*L.* II). "Toute misère, tout exil que l'on supporte avec bonne volonté et pour son amour est agréable à Dieu et nous rapproche de la totalité de sa nature" (*Br.* II, l. 27; *L.* II, p. 67)[27].

Souffrance intérieure, souffrance extérieure provoquée par l'incompréhension des "étrangers" ne doivent pas entraver la pratique des vertus. Sans cesse Hadewijch revient sur la nécessité de s'adonner aux œuvres de miséricorde envers le prochain, de vivre en harmonie avec sa communauté[28]. Mais comme tout acte vertueux n'est pas forcément l'expression d'un pur amour, Hadewijch édicte quelques règles du discernement des esprits où elle débusque avec lucidité les faux-semblants de la vertu. En cela, elle mérite bien d'être appelée "maîtresse" en raison de son sens psychologique. Le zèle à s'occuper des autres peut être intempestif et troubler tout le monde (*L.* V). Dans les relations humaines, il ne faut pas attendre des autres ce qu'ils ne peuvent donner: la fidélité, par exemple (*L.* VI). En tout, il faut éviter les craintes, les colères, les préférences. La connaissance de soi ne doit pas engendrer la fausse honte, mais l'aveu sincère et l'acceptation de ses faiblesses (*L.* XXIV), ce qu'elle fait d'ailleurs pour elle-même (*L.* XV). Enfin la recherche des douceurs spirituelles, des grâces sensibles éloigne également du but (*L.* X). Que la prière pour les autres, en particulier les pécheurs, soit détachée! Son efficacité sera fonction de l'amour qu'on a pour Dieu (*L.* VI).

Dans cette recherche du détachement, la Raison joue un rôle capital, à plusieurs niveaux de la conscience. Elle doit tout d'abord maintenir notre discernement toujours en éveil et conférer la science des vertus[29]. Puis elle intervient à un stade où l'âme est dans la déréliction pour réveiller son ardeur. Car, pour Hadewijch, la raison est liée aux métaphores de la lumière[30] c'est la *raison illuminée* par l'amour qui "éclaire toutes les voies où nous suivons la chère volonté de l'amour" (*L.* XII). La vie contemplative lui doit de percevoir en quelque manière obscure combien Dieu est admirable qu'"il est à tout être et tout en chacun" (*I Cor* 15, 28), et d'entrevoir son mystère à la fois fascinant et terrifiant (*L.* XXII). Dans la lettre XVIII, elle reprend textuellement un texte de Guillaume de Saint-Thierry tiré du traité *De la nature et de la dignité de l'amour*[31] sur les " deux yeux de l'amour" qu'elle intègre parfaitement à sa propre pensée. Amour et raison vont de pair: la seconde enseigne le premier qui, à son tour l'illumine. Mais la raison ne peut toucher Dieu qu'en ce qu'il n'est pas (c'est-à-dire qu'elle voit au travers d'images, de raisonnements, de symboles qui ne rendent qu'imparfaitement compte de son Etre). L'amour touche l'Etre de Dieu dans la mesure où il s'abandonne à lui en s'enfonçant dans l'abîme caché à tout être et où s'accomplit la fruition. En ajoutant ce mot d'"abîme", Hadewijch prolonge la réflexion de Guillaume sur le mystère dans un sens qui sera développé par la mystique rhéno-flamande ultérieure.

La suite de la lettre, bien qu'elle se rapporte plus spécifiquement à l'amour, fait place à une connaissance sapientielle où la vision tient le rôle principal. Faut-il y voir une suite de sa méditation sur les deux yeux de l'amour? En effet, elle conseille de fixer ses regards sur l'Aimé, d'y lire sur sa Face ses jugements, ce qui suppose une activité autant intellectuelle qu'affective.

Cette vision de la Face divine, mystère à la fois comblant et terrifiant, qui révèle et cache tout ensemble, conduit à pénétrer dans les profondeurs de Dieu, là où toute raison doit être abandonnée, car en définitive, elle reste impuissante (*L.* XII; *L.* XX). "Dans la huitième heure innommée, la nature de l'Amour se fait connaître en son visage comme la suprême merveille. Mais alors qu'en d'autres êtres le visage est ce qui se révèle le mieux, il est dans l'Amour au plus haut point secret, car il n'est autre chose que l'Amour en lui-même" (*Br.* XX, l. 81-87; *L.* XX, p. 161 sv.)[32].

Il semble qu'au fur et à mesure que l'on s'avance dans la lecture des *Lettres*, Hadewijch s'enfonce toujours plus dans le mystère. Avant de "devenir Dieu avec Dieu", elle doit encore faire l'expérience du désespoir (*wanhope*), d'une infidélité (*ontrouwe*) paradoxale lancée comme une sorte de défi: "Cette défiance est au-dessus d'une foi trop facile, d'une confiance qui se résigne avant d'avoir atteint la pure connaissance et que l'instant satisfait ... Le haut défi est tel qu'il entretient constamment la crainte, soit celle de n'aimer pas assez, soit celle de n'être pas aimé" (*Br.* VIII, l. 33 svv.; *L.* VIII, p. 99 sv.).

"ETRE DIEU AVEC DIEU"[33]

Cette expression revient fréquemment chez Hadewijch. Elle peut même avoir été l'objet d'une illusion dans le milieu béguinal. Témoin cette mise en garde un peu ironique: "Tous, nous voulons bien être Dieu avec Dieu (ici le Christ), mais, Dieu le sait, peu d'entre nous veulent être hommes avec son Humanité ... nous savons si peu souffrir et supporter à tous égards" (*Br.* VI, 230 svv.; *L.* VI, p. 90-91).

Par-delà une spiritualité qui se contenterait de peu, et pour que l'âme rejoigne son être en Dieu, comme nous l'avons déjà vu, Hadewijch enjoint d'aimer Dieu de l'amour dont il s'aime, afin de devenir avec l'Amour un seul être, "un seul esprit" (*1 Cor* 6, 17). C'est bien comme Guillaume de Saint-Thierry que Hadewijch conçoit cette union, adhésion totale à la volonté de Dieu: "Quand l'âme n'a plus rien que Dieu, qu'elle n'a plus de vouloir que Sa seule volonté et qu'elle est anéantie et veut tout ce que Dieu veut avec Sa volonté, quand elle est engloutie et réduite à rien – alors Il (ici le Christ) est élevé de terre et attire tout à lui: l'âme devient avec lui tout cela même qu'Il est"(*Br.* XIX, l. 52-61; *L.* XIX, p. 155 sv.)[34].

L'union ne fait pas disparaître la personne, mais par l'action divine, la dissemblance devient égalité dans l'unité (*Br.* XXII, l. 73). C'est de Dieu même qu'on reçoit son être, absorbé mais non détruit par la lumière divine, ce qu'explique Hadewijch par une belle image: il en va de l'âme comme de la lune qui, recevant toute sa lumière du soleil, disparaît au ciel quand celui-ci se lève (*Br.* XIX, l. 64-74. Cf. *2 Cor* 3, 18).

L'union est préparée par le dépouillement. Si Hadewijch emploie rarement les mots *nu* (*bloet*) ou *intact* (*ongherijnleect*) qui chez Hadewijch II seront la marque d'un refus des formes et des images, elle utilise beaucoup plus souvent le mot *gheheel*: entier, intégral, qui consiste plutôt en une réintégration des puissances, "l'esprit chercheur, le cœur assoiffé, l'âme aimante" dans l'abîme de l'amour (*L.* XX) par une élimination de tout ce qui n'est pas l'amour. Malgré cette phase ascétique négative, la mystique de Hadewijch nous paraît être davantage une mystique de la plénitude que du vide: "J'ai intégré tout ce qui était divisé en moi-même" (*Br.* XXVIII, l. 252). Elle consiste en un élargissement de l'âme aux dimensions de Dieu[35]. Dans la lettre XXII elle reprend un hymne attribué à Hildebert de Lavardin[36] qui chante les paradoxes de la nature divine: "Il est au-dessus de toute chose sans être élevé; au-dessous d'elles sans être abaissé; en elles sans être circonscrit; hors d'elles et cependant inclus". Les âmes fières sont invitées à entrer dans ce lieu à la fois transcendant et immanent.

A l'invitation de Dieu correspond une véritable sommation de la part de la mystique. C'est au sein d'une théologie trinitaire qu'elle commente la demande du Pater: Que son règne vienne (en nous). Au Père nous demandons de participer à sa "vertu et à sa riche Essence"; d'aimer le Fils avec le Père et d'être ce même Fils avec l'Esprit (*Br.* XXII, 47 svv.).

Reprenant le ternaire augustinien de la mémoire, l'intelligence et la volonté, Hadewijch l'applique de manière dynamique aux relations entre le Dieu Un et Trine et l'âme humaine: nous devons aimer chaque Personne avec la faculté qui correspond aux autres Personnes: le Fils avec la mémoire (attribuée au Père), le Père avec la Raison illuminée (qui est le Fils), l'Esprit-Saint avec la "haute volonté enflammée", c'est-à-dire avec l'amour qui lie le Père et le Fils.

Cette participation de l'âme à la vie intra-trinitaire entraîne une attitude de vie qui traduit cette expérience fondamentale. Par leurs paradoxes apparents les lettres XVII et XVIII exposent à la fois les conséquences de l'union à la Trinité et l'exigence d'un dépassement dans l'Unité. Avec le Père à l'œuvre toute-puissante, le Fils miséricordieux, l'Esprit-Saint source des vertus, on doit rester au service de l'amour dans toutes les circonstances de la vie. Mais d'autre part, de même que les Personnes refluent dans le Père considéré comme Origine et Essence des Personnes dans l'Unité[37], l'âme doit s'abstenir de toute action autre que le repos – la fruition – dans l'amour. A la fin de la lettre XVII, Hadewijch, rappelant une vision personnelle, paraît dissocier repos et activité. Pourtant, si l'on en croit les distiques du début, il semble que ces deux phases doivent être simultanées : agir, mais dans le détachement ; se reposer en Dieu sans cesser d'être actif à l'image d'un Dieu "multiple dans sa simplicité et simple dans sa multiplicité" (*Br.* XXVIII, 182).

C'est en ce sens que l'on peut parler d'un dépassement des vertus. Comme Marguerite Porete après elle, Hadewijch parle de "quitter les vertus", mais c'est parce que l'Amour habite en toutes ces vertus et activités, les alimente, ne recevant lui-même d'autre aliment que sa propre plénitude. Dans la première Vision, on passe de la multiplicité des vertus à la vertu unique et totale : "La troisième branche est l'être constant (unifié) où on est totalement uni à l'amour, au-delà de la multiplicité des vertus dans la vertu unique et totale qui engloutit les deux amants en un et les jette dans un abîme où ils chercheront et trouveront l'éternelle fruition" (*Vis.* I, 170-175).

L'union aux Personnes trinitaires dans la vie active et contemplative aboutit à la fruition dans l'Unité. Tout en développant la même spiritualité que les précédentes, les lettres XXVIII, XXIX, XXX sont davantage marquées au sceau de l'abstraction. Dans la lettre XXVIII[38], après avoir énoncé et annoncé les noms divins : Présence dans le Fils ; Epanchement dans le Saint-Esprit, Totalité dans le Père, énuméré les attributs en rapport avec chaque Personne (puissance, sagesse, bonté etc.), Hadewijch décrit l'expérience ultime de son union à Dieu. Au-delà de ce qu'ont pu ressentir les sens spirituels : vue, ouïe, goût, elle est comblée au-delà même de toute perception intellectuelle ou affective. Dans l'excès (*verweentheit*), elle est conduite au *repos* et au *silence* "selon la noblesse de mon dépassement dans l'Unité". Lors donc qu'on est recueilli hors de la multiplicité des dons, on devient "tout cela que Cela est et c'est alors que l'Unité a ce qu'elle exigeait" (*Br.* XXX). L'Un, L'Etre et l'Amour sont ici conjoints dans l'unification de l'âme. En ce lieu secret, celle-ci trouve sa vraie liberté[39], ayant dominé, par-delà ses propres contradictions, l'univers entier, comme un roi son royaume.

Le langage traduit admirablement l'expérience spirituelle. Lié à l'aveu d'une impuissance à exprimer la surabondance divine et traversé par un grand élan lyrique, l'emploi d'un vocabulaire abstrait nous semble jouer ici le rôle d'un langage hyperbolique intermédiaire entre l'énoncé affirmatif et la phase de l'union qui ne peut s'exprimer que par des négations : "sans Dieu par excès de Dieu, instable par excès de constance, ignorant par excès de savoir" (*Br.* XXVIII, l. 227-230). La parole ne fait alors que souligner l'abîme entre l'expérience comblante et son expression. C'est pourquoi elle doit être tue – et dite seulement à ceux qui sont susceptibles de la recevoir.

Tout en ayant vécu les états les plus hauts de l'union à Dieu, Hadewijch admet qu'elle ne la possède pas de manière définitive. Comme pour Mechtilde, son bien le plus précieux reste alors la "perte bienheureuse dans la fruition d'amour et la souffrance d'en être privée" (*Br.* XXIX, l. 80-82). Tant qu'elle n'aura pas, dans son être propre, la fruition d'amour qu'elle possède par son être éternel, elle restera "créature humaine qui doit souffrir en aimant avec le Christ jusqu'à la mort" (*Br.* XXIX, l. 89-90).

Cet état partagé entre l'éternité et le temps qu'a si bien évoqué Béatrice dans la *VIIème manière*, Hadewijch lui donne le nom d'*Enfer* dans le Poème XVI :

"Se voir dévoré, englouti
dans son essence abyssale,
sombrer sans cesse dans l'ardeur et le froid
dans la profonde et haute ténèbre de l'amour :
ceci passe les tourments de géhenne."

(*MD* XVI, v. 160-164 ; trad. Porion, p. 127)

G. E.-B.

NOTES

1. JAN VAN LEEUWEN, *VII tekene der sonne* (Les sept signes du zodiaque) cité par J. VAN MIERLO, *De Visioenen van HADEWIJCH*, II, Louvain, 1925, p. 137: "Ainsi parle aussi une femme sainte et glorieuse du nom de Hadewijch, vraie "maîtresse" (de spiritualité). Car les livres de Hadewijch sont certainement bons et justes, nés de Dieu et révélés par lui ... Mais les enseignements de Hadewijch ne sont pas également profitables car nombreux sont ceux qui ne peuvent les comprendre: ceux dont les yeux intérieurs sont trop obscurcis, pas encore ouverts par l'amour qui adhère à Dieu dans la nudité et le silence de la fruition."

2. Dans la *Revue Encyclopédique* de Paris, en juillet 1897, Maeterlinck écrivit un article sur la mystique flamande, dix ans après avoir publié la traduction de l'*Ornement des Noces spirituelles* de Ruusbroec.

   "Cette femme, écrit-il, est parmi les esprits mystiques de cette époque l'un des plus curieux et des plus puissants". Cité par R. POUILLART, "Maurice Maeterlinck et la mystique flamande. Notes complémentaires", *Dr L. REYPENS-Album* (Studiën en Tekstuitgaven van Ons Geestelijk Erf XVI) Anvers, 1964, p. 281-302.

3. On possède trois manuscrits en moyen-néerlandais du quatorzième siècle: Bruxelles, Bibl. roy. cod. 2879-80; cod. 2877-78; Gand, Bibl. univ. cod. 941 (le plus ancien). Ces trois manuscrits contiennent les quatre œuvres de Hadewijch. Un manuscrit du début du seizième siècle (Ruusbroec-Genootschap, Anvers, cod. 385) contient presque tous les poèmes, mais pas les lettres. Editions critiques: J. VAN MIERLO (éd.), *Visioenen* I (texte); II (Introduction), Leuven, ²1924-/25 (cité *Visioenen*); *Strofische Gedichten* I (texte); II (Introduction), Leuven, ²1942 (cité *SG*); *Brieven* I (texte); II (Introduction) ²1947 (cité *Br.*); *Mengeldichten*, Leuven, 1952 (cité *MD*).

4. Bibliographie complète: F. WILLAERT, in G. JARON LEWIS, *Bibliographie zur deutschen mittelalterlichen Frauenmystik* (Bibl. zur deutschen Literatur des Mittelalters 9), Berlin 1984.

5. *La Liste des parfaits* fait suite à la XIVème Vision. Elle contient le nom de 85 personnes mortes ou encore en vie "vêtues comme l'amour" et dont Hadewijch aurait vu le Séraphin, parmi lesquelles "une béguine que Maître Robert tua à cause de son juste amour, la 29ème" (*Visioenen*, p. 189). Sur cette femme, cf. H. GRUNDMANN, *Religiöse Bewegungen im Mittelalter* ... (Historische Studien 267), Berlin 1935, p. 185. Hadewijch cite encore: "Hildegarde qui vit toutes ses visions, la 28ème" (p. 189). "Une recluse qui s'appelait Marie, la 22ème, elle était d'abord nonne ... et Madame de Nazareth la connaissait bien" (p. 188). Il s'agit peut-être de Béatrice de Nazareth.

   La *Liste des parfaits* est intéressante moins par les indications historiques qu'on en pourrait tirer que parce qu'elle trace un réseau d'"amis de Dieu" au treizième siècle, réseau qui s'étend non seulement dans les Pays-Bas, mais encore à Cologne, en Thuringe, en Bohême, à Paris, en Angleterre, à Jérusalem.

   Sur la difficulté de préciser les dates de Hadewijch, cf. J. REYNAERT, "Over Hadewijch naar aanleiding van 3 recente publikaties", *Ons Geestelijk Erf*, 54, 1980, p. 280-292.

6. Dans la *Lettre* I, elle s'exprime avec autorité : "Je vous exhorte, je vous commande, je vous ordonne" (19-21). Cf. *L.* XV, l. 52 svv. ; *L.* XXIX, l. 8 svv.

Sur la séparation de ses amies : "Les autres volontiers vous attireraient à eux pour nous séparer : c'est notre fidélité qu'ils ne peuvent souffrir" (*L.* XXIII, l. 23-25). Cf. *L.* XXV, XXIX. Il semblerait parfois que ces épreuves ne soient pas le fait d'une quelconque autorité, mais d'un groupe "concurrent" : "Surtout, je vous le commande, gardez vous des singularités auxquelles on s'adonne là-bas de tant de façons" (*L.* XXIII, l. 12-16). Ceci dit à titre d'hypothèse.

7. Sur le service du prochain, des malades : *L.* II, *L.* XVI, *L.* XXIV. Sur sa propre ascèse : "J'ai pris très peu de part aux mœurs des hommes, dans le manger, le boire ou le sommeil, je ne me suis pourvue ni d'habits, ni de couleurs, ni de parures." (*Br.* XXIX, l. 28-33). Notons que si Hadewijch parle beaucoup de la souffrance d'être séparée de l'Amour, le "corps souffrant" n'est presque jamais mentionné. Hadewijch semble se distinguer de Béatrice et des béguines contemporaines par la modération de son ascèse qui chez elle est tout intériorisée.

8. Traductions : Cf. Bibliographie.

Sauf avis contraire nous utilisons les traductions françaises de J.B. PORION, qui sont accompagnées d'une introduction et de notes de première importance. J.B. P.(orion), *Hadewijch d'Anvers, Poèmes des béguines*, traduits du moyen-néerlandais, Paris, 1954 (reprint 1985).

9. P. ZUMTHOR, *Essai de poétique médiévale*, Paris, 1972. R. DRAGONETTI, *La technique poétique des trouvères dans la chanson courtoise. Contribution à l'étude de la rhétorique médiévale*, Bruges, 1960.

10. "Si froid que soit encore l'hiver, / les jours brefs et les nuits longues, / le fier été vient à grands pas / Qui de tristesse nous libère : / voici la saison nouvelle / les noisetiers font des chatons : / il n'est signe plus fidèle ..." (*SG* I, trad. Porion, p. 59).

11. Sur l'art poétique de Hadewijch et ses rapports avec la poésie courtoise contemporaine : N. DE PAEPE, *Hadewijch. Strofische Gedichten. Een studie van de minne in het kader der 12e en 13e-eeuwse mystiek en profane minnelyriek*, Gand, 1967 ; F. WILLAERT, *De poëtica van Hadewijch in de 'Strofische Gedichten'*, Utrecht, 1984.

12. "Mon écu est si plein de coups / qu'il n'est plus de lieu pour nouvelle entaille." (*SG* III, str. 3 ; trad. Porion, p. 65).

13. "Les étrangers cruels / m'affligent sans mesure / en ce pesant exil par leurs maximes décevantes ; ils n'ont de moi nulle pitié / et m'ont fait peur mainte fois : / ils me condamnent en leur aveuglement, et jamais ne pourront / comprendre l'amour / dont le désir me tient captive". (*SG* XXIV, str. 8 ; trad. Porion, p. 99).

14. Cf. *SG* XXIX. Nous ne pensons pas qu'il faille opposer l'amour de Dieu et l'amour de Hadewijch pour Dieu, objectivé. Ne s'agit-il pas d'un amour réciproque tel que le vit Hadewijch dans sa situation existentielle, le "cercle de l'amour" comme le dit saint Bernard ? Cf. Guillaume de Saint-Thierry :

"... Vous son hôte, ô Dieu, qui vous-même êtes en elle son amour, faites en elle qu'elle vous aime par vous, ô vous son amour et que vous-même en elle, vous vous aimiez par elle et que par elle et en elle vous fassiez tout" (*Exposé sur le Cantique*, éd. J. DECHANET, Sources Chrétiennes 82, § 131, p. 278-279).

Ce qui correspond très exactement à la dernière strophe de *MD* XV :
"Ah, bel Amour, si j'étais amour
et vous aimais, Amour, avec l'amour même!
Ah! bel Amour, donnez-moi par amour
que l'amour connaisse pleinement l'amour!"
(Trad. Porion, p. 121).

15. Cf. également *MD* XVI, str. 3 (*Braise*); str. 4 (*Feu*) (trad. Porion, p. 125).

16. Cf. *SG* I, dernière strophe; *SG* VII, *infra*, p. 149-151. *L*. XXX : Dans les relations intra-trinitaires le flux des Personnes et le reflux dans l'Unité sont un renouvellement constant : "Cette exigence éternellement nouvelle, éternellement une dans l'avoir et dans l'être" (l. 54-56).

Cette insistance sur la nouveauté à valu à Hadewijch d'être accusée d'appartenir à la secte du Nouvel-Esprit (*De novo spiritu*). B. SPAAPEN a réfuté cette accusation : "Hebben onze 13de-eeuwse mystieken iets gemeen met de broeders en zusters van de vrije geest?", *Ons Geestelijk Erf*, 40, 1966, p. 369-391; "Le mouvement des 'Frères du Libre-Esprit' et les mystiques flamandes", *Revue d'ascétique et de mystique*, t. 42, 1966, p. 423-437. Sur les sources patristiques et médiévales de la *novitas*, cf. J. REYNAERT, *Beeldspraak*, p. 392-401.

17. P. ZUMTHOR, *Poétique médiévale*, p. 206.

18. H.I. MARROU, *Les Troubadours*, Paris 1971, p. 161-163.

19. R. GUIETTE, *D'une poésie formelle en France au* Moyen-Age, Paris, 1972, p. 69 : "La fin que se propose la poésie formelle n'est pas d'exprimer quelque chose (un sujet), mais bien de révéler une forme dans son épanouissement."

20. Pour une étude de ces symboles et de leurs sources, J. REYNAERT, *Beeldspraak*, chap. I à VIII, en particulier p. 175-186.

21. F. WILLAERT, *Poëtica*, p. 388-391.

22. *MD* XIII, trad. Porion, p. 116. Ce sont justement ces vers qui ont suscité l'enthousiasme de Maeterlinck.

23. Sur l'interprétation des visions : B. SPAAPEN, "Hadewijch en het vijfde Visioen" (Hadewijch et la 5ème Vision), *Ons Geestelijk Erf*, 44, 1970, p. 7-44; 113-141; 353-404; t. 45, 1971, p. 129-178; t. 46, 1972, p. 113-199. Ces articles importants sont en fait une étude de toute la spiritualité d'Hadewijch. H. VEKEMAN, "Angelus sane nuntius", een interpretatie van het visioenenboek van Hadewijch", *Ons Geestelijk Erf*, 50, 1976, p. 225-259. P. DINZELBACHER, "Hadewijchs mystische Erfahrungen in neuer Interpretation", *Ons Geestelijk Erf*, 54, 1980, p. 267-279. F. WILLAERT, "Hadewijch und ihr Kreis in den 'Visioenen'", *Abendländische Mystik im Mittelalter*, éd. K. RUH, Stuttgart, 1986, p. 368-387. Ces articles importants insiste sur le caractère didactique et exemplaire des visions, enseignement pour les dirigées de Hadewijch.

24. F. WILLAERT, *Hadewijch und ihr Kreis*, souligne que l'exaltation de Hadewijch est étroitement en rapport avec sa mission apostolique.

25. Traductions, cf. *Bibliographie*. Nous citons d'après la traduction de J.B. P(ORION) *Hadewijch, Lettres spirituelles*, Genève, 1972 (cité *L*).

26. Voir plus haut, p. 131 et chapitre V, n. 26. Hadewijch ajoute à ce thème celui de la dette (*scout*) insolvable envers Dieu, (sans doute en référence à *Rom* 8, 12) (*Br.* IV, l. 55). "L'espérance les fait compter sur des choses qu'ils n'atteindront jamais,

car ils sont trop paresseux et ne payent pas leur dette envers Dieu ni envers l'amour à qui nous devons notre peine jusqu'à la mort." (*L.* IV, p. 76). Dette envers l'Unité divine dont le Fils s'est acquitté (*Br.* VI, l. 109-114; *Br.* XXX, l. 64 sv.).

27. A.M. HAAS, "Trage Leiden geduldiglich", "Die Einstellung der deutschen Mystik zum Leiden", *Lerne leiden, Leidensbewältigung in der Mystik*, Karlsruhe 1985, p. 35-55.

28. La communauté aide à "aimer l'Amour": "Comme vous êtes l'une de celles à présent qui peuvent favoriser ou retarder ce progrès vers le bien commun, je vous avertis d'être attentive et de vous dévouer en toute chose au règne du juste amour." (*Br.* XII, l. 145-150; *L.* XII, p. 118). Nous donnons à l'expression *int ghemeyne vorderen* le sens qu'il a chez Béatrice (Cf. plus haut, chap. V, n. 32) et celui qu'il aura chez Ruusbroec.

29. Cf. *MD* XVI, v. 181-182:
"La Lumière nous apprend les mœurs de l'amour,
nous révèle sa volonté sous toutes ses formes."

30. J. REYNAERT, *Beeldspraak*, p. 82-88.

31. Guillaume de Saint-Thierry, *De natura et dignitate amoris*, éd. M.M. DAVY, § 25-26, p. 100-102. J. VAN MIERLO, "Hadewijch en Willem van St-Thierry", *Ons Geestelijk Erf*, 3, 1929, p. 45-59; P. VERDEYEN, "De invloed van Willem van St-Thierry op Hadewijch en Ruusbroec", *Ons Geestelijk Erf*, 51, 1977, p. 3-19.

32. J. REYNAERT, *Beeldspraak*, 191-198, sur toutes les significations du mot *anschijn* et leurs sources.

33. Sur la fortune de cette expression dans la mystique rhénane, E. ZUM BRUNN, A. DE LIBERA, *Maître Eckhart*. Métaphysique du Verbe et Théologie négative (Bibliothèque des Archives de philosophie 42), p. 31-70.

34. Guillaume de Saint-Thierry, *Lettre aux Frères du Mont-Dieu*, éd. J. DECHANET (Sources chrétiennes 223), § 258, p. 348-350: "Vouloir ce que Dieu veut, c'est déjà ressembler à Dieu; être incapable de vouloir autre chose que ce que Dieu veut, c'est déjà être ce qu'il est: pour lui en effet être et vouloir sont une même chose."

35. Cf. *supra*, chap. V, p. 109. Chez Hadewijch, entre autres, *MD* XVI, v. 90-91; "Qui jamais de ce feu reçut la touche intime / rien ne lui est trop large ni trop étroit."

36. Il s'agit de l'hymne "Alpha et O, magne Deus", PL 171, 1411, dont l'attribution à Abélard a été réfutée. Pour cette source et d'autres, cf. F. WILLAERT, "Hadewijch en Maria-Magdalena", *Miscellanea Neerlandica*, Opstellen voor Dr. Jan Deschamps, t. II, Leuven, 1987, 57-69.

37. La définition du Père comme Origine remonte aux conciles de Tolède (638 et 675). Elle a été reprise par Guillaume de Saint-Thierry: P. VERDEYEN, *La théologie mystique de Guillaume de Saint-Thierry*, *Ons Geestelijk Erf*, 52, 1978, p. 160-161.

38. L'authenticité de cette lettre a été contestée. F. WILLAERT, "Is Hadewijch de auteur van de XXVIIIᵉ brief?", *Ons Geestelijk Erf*, 54, 1980, p. 26-36, conclut en faveur de l'authenticité. Pour l'interprétation, cf. H.W.J. VEKEMAN, "Hadewijch, een interpretatie van de Br. I, II, XXVIII, XXIX als dokumenten over de strijd

rond de wezensmystiek", *Tijdschrift voor Ndl. Taal- en Letterkunde*, 90, 1974, p. 336-366.

39. "L'âme est pour Dieu une voie libre où s'élancer depuis Ses ultimes profondeurs ; et Dieu pour l'âme en retour est la voie de la liberté, vers ce fond (*grond*) de l'Etre divin que rien ne peut toucher sinon le fond (*diepheit*) de l'âme." (*L.* XVIII, p. 147).

CHAPITRE 8

Extraits des œuvres de Hadewijch I et des Poèmes de Hadewijch II

Vème Poème strophique[1]

> Pour tristes que soient la saison et les oiselets[2]
> le cœur noble ne doit pas l'être,
> lui qui veut prendre peine pour l'Amour.
> > Il doit tout savoir et connaître :
> > – douceur et cruauté,
> >   joie et douleur, –
> > tout ce qui sied au service d'Amour.

> Les fières âmes qui ont grandi
> au point d'aimer dans l'insatisfaction[3]
> doivent être en tout
> > fortes et hardies,
> > toujours prêtes à accepter
> > consolation ou affliction
> > qu'Amour leur réserve.

> Les voies de l'Amour sont inouïes,
> comme le sait qui les a suivies,
> car Amour, soudain, retire sa consolation.
> > Il ne peut rester ferme
> > celui que touche[4] l'Amour

et il goûte
mainte heure innommée [5].

Tantôt chaud, tantôt froid,
tantôt timide, tantôt hardi;
nombreux sont les caprices de l'Amour.
    Il nous rappelle
    notre grande dette [6]
    envers son haut pouvoir
    par lequel il nous attire.

Tantôt joyeux, tantôt douloureux,
tantôt lointain, tantôt proche [7];
celui qui le saisit dans la fidélité d'amour
    est dans la jubilation:
    Comme Amour, d'un seul coup,
    frappe et embrasse!

Tantôt humilié, tantôt exalté,
tantôt caché, tantôt révélé;
pour être comblé par l'Amour
il faut risquer grande aventure [8]
    avant d'atteindre
    ce lieu où l'on goûte
    de l'Amour la nature.

Tantôt léger, tantôt pesant,
tantôt sombre et tantôt clair;
dans la consolation qui libère, dans l'angoisse qui étreint,
    prenant et donnant,
    telle est la vie des esprits
    qui, ici-bas, errent
    sur les chemins de l'Amour.

VIIème Poème strophique[9]

1.

> Au Nouvel-An
> on espère saison nouvelle,
> nouvelle floraison
> et mainte joie nouvelle.
> Qui souffre pour l'amour,
> qu'il vive joyeux,
> point ne lui échappera!
> Dans sa richesse et puissance,
> toujours avenant et doux en son agir,
> Amour compense par sa douceur
> toute nouvelle peine.

2.

> Qu'il était nouveau à mes yeux,
> celui qui servait l'amour nouveau
> en loyauté renouvelée,
> comme doit le faire le novice
> dès qu'Amour se montre à lui.
> Aurait-il peu d'amis que peu lui en chaut,
> s'il adhère à l'amour.
> Car Amour offre les dons nouveaux
> `un esprit nouveau
> en sa touche nouvelle.

3.

> A toute heure Amour est neuf
> et renouvelle chaque jour[10].
> Ceux qui se renouvellent, il les fait renaître[11]
> à un bien toujours nouveau.
> Hélas, peut-on demeurer dans l'état de vieillard[12]
> en renonçant à l'amour
> dans la peine et sans profit?
> Car il s'est écarté du chemin nouveau
> et la nouveauté lui échappe

d'un amour nouveau
dans l'amour essentiel des nouveaux amants.

4.

Hélas, où est l'amour nouveau
avec ses dons renouvelés?
Car ma détresse me fait nouvelle peine,
mes sens défaillent dans l'ire d'amour;
l'abîme où il me plonge
est plus profond que la mer,
car ses gouffres toujours plus profonds
renouvellent ma blessure.
Jamais je ne guérirai
avant de retrouver sa fraîche nouveauté.

5.

Mais les sages, anciens renouvelés,
qui se redonnent à l'amour et s'y livrent totalement,
je les appelle jeunes et anciens.
Ils vivent dans l'exaltation
car ils adhèrent à l'amour
et le contemplent avec zèle.
Dans l'amour croît leur force
car ils doivent le pratiquer en novices
et, anciens, s'appuyer sur l'amour,
pour que le Bien-Aimé les conduise là où il veut
en leur esprit renouvelé avec un zèle renouvelé.

6.

Ceux qui suivent la nouvelle école d'amour [13]
avec amour nouveau,
en son conseil renouvelé,
en l'honneur d'une nouvelle fidélité,
ils semblent errer sans but;
pourtant, ils sont profondément engloutis
dans la disgrâce de l'amour,
alors qu'ils se languissent de lui.

Et puis revient clarté nouvelle,
avec toute vérité nouvelle,
apportant nouvelle révélation
à moi confiée en secret

7.

Qu'elle est douce, la bonne nouvelle,
bien qu'elle apporte nouvelles souffrances et tribulations.
C'est confiance nouvelle
car Amour doit nous le revaloir
avec un haute et nouvelle dignité.
l'Amour nous élèvera
au plus haut conseil de l'amour,
là où sera la nouveauté dans sa plénitude,
dans une haute fruition renouvelée.
"Amour nouveau est tout à moi"[14],
Ah, rare est cette faveur nouvelle!
Que nouveaux et re-nés
se méfient et se défient
de tous ceux qui redoutent ce (vrai) renouveau
et se renouvellent avec des nouveautés étrangères!

Onzième Vision[15]

Une nuit de Noël, alors que j'étais couchée, accablée, je fus
enlevée en esprit. Là je vis un abîme tourbillonnant très profond,
vaste et très sombre. Et dans ce vaste abîme, toutes choses étaient
englobées, enserrées et solidement maintenues. La ténèbre
illuminait et transperçait tout. L'abîme insondable était si profond
et si haut que personne ne pouvait y pénétrer. Je ne le décrirai pas :
ce n'est pas le moment d'en parler. Je ne puis exprimer l'indicible.
Et je n'en aurais pas le temps car j'ai vu bien d'autres choses :
toute la puissance de notre Bien-Aimé. Je vis l'agneau prendre
possession de notre Aimé. Dans la vastitude, je vis des fêtes
comme si David jouait de la harpe en frappant les cordes. Alors je
vis un enfant naître dans le secret des âmes aimantes, cachées à
elles-mêmes dans la profondeur dont je parle ; il ne leur manquait

151

rien, sinon de se perdre en elle. Je vis les formes de bien des esprits, chacune selon la vie qu'ils avaient menée. Ceux que je voyais et que je connaissais me restaient connus et ceux que je ne connaissais pas, j'en prenais connaissance, de l'intérieur pour les uns, de l'extérieur pour une grande partie; et j'en connus de l'intérieur que je n'avais jamais vus de l'extérieur.

Alors je vis arriver comme un oiseau qu'on appelle phénix [16]: il avala un aigle gris qui était jeune et un aigle avec des plumes blondes et neuves qui était vieux [17]. Les aigles volaient sans cesse dans la profondeur de l'abîme. J'entendis alors une voix, telle un coup de tonnerre, qui disait: "Sais-tu qui ils sont, ces aigles aux couleurs variées?" Et je répondis: "Je voudrais mieux les connaître!" et je demandai à savoir. Tout en désirant savoir, je voyais néanmoins en toutes choses ce qu'elles étaient (dans leur essence). Car tout ce qu'on voit dans l'esprit élevé par l'amour, on le connaît foncièrement, on le pénètre par la vue, le goût, l'ouïe ...

Quant aux aigles qui étaient avalés, l'un était saint Augustin, l'autre moi-même. L'aigle jeune aux plumes grises et vieilles, c'était moi qui arrivais, débutais et croissais dans l'amour. Les plumes blondes du vieil aigle, c'était la plénitude de saint Augustin, vieux et parfait dans l'amour de notre Aimé. L'ancienneté que j'avais était dans la nature parfaite de mon être éternel, bien que je fusse débutante dans ma nature extérieure (créée). Les jeunes plumes du vieil aigle, c'était le renouveau projeté par la neuve splendeur de mon amour, de l'amour dont je l'aimais tant, souhaitant d'être avec lui un seul amour dans la Trinité où lui-même, parfaitement, brûle d'un amour inextinguible. Et la jeunesse des plumes blondes du vieil aigle, c'était aussi l'éternel renouveau de l'amour qui sans cesse croît au ciel et sur la terre [18]. Le phénix qui dévora les aigles, c'est l'Unité où réside la Trinité sainte en laquelle nous étions tous deux perdus.

Lorsque je revins à moi, m'y trouvant pauvre et malheureuse, je réfléchissais à cette union où j'étais plongée avec saint Augustin, insatisfaite de ce que mon Bien-Aimé l'avait réalisée, bien que ce fût avec mon consentement et mon inclination. J'étais accablée par l'idée de m'être pleinement satisfaite de cette union avec lui (S. Augustin), moi qui, auparavant, avais été unie à Dieu seul, loin des saints et des hommes. Et je sus que, ni dans le ciel, ni dans l'esprit, on ne peut jouir de sa propre volonté, sinon dans la volonté de l'amour. En y réfléchissant, je demandai à mon Dieu aimé de me libérer (de cette imperfection). Car je voulais rester seule dans la fruition au sein de son très profond abîme. Et je sus aussi que, dès mon enfance, il m'avait attirée à Lui hors de toute chose et d'une manière différente (que maintenant). Je savais bien que tout ce qui était en Lui est gloire éternelle et parfaite jouissance, mais je voulais demeurer seule en Lui. Et je compris, pour l'avoir demandé et désiré si ardemment et avec de grandes souffrances que je restais libre. Car j'étais à Dieu tout en restant unie à cet homme (S. Augustin) dans l'amour. Mais la liberté que je gagnai alors me fut donnée par surcroît, comme un bien qu'il ne possédait pas plus que d'autres gens.

Je ne prétends pas être plus privilégiée que saint Augustin. Mais, ayant eu connaissance de la vérité de l'Etre, je ne voulais pas être consolée ni voir ma peine allégée par lui, une créature humaine, et je ne voulais pas me reposer sur cette assurance qui m'avait été donnée d'être unie à saint Augustin. Car je suis un être libre et partiellement pur [19] et je puis, avec ma volonté, désirer librement et vouloir aussi haut que je veux, saisir et recevoir de Dieu tout ce qu'Il est sans contradiction ni refus, ce que ne peut faire aucun saint. En effet, leur volonté est dans l'au-delà parfaitement accomplie et ils ne peuvent plus vouloir davantage que ce qu'ils possèdent. Pour moi, j'ai rejeté bien des expériences et des états merveilleux parce que je voulais être à l'Amour seul et que je ne pouvais guère croire qu'un être humain pût aimer Dieu aussi passionément que moi. Pourtant, bien que ce soit certain (qu'il y ait des gens qui aiment Dieu autant que moi), j'ai peine à l'accepter et à le ressentir, si forte a été sur moi la touche (de l'Amour).

Au sein de grandes merveilles, j'appartiens à Dieu seul dans le pur amour, de même qu'à mon saint ami et à tous les saints, chacun selon sa dignité ; à tous les hommes selon le degré de leur amour, selon ce qu'ils furent et ce qu'ils sont. Mais jamais je ne ressentis l'amour comme un repos, tant j'étais accablée par la disgrâce de l'amour. Car j'étais créature humaine et la Déité est si terrible et implacable, dévorant et consumant sans merci. Enserrée dans le lit d'un petit ruisseau, l'âme, inondée, déborde et rompt soudain ses digues. Ainsi la Divinité a absorbé en elle toute l'humanité.

J'aimais l'être intime des saints, non sans les envier. De quel repos Dieu ne jouit-il pas en eux? Quelle inquiétude pour moi que leur quiétude qui me valait quarante peines pour un plaisir! Savoir qu'on leur souriait tandis que je pleurais, qu'ils jubilaient tandis que je gémissais; qu'ils étaient honorés de Dieu et que Dieu par eux était honoré dans tous les pays tandis que j'étais raillée: c'était mon plus grand repos puisque c'était Sa volonté. Il en allait de moi comme de tous ceux qui désirent l'amour et la fruition et en retirent la souffrance, comme c'est mon cas.

Pour les hommes, mon repos était de les aimer chacun pour soi et de souhaiter à chacun ce qui lui était bon et cher; que ce fût leur volonté ou celle de Dieu je ne m'en préoccupai point. Mais pour ce qu'ils avaient dans l'amour, je l'aimais pour Dieu, afin qu'il les fortifiât et les fît grandir par lui-même jusqu'à la perfection, c'était là mon souhait. Mais aimer en eux leur amour de Dieu, tel était mon seul plaisir.

Mais quant à ceux qui manquaient à Dieu et lui restaient étrangers, ils pesaient lourdement sur moi. Car j'étais si remplie de son amour, si absorbée en lui que je pouvais difficilement souffrir que quelqu'un l'aimât moins que moi. La charité me blessait douloureusement et de savoir qu'il les laissait si étrangers et si privés de tout le bien qu'Il est lui-même dans l'Amour. J'en étais à certains moments si écrasée qu'il en allait de moi comme de Moïse avec l'amour de sa soeur (Cf. *Num* 12, 13). Je souhaitais qu'il me prît l'amour pour le leur donner; j'aurais même souhaité être haïe de Dieu pour acheter son amour pour eux. Parfois, comme il ne le faisait pas, je me serais détournée de son amour et les aurais aimés en dépit de sa colère. Voyant que ces malheureux ne connaissaient pas l'amour gracieux et ardent qui demeure en sa sainte nature, je les aurais aimés si j'en avais eu le pouvoir.

Ah, la charité pour les hommes m'a blessée plus que tout, hormis l'Amour même. Qu'est-ce que l'Amour en soi? C'est une puissance divine qui doit passer avant tout, comme elle l'a fait pour moi; car la puissance de l'Amour même n'épargne personne dans la haine comme dans l'amour. Et jamais elle ne vous accorde sa merci.

Cette puissance me retint lorsque j'aurais voulu délivrer en un clin d'œil tous les hommes, contrairement aux décisions de Dieu. Me tourner contre lui, c'eût été, pour un homme, beau et libre : je pouvais désirer ce que je voulais. Mais y renoncer me rapprochait plus noblement encore de la nature divine.

Dans la quiétude, j'ai vécu comme un être humain, ne prenant de repos ni dans les hommes ni dans les saints. Dans la souffrance, j'ai vécu, hors de l'amour, dans l'amour de Dieu et des siens. Car je n'ai pas reçu de Lui ce qui est mien : Dieu retient encore ce que pourtant je possède et qui restera mien. Je ne sentis jamais l'amour que dans une mort renouvelée, jusqu'à ce que vienne le moment d'être consolée en Dieu, Dieu me faisant connaître la noblesse de l'amour et comment on doit aimer l'Humanité pour parvenir à la Divinité et les reconnaître en une seule nature (Personne). C'est la vie la plus noble qui puisse être vécue dans le Royaume de Dieu. Cette riche paix, Dieu me l'accorda parfois, à l'heure favorable !

Lettre XVII [20]

Soyez prompte et zélée en toute vertu,
– et n'ayez garde de vous appliquer à aucune.

Ne négligez aucune œuvre,
– et ne faites rien de particulier.

Soyez bonne et pitoyable à toute misère,
– et ne prenez soin de personne.

Je voulais depuis longtemps vous donner ces avis
car c'est chose qui me tient grandement à cœur.

Que Dieu même vous fasse comprendre ce que je veux dire,
dans l'essence une et simple de l'Amour.

Ces défenses que je vous fais sont celles même que Dieu m'a

faites. Je désire vous les intimer à mon tour parce qu'elles appartiennent en toute vérité à la perfection de l'amour – parce qu'elles conviennent de façon juste et parfaite à la Déité. Les modes que j'ai mentionnés désignent en effet (les aspects de) l'Etre divin. "Etre prompte et zélé", c'est le caractère de l'Esprit-Saint, par lequel il est Personne subsistante; mais *ne s'appliquer à nulle chose singulière*, c'est la nature du Père (c.à.d. de l'Essence considérée comme origine des Personnes)[21]: c'est par là qu'il est Père (Essence) sans distinctions. Donner ainsi et garder ainsi, c'est la Déité même et la nature totale de l'Amour.

> Ne négligez aucune œuvre,
> – *et ne faites rien de particulier.*

Le premier vers désigne la vertu du Père (comme Personne), par quoi il est Dieu tout-puissant; et le second désigne sa volonté juste (en tant qu'Essence unique), par laquelle sa justice opère ses œuvres souveraines et secrètes dans la profonde ténèbre, inconnues et cachées à ceux qui sont au-dessous de l'Unité de la Déité – comme je le dis – et qui pourtant servent chacune des Personnes en toute fidélité, comme je le dis dans les premiers vers (de chaque distique): "Prompte et zélée en toute vertu" – "Ne négligeant aucune œuvre" – "Compatissant à toute misère". Cela semble en vérité la plus belle vie qui se puisse mener ici-bas: je n'ai cessé de vous la conseiller avant tout, vous le savez, je l'ai vécue d'abord dans le dévouement et dans les œuvres, en toute noblesse (*overscone*), jusqu'au jour où elle me fut interdite.

Les trois autres (le second de chaque distique) expriment la perfection de l'union et de l'amour; en toute justice, il vaque à lui-même: un seul Etre, un seul Amour et rien d'autre. Ah! quelle Essence terrible que celle qui engloutit dans l'unité de sa nature tant de haine et tant d'amour!

> Soyez bonne et pitoyable à toute misère,

correspond au Fils en tant que Personne distincte: tel il fut bellement et œuvra bellement;

– *et ne prenez soin de personne,*

c'est de nouveau le Père (l'Essence unique) qui engloutit le Fils; telle est toujours son œuvre terrible qui n'a pas de cesse. Ceci est l'Unité, belle par-dessus toute chose, de l'amour de la Déité; elle est si juste des justices de l'amour, qu'elle absorbe le zèle et l'humanité, et la vertu qui ne voudrait manquer à nul besoin (de ses frères). Elle absorbe la charité et la pitié que l'on avait envers ceux de l'enfer et du purgatoire, envers ceux qui sont inconnus de Dieu[22], ou qui, connus de lui, s'égarent loin de sa chère volonté; envers les amants qui souffrent plus que tous ceux-là, car ils sont privés de ce qu'ils aiment. La justice[23] absorbera tout ceci en elle-même. Chaque Personne cependant ne laisse pas de donner en particulier ce qui lui est propre, comme je l'ai dit. Mais la juste nature de l'Unité, en qui l'amour n'appartient qu'à l'amour dans la parfaite fruition de lui-même, ne se livre à aucun exercice de vertu ou de bonté, ni à aucune œuvre particulière, si belle soit-elle et mieux encore recommandée par une instance supérieure – elle (l'Unité) ne prend pitié d'aucune misère, pour capable qu'elle soit de la soulager. Car en cette jouissance de l'amour, il ne peut y avoir d'œuvre que la fruition simple, par quoi la puissante et simple Déité est Amour.

Cette défense que j'ai reçue et que je vous ai dite, c'est donc celle de toute injustice en amour ici-bas. C'est l'ordre de ne rien épargner de ce qui n'est point l'amour, de me vouer à lui si intimement que tout ce qui lui extérieur me soit en haine; passer par-dessus tout ce qui n'est pas l'amour, sans penchant ni vertu ni œuvre particulière pour venir en aide aux autres, ni compassion pour les protéger, mais rester à toute heure dans la fruition d'amour. – Lorsque pourtant celle-ci s'affaiblit et défaille, on fait bien de s'adonner aux œuvres naguère interdites, c'est alors justice et devoir. Tant qu'on cherche l'amour et que l'on est à son service, on doit tout faire à son honneur, car durant tout ce temps on est homme et on demeure dans le besoin: nous devons agir généreusement en toute chose, aimer personnellement le prochain, le servir et compatir à ses peines, car nous sentons partout le manque et le besoin. Mais dans la fruition d'amour, on est devenu

Dieu puissant et juste. Alors la volonté, l'œuvre et la puissance sont également justes. Ces trois sont (comme) les trois Personnes en un seul Dieu.

Ces défenses me furent intimées il y a quatre ans à l'Ascension, par le Père, à l'instant que son Fils descendait sur l'autel. Dans cette venue, Celui-ci m'embrassa et par ce signe, je fus désignée. Et unie à Lui, je parus devant son Père, qui me reçut en Lui et Le reçut en moi. Et dans l'Unité où j'étais prise et illuminée, je compris alors cette Essence et la connus plus clairement qu'on ne peut le faire ici-bas d'aucune chose connaissable par paroles, raisons ou visions.

Ce semble merveille, mais pour merveilleux que je le nomme, vous ne sauriez, j'en suis sûre, vous en étonner. Car les paroles divines sont chose que la terre ne peut comprendre : pour tout ce qui se rencontre ici-bas, on peut trouver assez de paroles en flamand, mais pour ce que je veux dire, il n'y a ni flamand ni paroles. J'ai pourtant connaissance de la langue autant qu'homme peut l'avoir ; mais pour ceci, je le répète, il n'est point de langage, et nulle expression que je sache n'y convient.

Je vous défends ainsi certaines choses et vous en ordonne d'autres, mais vous devez servir longtemps encore. Je vous interdis cette application particulière comme elle m'est à moi-même interdite par Dieu, mais vous devrez longtemps travailler dans les œuvres de l'amour, comme je l'ai fait moi-même, comme ses amis l'ont fait et le feront encore. Je m'y suis vouée pour ma part à mon heure et n'ai point cessé de m'y tenir : n'avoir d'affaire que l'amour, n'avoir d'œuvre que lui-même, ne protéger que lui et ne demeurer qu'en lui. Pour ce que vous avez à faire et à laisser en chaque chose, que Dieu lui-même, notre Amant, veuille vous le montrer !

Lettre XVIII [24]

Ah ! douce et chère enfant, soyez sage dans le Seigneur ! C'est de sagesse avant tout que vous avez besoin, comme tout homme qui veut être divinisé. La sagesse en effet conduit bien avant dans la profondeur divine. Mais nous vivons des jours où personne ne veut, ne peut reconnaître ce qui vraiment lui faut dans le service dû à Dieu et dans son amour. Ah! vous avez bien à faire si vous voulez vivre l'Humanité et la Divinité, atteignant cette plénitude qui sied à votre noblesse, selon que Dieu vous aime et ce qu'il attend de vous. Etablissez-vous sagement et fortement, comme (un chevalier) sans peur, en tout ce qui vous appartient, en ce mode de vie qui vous sied, selon la liberté de votre noblesse.

Celui qui est puissant et riche au-dessus de toute richesse donne à tous pleine suffisance, selon son pouvoir et sa grâce. Non point qu'il œuvre ou apporte ses dons ou les confère de sa main, mais sa riche puissance et ses hauts messagers sont les vertus parfaites qui le servent et gouvernent son royaume, et donnent à toutes ces âmes ce dont elles ont besoin, selon l'honneur et la puissance de celui qui en est le maître. Elles confèrent à chacun ce qui sied à sa nature et à sa place : la Miséricorde soutient de ses présents les pauvres les plus nus, qui sont prisonniers des vices, privés d'honneur et de tout bien. L'Amour du prochain défend le commun peuple contre les riches et pourvoit chacun de ce qui lui fait défaut. La Sagesse arme les nobles chevaliers, dont le désir brûlant livre pour le noble Amour de puissants combats. La Perfection donne aux compagnons d'armes son riche domaine, apanage souverain de l'âme dont je vous parle – cette âme qui d'une volonté parfaite et souveraine, en ses œuvres parfaites, demeure noblement fidèle à toute volonté de l'Amour. La dispensatrice de ces quatre vertus est la Justice, qui condamne ou approuve. Ainsi l'Empereur[25] demeure libre et tranquille parce qu'il ordonne à ses ministres de garantir l'équité, conférant aux rois, aux ducs, aux comtes et aux princes les nobles fiefs de son domaine et les droits précieux de son amour – de cet amour qui est la couronne de l'âme comblée, fidèle à secourir chacun selon sa requête, sans avoir cependant pour elle nulle œuvre ou entreprise que le pur amour de l'Aimé. C'est là ce que récemment j'ai voulu vous signifier, lorsque je vous ai parlé de trois vertus :

Soyez bonne et pitoyable à tous
– *et ne prenez soin de personne,*

et le reste que je vous écrivais (dans la lettre précédente).

Veillez donc avec grand soin à la noble perfection de votre âme, (par nature) noble et parfaite. Mais entendez bien ce que cela veut dire : tenez-vous dans l'unité sans vous mêler d'aucune œuvre bonne ou mauvaise, haute ou basse ; laissez les choses suivre leurs cours et restez libre pour le seul exercice (de l'union) avec votre Bien-Aimé, et pour satisfaire aux âmes que vous aimez dans l'Amour. Telle est votre juste dette, ce que vous devez à Dieu en toute justice selon la vérité de votre nature, comme aux âmes envers lesquelles vous partagez son amour : aimer Dieu seul d'une intention parfaitement simple et n'avoir occupation que de cet amour unique qui nous a choisis pour lui seul. – Comprenez aussi la nature profonde de votre âme et le sens même de ce mot. L'âme est un être qu'atteint le regard de Dieu et pour qui Dieu en retour est visible [26]. Qu'elle veuille satisfaire Dieu et garder son domaine sur toute chose étrangère, dont la nature serait inférieure à la dignité de l'âme, l'âme est un abîme sans fond en qui Dieu se suffit à Lui-même, trouvant en elle à tout instant sa plénitude. L'âme est pour Dieu une voie libre où s'élancer depuis ses ultimes profondeurs ; et Dieu pour l'âme en retour est la voie de la liberté, vers ce fond qui ne peut être atteint que par sa propre profondeur. Et si Dieu n'était à elle tout entier, il ne saurait lui suffire.

La vue dont l'âme est pourvue par nature est la charité [27]. Cette vue a deux yeux, l'amour et la raison. La raison voit Dieu seulement en ce qu'il n'est pas ; l'amour ne s'arrête à rien qu'à Dieu même. La raison a des voies certaines où cheminer, l'amour éprouve son impuissance, mais sa défaillance le fait avancer davantage que la raison. La raison procède vers ce que Dieu est, par ce que Dieu n'est pas ; l'amour rejette ce que Dieu n'est pas et trouve sa béatitude là-même où il défaille, en ce que Dieu est. La raison est plus sobre que l'amour, mais c'est à celui-ci que sont données la suavité et la béatitude. L'une et l'autre, au demeurant, l'amour et la raison, ne laissent pas de se prêter la plus grande assistance, car la raison instruit l'amour, et celui-ci illumine celle-là. Que la raison se laisse emporter par le désir de l'amour, et que l'amour se laisse contraindre par la raison en ses justes termes, ils seront capables ensemble d'une œuvre inouïe, mais c'est chose qui ne peut être enseignée si elle n'est pas éprouvée. Car la sagesse ne se mêle pas de cette passion admirable ni de scruter cet abîme caché à tout être, réservé à la seule fruition d'amour[28]. Rien d'étranger et nulle âme étrangère n'a part à cette béatitude[29], mais celle-là seule qui est nourrie maternellement[30] dans ce bonheur même, dans les délices du grand amour, brisée par la discipline de la miséricorde paternelle, attachée inséparablement à son Dieu et lisant dans sa Face les jugements qui la dirigent, en sorte qu'elle demeure dans Sa paix.

Lorsque cette âme retourne parmi les hommes et les choses humaines, elle y porte un visage si plein de joie et de douceur sous l'huile embaumée de la charité, qu'en tout ce qu'elle fait, sa bonté réapparaît. Mais par la vérité et la justice des jugements qu'elle a lus dans la Face divine, elle semble étrange et terrible aux hommes impurs. Et lorsque ceux-ci voient que tout en elle est conforme et ordonné à la vérité, ils voudraient fuir devant la puissance de l'amour, tant elle leur semble dangereuse et redoutable. – Quant à ceux qui sont prédestinés à cet état, à l'union d'amour, sans en avoir atteint la plénitude, ils ont en main la puissance de l'éternité, mais elle n'est pas manifestée encore, ni à eux-mêmes ni aux autres.

Telle est de l'amour l'illumination secrète. Cette vue de l'âme l'éclaire constamment sur la véritable volonté divine; car un être qui dans la Face de Dieu lit ses propres jugements opère en toute chose selon les vraies lois de l'amour. Or c'est loi et coutume de l'amour que parfaite obéissance, et ceci est contraire bien souvent aux agissements des étrangers. Qui de l'amour veut en vérité observer les préceptes, que son œuvre demeure séparée de celle de tout autre, selon la vérité du puissant amour. Il ne sera soumis à personne qu'à la seule charité, dont il est par amour prisonnier. Pour discours que tiennent les autres, il parle seulement selon la volonté de l'amour. Il demeure au service de l'amour et il accomplit ses œuvres, jour et nuit en toute liberté, sans rien épargner, sans crainte ni délai, selon les jugements qu'il a lus dans la Face de l'Amour. Ceux-ci restent cachés à ceux qui abandonnent les œuvres de l'amour par souci de choses et de personnes étrangères, pour n'être pas critiqués par ceux qui trouvent leur

HADEWIJCH D'ANVERS

volonté propre plus juste et meilleure que celle de l'amour. C'est qu'ils ne sont pas venus et ne demeurent pas devant cette Face très haute du puissant Amour, qui nous fait mener une vie libre au sein de toute peine.

Il vous faut connaître cette liberté, et ceux qui servent pour elle. Les gens portent bien des jugements personnels, ils méprisent les œuvres de l'amour sous prétexte de plus grande liberté et l'apparence de la sagesse. Ils émettent ainsi des ordres ou des interdictions pour que soient abandonnés les commandements de l'amour. Mais l'âme noble, qui veut être fidèle à sa loi, selon ce que lui enseigne la raison illuminée, ne craint ni les conseils ni les ordres étrangers, quelque tourment qu'elle puisse en souffrir, par les calomnies, la honte, les plaintes ou les injures, par l'abandon et l'isolement, le refus de tout abri, la nudité et la privation de toute nécessité. Elle ne craint nulle de ces choses : pour être appelée bonne ou mauvaise, elle ne veut manquer un seul instant à l'obéissance de l'amour, quelle que soit la volonté de cet amour : elle s'applique à lui en toute chose selon la vérité avec toute la puissance de l'amour même – et parmi les peines, elle ne perd jamais la joie de son cœur.

Il vous faut donc, vivant sans partage, plonger en Dieu votre vue immobile, un doux regard de l'unique affection qui sert à loisir le Bien-Aimé. Il vous faut fixer Dieu passionnément et plus que passionnément en sorte que vos regards simples demeurent suspendus et cloués à la Face de l'Aimé par les désirs brûlants et toujours renouvelés. Alors seulement vous pourrez vous reposer avec saint Jean qui dormit sur la poitrine de Jésus[31]. Ainsi doivent faire tous ceux qui servent dans la liberté de l'amour : ils reposent sur cette sage et douce poitrine où ils voient et entendent les paroles secrètes[32] et ineffables que l'Esprit-Saint murmure et que la foule ne peut ouïr ni percevoir aucunement.

Fixez donc fermement le Bien-Aimé de vos désirs, car celui qui regarde celui qu'il désire est sans cesse enflammé de nouveau et son cœur se met à défaillir sous le poids délicieux de l'amour. Il est attiré à l'intérieur de l'Aimé par cette vie constante du regard, et l'Amour se fait sentir à lui de façon si douce qu'il oublie tout ce qui est de la terre. Et pour chose que pourraient lui faire les étrangers, lui semble-t-il, il renoncerait plutôt neuf cents fois à lui-même que de laisser un seul point des œuvres prescrites par le noble amour dont il est le serviteur et dont le Christ est le fondement.

LES "NOUVEAUX POEMES"

Présents dans trois des quatre manuscrits de Hadewijch, les Poèmes XVII à XXIX des *Mengeldichten* (que nous appelons *Nouveaux Poèmes* à la suite de Dom Porion) ne sont pas l'œuvre de la mystique anversoise. Il en existe encore un recueil isolé dans un autre manuscrit. Leur date est plus tardive : fin du treizième, début du quatorzième siècle, si l'on se fonde sur l'emploi d'une strophe particulière, courante à l'époque[33].

Leur auteur (ou leurs auteurs), car on pourrait aussi distinguer le groupe des poèmes XXV à XXIX dont la forme est encore différente, est inconnu. Ils proviennent vraisemblablement d'un milieu béguinal non identifié, plus influencé par la scolastique et par une mystique plus intellectualiste que celle de Hadewijch : des mots étrangers comme *contempleren, reveleren, speculieren, questie* (MD XXIII) en témoignent. Ces poèmes mériteraient d'être étudiés pour eux-mêmes et non dans le sillage de Hadewijch.

Malgré un grand nombre de thèmes communs comme celui de la *Minne* avec ses métaphores courtoises, ses antithèses, celui du retour de l'âme dans son Origine (l'exemplarisme), le ton général (encore que l'on y découvre de belles trouvailles poétiques) est beaucoup plus abstrait.

Un exemple parmi d'autres : Là où Hadewijch parle de la dilatation de l'âme aux dimensions de Dieu[34], la béguine des *Nouveaux Poèmes* en donne une explication métaphysique dans une formule splendide : "Le cercle des choses doit se rétrécir et s'anéantir / Pour que grandisse et s'élargisse le cercle de la nudité afin d'embrasser le Tout." (*MD* XVIII, v. 25-30) – C'est alors que l'âme agrandie, élargie par l'amour peut trouver la clarté (v. 34-35).

Le thème général de ces poèmes est la conquête d'une liberté qui ne soit pas seulement morale, mais *nudité* (*bloetheit*), *vacance* (*ledicheit*), consistant en un dépouillement du vouloir, des formes, des images, qui ne sont que des accidents (*toeval*) encombrant l'esprit; ce dépouillement permet d'atteindre le "Rien pur et nu" qu'est la Déité au-delà de toute représentation humaine. L'union apparaît moins comme une fruition, stade le plus élevé de la béatitude chez Hadewijch, que comme une plongée dans une inconnaissance sans fond, dans le "désert sauvage" de l'Essence divine. On reconnaîtra ici les thèmes développés par Eckhart.

Pourtant il est difficile de préciser si ces poèmes sont antérieurs ou postérieurs à l'œuvre d'Eckhart. Dom Porion a bien étudié les rapprochements qui s'imposent en citant un certain nombre de textes plus ou moins contemporains qui marquent tout un courant de pensée à la fin du treizième siècle[35].

Quoi qu'il en soit de ces influences réciproques, il est certain que Jan Ruusbroec (1293-1381) s'est inspiré des béguines, autant de Hadewijch que de sa postérité littéraire. Dans le livre des *XII béguines*, il les fait parler en douze petits poèmes qui reprennent les formules de nos mystiques. Cette influence se retrouve dans l'emploi de toute une série d'images, de locutions, voire de citations littérales.

Au plan doctrinal, cette influence a été plus discutée[36], il est certain toutefois que Ruusbroec donne un tour plus systématique, plus théologique aux intuitions des béguines. Pourtant, même si la béguine d'Anvers et le prieur de Groenendael ont puisé à des sources communes, en particulier chez Guillaume de Saint-Thierry, Ruusbroec doit beaucoup à Hadewijch, surtout dans sa conception de la liberté spirituelle et la "vie commune", participation à la vie trinitaire dans le flux des Personnes, le reflux dans l'Essence, commandant l'unité de la vie active et de la vie contemplative.

A l'auteur des *Nouveaux Poèmes*, il doit un vocabulaire plus abstrait: celui du "dépassement" et de la plongée dans l'abîme d'inconnaissance au-delà des formes et des images, reconnaissant sa dette, entre autres, dans le "dit de la douzième béguine":

> "Si je désire quelque chose, je l'ignore,
> Car dans une inconnaissance sans fond
> j'ai perdu mon Moi.
> Dans sa bouche je suis engloutie,

dans un abîme sans fond ;
Jamais n'en pourrai ressortir." [37]

XVIIème Poème [38]

Ne me peine ni ne me gêne de devoir écrire, puisque Celui qui vit nous dispense ses dons et, par un enseignement nouveau, de sa clarté veut nous éclairer. Qu'il soit béni en tout temps, en toute chose !

Dans la connaissance nue, ce que l'on reçoit est grand, certes, mais c'est comme néant, si l'on considère ce qui fait défaut (*ontblivet*).

C'est dans cette déficience que plonge le désir, pour que soit bon ce que l'on fait, pourtant tellement imparfait.

Ceux qui s'enfoncent plus avant dans la haute connaissance de l'amour nu voient augmenter la déficience.

Ils trouvent nouvelle science dans le clair-obscur, de haut prix, sans mode, dans le loin-près.

Dans l'éternité immense, sans bornes, l'âme est séparée, dilatée, sauvée, engloutie par l'Unité.

Dans sa chasse silencieuse, l'intelligence doit trouver l'Immense dans sa totalité.

Là, il semble que, dans l'obscurité, se révèle un Eant simple (*simpel iet*) qui va s'éloignant et qu'elle doit reconnaître dans la nudité du Néant (*bloet niet*).

C'est dans cette nudité que se tiennent les forts ; comblés par leur vision, ils défaillent dans sa disparition.

Ce que l'on reçoit est – je le crois – infime, en regard de ce qui fait défaut.

Ils vont, ceux qui ont reconnu cette vérité, ils suivent les sentiers obscurs, non tracés, tout intérieurs.

Leur gain le plus haut, leur perte la plus profitable, c'est la défaillance. Comment cela se fait-il? On ne peut en écrire, de cela ils sont certains.

Mais les tempêtes de la raison, les formes des images, on doit s'en détacher si on veut connaître de l'intérieur, au-delà de toute intelligence.

Ceux qui ne s'arrêtent pas à d'autres œuvres que celle-ci, ceux-là sont unifiés dans leur premier Principe, dans l'éternité.

A ce Principe ils sont tellement unis qu'aucune union terrestre de deux êtres ne saurait être comparée à celle-là.

Dans l'intimité de l'unité, elles sont pures intérieurement, nues, sans images, sans figures; comme libérées dans l'éternité, incréées [39], dans un espace silencieux, sans limites.

Ici, je ne trouve plus ni fin, ni commencement, ni comparaison pour exprimer parfaitement (cette union).

J'abandonne ce soin à ceux qui la vivent; parler davantage d'une pensée si intérieure blesserait la langue de celui s'y hasarderait.

XIXème Poème [40]

Au-dessus de l'écriture et de la créature, Raison peut enseigner et voir clairement et suivre de près la voie de Notre Seigneur.

Que manque la connaissance, cherchez à l'intérieur votre simplicité, vous y trouverez votre miroir toujours prêt.

Voir sans milieu, dans la nudité, c'est grande chose! Heureux qui en est capable! D'un seul regard, il peut être vivant et prendre son élan,

abandonner ce qui est derrière lui et voir devant lui, pour choisir l'Un, laissant tout pour lui et le saisir éternellement sans risque de le perdre.

Un cœur ainsi disposé souffre grande douleur à toute heure lorsqu'il comprend qu'il se charge du poids des péchés.

Il reste dénudé et dans la peine jusqu'à ce que, selon la conscience, il ait satisfait autant que faire se peut.

Et il ne sera pas libéré avant d'avoir reçu le témoignage intérieur que ses offenses sont acquittées dans l'amour.

Désirer et aimer sans l'aide des sens, voilà ce qu'il faut. Etre au dehors et au-dedans sans connaissance comme une morte.

Apprenez à connaître la loi de l'amour : ne vous souciez pas de l'amour des créatures : l'amour recouvre celui qu'il enseigne comme les ailes des séraphins.

Il doit parvenir à la prélibation avant d'être transformé celui qui, sans regarder en arrière, doit rester ancré dans la belle Déité.

Louer Dieu là-haut avec une joie d'ici-bas ; lui apporter la louange fidèle et ininterrompue, que cette œuvre est fière !

[...]

Ah, louange offerte, vole jusqu'à la cour céleste, embrasse le Bien-Aimé : sa venue, son départ m'ont enlevé consolation et chagrin, crainte, amour, désir, connaissance et intelligence, espoir, aspiration, goût, jouissance ; tout m'a quitté.

Au-delà du sens, au-delà de l'intelligence, la connaissance m'a abandonnée. Mais je dois le taire et rester là où je suis.

Etre ici-bas, c'est être comme en un désert où ne peut parvenir ni pénétrer sens ni parole.

XXVIème Poème [41]

Je voudrais bien me rapprocher de l'amour,
si je pouvais y parvenir de l'intérieur.
Mais ils ne peuvent chanter avec moi cette chanson,
ceux qui se mêlent trop aux créatures.

L'amour nu qui n'épargne rien
dans son trépas sauvage,
dépouillé de tout accident,
parvient à son lieu simple.

Dans l'abandon de l'amour nu
il doit se détacher de toute aide créée,
car l'amour dépouille de toute forme
ceux qu'il reçoit dans sa simplicité.

Ils sont alors libres de tout mode,
étrangers à toute image ;
sur terre, voilà la vie que mènent
les pauvres en esprit.

Il ne leur suffit pas d'aller au loin
ni de mendier leur pain ou tout autre bien ;
les pauvres en esprit doivent être sans idées,
lorqu'ils sont reçus dans la vaste simplicité,

Qui n'a ni fin, ni commencement,
ni forme, ni mode, ni raison, ni sens,
ni opinion, ni pensée, ni attention, ni savoir,
incirconscrit dans la vaste immensité.

Dans cette vastité simple et sauvage,
c'est là que vivent les pauvres en esprit
dans l'unité; là ils ne trouvent que le détachement
qui toujours répond à l'éternité.

Cela est bien vite dit, mais leur route est longue,
je le sais bien – ils doivent souffrir maint
tourment, ceux qui jusqu'au bout iront.

Trad. G. E.-B.

NOTES

1. *Strofische Gedichten*, V, p. 30-34. Cf. plus haut, p. 127. Poème sur les "caprices" de l'Amour – en fait les vicissitudes auxquelles est exposée l'âme qui aime en totalité. Il y a comme un jeu d'approche et de retrait entre l'âme et l'Amour, jeu de l'amour courtois auquel Hadewijch donne son sens spirituel puisqu'il s'agit de rejoindre l'Amour en son lieu le plus intime, en son essence (str. 6). La succession des antithèses permet de sentir – même dans une autre langue – l'art des rythmes chez la poétesse. Sur ces antithèses, voir également, outre les *Poèmes strophiques*, les *Mengeldichten* XVI et XIII (traduction et notes, PORION, p. 116-117).

2. Allusion traditionnelle à la nature, ici pour opposer l'hiver à la constance dont doit faire preuve l'âme aimante.

3. Plus l'âme progresse, plus elle ressent son insuffisance.

4. La "touche" est un terme mystique qui sera précisé plus tard par Ruusbroec. Ici, il s'agit de la mise en branle de l'âme par l'Amour. (Cf. Saint Augustin, *Confessions*, X, xxvii, 38: "Tu m'as touché et je me suis enflammé pour ta paix".).

5. "Innommé", comme plus haut "inouï" se rapporte au caractère secret de la vie divine et à l'obscurité dans laquelle doit avancer le spirituel: il pressent sans connaître véritablement. L'expression est développée dans la Lettre XX sur les "Douze heures innommées." La première de ces heures décrit la "touche soudaine de l'Amour dont on ne soupçonne pas encore toute la noblesse". (Trad. PORION, p. 158-163 et n. 2, p. 158-159).

6. Ici, la "dette" est l'exigence de l'amour qui veut toute la personne. Pour une explication plus théologique, cf. L. XVIII et *supra*, chap. VII, n. 26.

7. Grande sera la fortune de cette expression, avec le Loing-près de Marguerite Porete (cf. *infra*, p. 186). On la retrouve dans les *Nouveaux Poèmes*, MD XVII entre autres, cf. plus haut, p. 165.

8. "Avontuere" dans le texte. Terme souvent employé par Hadewijch en référence évidente aux chansons de geste.

9. *Strofische Gedichten*, VII, p. 40-48. Ce poème est une arabesque sur le thème de la "nouveauté", sans être toutefois un pur jeu formel. Cf. plus haut, chap. VII, p. 132, n. 16. Str. 1: Renouveau de la nature et promesse de l'amour; str. 2: Découverte exaltante de l'amour dans la communauté de ceux qui le servent; str. 3: Pouvoir créateur de l'amour; str. 3 et 5: Dialectique des anciens et des nouveaux; str. 4, 6.: L'amour se dérobe en creusant un désir toujours plus profond; str. 7: Appel à goûter la nouveauté dans sa plénitude, par participation à la vie divine.

10. Cf. *II Cor* 4, 16.

11. Cf. *Ep* 4, 23-24; *Jn* 3, 5.

12. Il y a une vieillesse qui est refus de l'amour; une autre – la sagesse – qui est enracinement dans l'amour (str. 5). Sur l'opposition jeunesse - vieillesse, cf. E. KOEHLER, "Sens et fonction du terme 'jeunesse' dans la poésie des troubadours", *Mélanges René Crozet*, t. I, Poitiers, 1966, p. 569-583. Et plus bas, n. 18.

13. Cf. Guillaume de Saint-Thierry, *De natura et dignitate amoris*, PL 184, 391 D. SG XXVIII:

"A l'école du fier amour
on apprend l'ire sublime
qui de sensé naguère
fait l'homme errant et vagabond."
(trad. PORION, p. 101).

14. Cf. *Cant 2*, 16.

15. *Visioenen*, I, p. 106-122. Ce texte a déjà été traduit en français par J.B. PORION :
"La onzième vision de Hadewijch", *Nova et vetera*, t. 24, 1949, p. 43-49. *Visions*,
1987, p. 62-68. Comme pour les *Poèmes*, nous donnons ici notre propre version.

La vision proprement dite comprend deux tableaux : 1) Celui de l'abîme divin au
sein duquel elle voit des images concrètes (l'Agneau, David avec sa harpe, des fêtes)
et a des intuitions spirituelles : la naissance de Dieu dans les âmes, la connaissance
de leur être profond ; 2) la scène des deux aigles engloutis par le phénix.

Le récit se poursuit par une série de réflexions à l'état de veille ; elle regrette
d'avoir été unie à Dieu avec saint Augustin, alors qu'elle veut être détachée de tout
lien affectif humain. Ensuite, elle se situe dans l'univers spirituel : son rapport à Dieu
qui est souffrance et attente ; aux saints déjà glorifiés ; aux hommes proches de Dieu
ou éloignés de lui, ce qui est son grand souci, allant jusqu'à la "supposition
impossible" : être haïe de Dieu pour acheter son amour pour eux. Cette méditation
permet de bien se représenter l'univers spirituel de Hadewijch qui, loin de se replier
sur elle-même et de sa relation comblante à Dieu par l'engloutissement dans l'Essence
divine, reste ouverte aux besoins des hommes, dans la communion des saints.

16. Le phénix qui renaît des flammes est, chez les auteurs chrétiens, le symbole de la
Résurrection. Hadewijch l'applique ici à l'Uni-Trinité qui engloutit les âmes (pour
les faire revivre en elle). On trouvera une métaphore analogue dans le *Mengeldicht*
XVI où le phénix est associé à la salamandre et à la symbolique du feu. Cf. J.
REYNAERT, *Beeldspraak*, p. 110-113.

17. L'image de l'aigle apparaît souvent dans les œuvres de Hadewijch (*Vis. 5, 7, 10,
11, 12 ; L. 22*), soit en rapport avec saint Jean, soit, comme ici, avec la vie des âmes.
P. DINZELBACHER, "Die mittelalterliche Adlerssymbolik und Hadewijch", *Ons
Geestelijk Erf*, 54, 1980, p. 5-25.

18. Cf. plus haut, n. 12. On peut résumer ainsi les rapports entre l'*ancien* et le *nouveau*,
tels qu'ils ressortent de ces lignes très denses : L'*ancienneté* est à la fois la perfection
qu'on a dans sa nature éternelle en Dieu (le jeune aigle a des plumes grises), et la
plénitude de l'amour personnifiée par saint Augustin (le vieil aigle) ; la *jeunesse* est
à la fois une certaine imperfection de la nature terrestre (Hadewijch) et la jeunesse
éternelle de l'amour qui ne cesse de croître (le vieil aigle a des plumes blondes) ;
en même temps le pouvoir de renouvellement de l'amour s'exerce sur les autres
(l'amour de Hadewijch pour Augustin a rajeuni les plumes du vieil aigle). Ancienneté
et jeunesse convergent dans l'union au sein de la Trinité.

19. Cette pureté nous semble se référer à son être en Dieu qu'elle n'a pas encore
entièrement reconquis. (Cf. le dernier paragraphe). Cet état intermédiaire lui laisse
une certaine marge de choix dans laquelle elle peut prouver son amour pour Dieu.

20. *Brieven*, p. 137-145. Avec la gracieuse autorisation de Monsieur Claude Martingay,
libraire-éditeur à Genève, nous reproduisons ici la traduction de Dom J.P. PORION,

Hadewijch, *Lettres spirituelles*, p. 137-143, avec quelques modifications. Pour le commentaire de cette lettre, cf. plus haut, chap. VII, p. 140.

21. Cf. plus haut, chap. VII, n. 37.

22. Cf. *Mt* 25, 12. Cette pitié pour les âmes égarées marque profondément la spiritualité d'Hadewijch (cf. *Vis.* 11). En même temps, elle ne veut pas se substituer au jugement de Dieu.

23. La justice de Dieu est l'intégrité de la Nature divine. *Lettres spirituelles*, p. 141, n. 5.

24. *Brieven*, p. 146-160. *Lettres spirituelles*, p. 144-152. Bien qu'elle s'adresse à une personne en particulier, Hadewijch, comme dans la lettre précédente, fait alterner le *tu* et le *vous*, preuve qu'elle écrit pour la communauté.

25. Dans la *VIème manière d'amour*, Béatrice a décrit l'âme libre sous l'aspect d'une "maîtresse de maison" (*huusvrouw*). L'image est plus familière, mais l'idée de la souveraineté qu'exerce l'amour dans les âmes libres est la même. Ruusbroec a repris l'image de l'empereur (chez lui, du roi) dans le *Royaume des amants* (*Werken*, t. I, p. 99-100) et dans les *Noces spirituelles* (*Werken*, t. I, p. 136, 137).

26. Cette phrase admirable n'est-elle pas comme une réponse à la question de Guillaume de Saint-Thierry? "Qui pourrait aimer ce qu'il ne voit pas? Comment pourrait paraître aimable celui que le regard ne peut apercevoir?" (*De contemplando Deo*, PL 184, § 4, 368 D - 369 A). La vision est la condition de l'amour.

27. Cf. plus haut, chap. VII, p. 133 sv. et n. 31.

28. Hadewijch rajoute au texte de Guillaume cette phrase qui reprend celle de la p. 160 sur le fond (*gront*) de l'âme et l'abîme (*abyss, afgrond*) où sont jetées les âmes. Cf. Lettre XX (4ème et 12ème "heure innommée"). Cette notion se développera avec les *Nouveaux Poèmes* et aux quatorzième siècle, avec Maître Eckhart, Ruusbroec et leurs disciples.

29. *Prov* 14, 10.

30. Cet adverbe est rajouté par Hadewijch au texte de Guillaume.

31. *Jn* 13, 23-25.

32. *Job* 4, 12.

33. *Mengeldichten*, p. XXVII-XXXIII. *Hadewijch d'Anvers*, p. 45-55.

34. Cf. *supra*, chap. VII, n. 35.

35. *Hadewijch d'Anvers*, p. 133-185. Dom Porion enrichit sa traduction de nombreuses notes doctrinales. Cf. plus haut, *Introduction*, p. 18.

36. J. REYNAERT, "Ruusbroec en Hadewijch", *Ons Geestelijk Erf*, 55, 1981, p. 193-232. G. EPINEY-BURGARD, "L'influence des béguines sur Ruusbroec", in *Jan van Ruusbroec, The Sources, Content and Sequels of his mysticism*, ed. P. MOMMAERS, N. DE PAEPE, Leuven 1984, p. 68-85.

37. Ruusbroec, *Werken*, t. IV, p. 5.

38. *Mengeldichten* XVII, p. 86-91. Les deux thèmes de ce poème sont la *connaissance nue* de la Déité, au-delà de l'intelligence, des images, des formes et la *déficience*, cet écart entre ce qui est reçu et ce qui reste à recevoir. C'est dans cet écart que, paradoxalement, se situe l'union au Principe divin.

39. *Incréées*. Ce mot, qui fut reproché à Eckhart, renvoie à l'être que nous avons de toute éternité dans la pensée divine.

40. *Mengeldichten*, XIX, p. 111-115. Au thème de la nudité et de la nescience s'ajoute

celui de la transformation, analogue à la mort, par retour à l'intériorité dans son fond simple, avec l'image du *désert*.

41. *Mengeldichten*, XXVI, p. 135-137. Poème de la "pauvreté en esprit", dépouillement total qui conduit à l'Un simple, in-qualifiable, il-limité. Sur la réception de ce thème, cf. *Hadewijch d'Anvers*, p. 54-56.

CHAPITRE 9

Marguerite Porete
(† 1310)

MARGUERITE ET L'INQUISITION

Il ne nous reste guère d'autres témoignages sur Marguerite Porret, Poiret ou Porete, dite aussi Marguerite de Hainaut, que son fameux *Miroir des simples âmes anéanties*, les actes de ses procès et, contrastant avec les condamnations qui y sont rapportées, quelques jugements prudemment élogieux de théologiens et de spirituels contemporains. D'ailleurs le rapport entre le *Miroir* et la béguine Marguerite, victime de l'Inquisition sous Philippe le Bel, n'a été mis au jour que tardivement, en 1946, grâce à la perspicacité de Romana Guarnieri – alors que le texte avait été découvert en 1867 par Francesco Töldi qui n'avait pas hésité à l'attribuer à la bienheureuse Marguerite de Hongrie, sur la foi d'un manuscrit viennois [1]. Toutefois le peu que nous savons est l'essentiel. Marguerite enseigna le pur amour et persévéra dans cet enseignement, tel qu'il est exposé dans son livre, quoiqu'il eût été condamné par Gui II, évêque de Cambrai, avant 1306. Ce dernier fit brûler le *Miroir* sur la place publique de Valenciennes et l'interdit sous peine d'excommunication. Ensuite Marguerite fut poursuivie par le successeur de Gui II, Philippe de Marigny, puis accusée par une instance plus élevée, l'Inquisiteur provincial de Haute Lorraine. Enfin, pour avoir refusé de comparaître devant un tribunal ecclésiastique et de prêter serment de dire la vérité à l'Inquisiteur pendant l'emprisonnement d'un an et demi qu'elle subit à Paris, puis finalement de se rétracter devant la menace du bûcher, Marguerite, déclarée hérétique et relapse, fut livrée au bras séculier par l'Inquisition le trente-et-un mai 1310. Elle fut brûlée vive le lendemain premier juin en place de Grève – l'actuelle place de l'Hôtel de Ville – en présence des autorités civiles et ecclésiastiques et d'une foule immense que son attitude face à la mort retourna en sa faveur[2].

Ce dernier procès avait été instruit par l'Inquisiteur général du royaume de France, le Dominicain Maître Guillaume de Paris, qui était le confesseur du roi Philippe et avait présidé à partir de 1307, de la sinistre façon que l'on sait, au procès des Templiers. On a pu dire à ce sujet que jamais, au moyen âge, l'Inquisition et la Royauté n'avaient collaboré aussi étroitement, et il semble bien qu'il y ait eu des raisons politiques – outre celles, soigneusement mises en évidence, d'ordre ecclésiastique ou doctrinal – à la condamnation de Marguerite. On a émis à ce propos l'hypothèse d'une compensation offerte au pape et à l'Eglise après l'épineuse affaire des Templiers. Quoi qu'il en soit, ceux qui l'aiment demeurent convaincus que ce fut, plus profondément, "à cause de son juste amour": comme, selon Hadewijch, fut tuée longtemps auparavant une autre béguine, sans doute Aleydis, par le premier Inquisiteur général de France, Robert le Bougre[3].

On a prétendu, à la décharge des clercs qui condamnèrent Marguerite, que sur la foi des extraits qui leur furent remis ils ne pouvaient juger autrement qu'ils ne le firent. C'était en effet une pratique courante au moyen âge, comme de nos jours encore la polémique et la persécution se nourrissent de citations tronquées ou sorties de leur contexte, et le souci d'une information plus complète ne paraît guère avoir été la préoccupation dominante des tribunaux ecclésiastiques. Peut-être ce fait – invérifiable pour nous – permettrait-il d'expliquer, du moins en partie, la contradiction entre le jugement de ces théologiens représentant l'Université de Paris et celui, favorable, de trois clercs tout aussi compétents qui, eux, avaient "entendu son livre", comme le dit Marguerite. Il s'agit d'un Frère mineur appelé Jean ("de Querayn" selon la version anglaise); d'un cistercien du nom de Franc, de l'abbaye de Villers en Brabant; enfin du fameux théologien Godefroi de Fontaines, originaire de Flandre, ex-régent de l'Université de Paris: "l'assortiment ne pouvait être plus judicieux ni plus complet: un représentant de la tradition monastique; un représentant des mouvements plus avancés et plus modernes; un représentant de l'Ecole et du clergé séculier. Ces trois attestations ont un caractère d'authenticité et de sincérité, et sont des témoignages importants en faveur de Marguerite ; et montrent d'ailleurs aussi par la même occasion les divisions en matière de mystique."[4] L'assentiment du Cistercien est sans réserve, tandis que Godefroi et le Franciscain, tout en témoignant de leur profonde admiration, estiment que ce livre ne doit être montré qu'à peu de gens, car il pourrait être la source d'illusions dangereuses pour ceux qui n'y sont pas préparés.

Ces brèves indications peuvent nous aider à deviner quelque peu les contacts et l'influence que Marguerite eut de son vivant. Rappelons d'autre part un épisode non dénué de romanesque concernant un clerc qui prit fait et cause pour elle. Il s'agit du béghard Guiard de Cressonessart, arrêté à Paris vers la fin de l'année 1308, sur ordre de l'Inquisiteur Guillaume, pour avoir "aidé et défendu" Marguerite. Dans son témoignage devant l'Inquisition, Guiard reconnaît "s'être exposé pour elle" à Paris. Il semble qu'en défendant Marguerite, alors fortement soupçonnée d'hérésie, il soit devenu aussi suspect qu'elle. Comme elle, il refusa pendant un an et demi (laps de temps légalement accordé aux accusés pour leur réflexion) de se présenter devant le tribunal de l'Inquisition. Finalement, en mars 1310, Guillaume réunit une assemblée de théologiens et de canonistes des Facultés de Paris pour statuer sur les deux cas. Le trois avril un jugement fut rendu, déclarant que, sauf résipiscence, les deux accusés étaient coupables d'hérésie et devaient être remis au bras séculier. Ce jugement dut être utilisé comme une ultime menace. Guiard abjura alors, et ne fut par conséquent condamné qu'à la détention perpétuelle, mais Marguerite ne se laissa pas intimider. Elle suivit à la lettre – fait assez rare pour être signalé – ce qu'elle avait écrit sur l'âme franche, c'est-à-dire libre :

"Elle ne répond à nul homme, si elle ne le veut, s'il n'est pas de son lignage ; car un gentilhomme ne daignerait pas répondre à un vilain qui l'appellerait ou lui demanderait de livrer combat ; et c'est pourquoi qui appelle cette âme ne la trouve pas : ses ennemis n'en ont plus de réponse."[5]

Il ne restait donc plus à Guillaume que de réunir en Assemblée solennelle, en l'Eglise Saint-Mathurin, les théologiens les plus illustres de l'Université de Paris, au nombre de vingt-et-un, parmi lesquels Jean de Gand et Nicolas de Lyre, qui condamnèrent à l'unanimité le *Miroir* et son auteur.

Il est difficile d'établir les liens doctrinaux qui existaient entre la doctrine de Marguerite et celle de Guiard de Cressonessart, qui n'a d'ailleurs rien écrit, mais dont on sait qu'il avait des vues millénaristes apparentées à celles de Joachim de Flore et de saint Bonaventure. Il ressort de son témoignage devant le tribunal de l'Inquisition qu'il se croyait destiné à être l'apôtre d'une nouvelle dispensation de la foi. C'est pourquoi il se faisait appeler par ses disciples "l'Ange de Philadelphie", par allusion au passage de l'Apocalypse (3, 7) qui attribue à l'Ange de cette Eglise "la clé de David". Guiard se croyait en effet investi d'un pouvoir des clés prophétique, supérieur à celui d'ordre seulement ministériel qu'il reconnaissait au pape. C'est là-dessus que porta le chef principal de son accusation et de sa condamnation.

Quoique cette perspective sur l'histoire du salut ne s'impose pas de prime abord au lecteur non averti du *Miroir*, on la voit pourtant s'inscrire dans les remarques concernant "Sainte Eglise la Petite", c'est-à-dire l'Eglise officielle, distinguée de "Sainte Eglise la Grande", cette dernière étant composée des âmes affranchies qui soutiennent et enseignent l'ensemble de la Sainte Eglise. "Sainte Eglise la Petite" est vraiment la petite, dit Marguerite, parce qu'elle atteindra sa fin, ce dont elle se réjouira[6]. Ce thème, qui fait écho aux prophéties de Joachim de Flore, réapparaît fréquemment au cours de l'ouvrage.

Loin de cesser avec la mort de Marguerite, les poursuites de l'Inquisition permettent de jalonner en quelque sorte les avancées du *Miroir* dans l'Europe des quatorzième et quinzième siècles. Il franchit en effet les barrières linguistiques comme nul autre écrit mystique médiéval en langue vulgaire. C'est ce dont témoignent les six versions qui nous sont conservées, en vieux français, ancien italien, moyen anglais et latin – (la version germanique, si tant est qu'elle ait existé, est introuvable). Elles sont actuellement accessibles dans une quinzaine de manuscrits, d'autres ayant été signalés ici ou là pour disparaître ensuite de façon mystérieuse[7].

"Mais l'histoire du *Miroir* ne s'arrête pas avec celle de son auteur. Son dossier théologique est alors transféré à Vienne, en Dauphiné, où va se dérouler en 1311-1312 le fameux concile qui condamnera massivement la mystique nordique, très spécialement celle de Maître Eckhart et celle du *Miroir*, globalement confondue avec les déviations des sectes du Libre Esprit. Ce qui reste des actes des différents procès, tout comme les articles du concile de Vienne, montre l'ampleur du malentendu ... la condamnation du concile de Vienne assimilera désormais le *Miroir* à un ouvrage hérétique, régulièrement confisqué par les Inquisitions de toute l'Europe jusqu'à la Renaissance, témoignage éloquent de son succès et de sa diffusion ... La réputation d'hérésie et le petit nombre de manuscrits ayant survécu aux confiscations ont en effet certainement conduit à sous-estimer l'importance du *Miroir* dans les recherches modernes. Mais qu'il ait connu un grand succès du vivant de son auteur et ensuite, ressort à la fois de la mise en scène impressionante de ses procès – toutes les autorités de la Sorbonne y participèrent –, des efforts de l'Inquisition pour en arrêter la circulation, mais surtout de ses traces dans la littérature spirituelle ultérieure, tant orthodoxe qu'hérétique ..."[8].

La première version anglaise du *Miroir*, datant du quatorzième siècle, est due selon toute probabilité à l'évêque de Londres, Michael of Northbrook, co-fondateur de la Chartreuse de Londres. Ce texte ayant été critiqué, il récrivit bien des années plus tard sa traduction, en l'accompagnant de gloses orthodoxes. Au siècle suivant, le Chartreux Richard Methley donna une version latine de cette traduction, tout en recommandant dans sa préface de ne pas remettre ce livre entre n'importe quelles mains. (Le manuscrit latin contient en outre, également traduit par Methley, le *Nuage d'Inconnaissance*, œuvre d'un anonyme anglais sur la mystique de l'abandon, d'inspiration voisine du *Miroir*). En rappelant l'extraordinaire influence qu'il exerça en Angleterre dans la seconde moitié du quinzième et les premières décennies du seizième siècle, Romana Guarnieri présume que son influence a dépassé les frontières des Chartreuses pour s'exercer, de concert avec les doctrines du Libre Esprit, sur l'illuminisme mystique des Quakers.

C'est dans le Nord de l'Italie où il circula, en latin et en italien – les premières traductions datant de la fin du quatorzième – surtout dans la première moitié du quinzième siècle, que le *Miroir* paraît avoir provoqué le plus de remous. Saint Bernardin de Sienne se déchaîne contre lui dans les sermons qu'il prêche entre 1417 et 1437; à Padoue, en 1433, les Bénédictins le font interdire dans leurs congrégations; les Jésuates de Venise, accusés d'en faire leur livre de chevet et de sympathiser avec l'hérésie du Libre Esprit, sont innocentés par deux enquêteurs mandantés en 1437 par le pape Eugène IV, tandis que l'Inquisition se poursuit à Padoue. L'affaire de Venise rebondit et finit par se retourner contre le pape lui-même, accusé, après qu'il eût été déposé, d'être favorable au *Miroir* par un certain Maître Jacques, probablement l'Inquisiteur padouan qui avait écrit au sujet de ce livre "de nombreuses détestations ou réprobations". Ce dernier rappela par la même occasion au Concile de Bâle, en 1439, les trente articles du *Miroir* jugés hérétiques par les Pères du Concile, et demanda qu'on fît brûler les trente-six exemplaires détenus, à son avis, par la Commission qui avait examiné le livre de Marguerite. On perd la trace de cette affaire après le Concile. Toutefois, en 1473, "l'erreur des tenants de l'âme simple" est encore dénoncée par le Franciscain Pacificus de Novare qui se plaint des agissements de groupes hérétiques. Enfin on a retrouvé, dans un manuscrit du seizième siècle appartenant à la bibliothèque bénédictine du Mont Cassin, l'indication d'un livre intitulé *De anima annihilata*, "en lequel sont écrits les secrets les plus secrets de Dieu, et tous les secrets du servant de l'amour y sont contenus." Il s'agit certainement d'un manuscrit du *Miroir* intitulé *Speculum animarum simplicium alias Anima adnihilata*, actuellement au Vatican, dont la copie fut terminée en 1521 à Subiaco, monastère bénédictin épris de mystique rhénane. Le manuscrit du Mont Cassin est lui-même tout imprégné de l'esprit du *Miroir*, et il semblerait qu'un groupe de mystiques liés à sainte Catherine de Gênes en avaient fait leur nourriture spirituelle. Sa publication avait d'ailleurs été projetée, mais une note marginale postérieure indique la désapprobation de la censure, ce qui dut faire renoncer au projet.

En France, Jean Gerson, chancelier de l'Université de Paris de 1395 à 1425, eut sous les yeux un livre sur l'amour de Dieu écrit par une certaine Marie de Valenciennes. La mention de Valenciennes, la ville de Marguerite, où son livre fut brûlé pour la première fois, ainsi que la description de l'ouvrage donnée par Gerson ont amené les critiques les plus sérieux à admettre qu'il s'agit du *Miroir des simples âmes* – le prénom Marie pouvant s'expliquer par une erreur du copiste. Tout en reconnaissant qu'il s'agit d'"un livre d'une incroyable subtilité", Gerson met le lecteur en garde contre lui[9]. Mais un siècle plus tard le *Miroir* trouvera un défenseur non moins célèbre que ce censeur en la personne de Marguerite de Navarre – la sœur unique et chérie de François premier – qui était en rapport d'amitié avec le couvent de la Madeleine, à Orléans, dont provient la seule copie accessible de la version originale du *Miroir* en vieux-français, actuellement à Chantilly. Ce couvent joua au quinzième siècle, époque où fut faite cette copie, un rôle important dans la réforme de la fameuse abbaye de Fontevrault. C'est dans cette famille d'âmes que la reine-poétesse a trouvé l'une des inspirations les plus profondes de sa mystique, et c'est elle qui nous propose la meilleure introduction au livre de la première Marguerite [10].

LE MIROIR DES SIMPLES AMES ANEANTIES

C'est dans ses *Prisons*, écrites dans les dernières années de sa vie, que Marguerite de Navarre mentionne le *Miroir des Simples Ames* parmi les livres "qui suivent sans nul si l'intention de la Bible sacrée" :

> Mais entre tous j'en vis un d'une femme,
> Depuis cent ans écrit, rempli de flamme
> De charité, si très ardentement
> Que rien qu'amour n'était son argument,
> Commencement et fin de son parler.

[...]

> Oh qu'elle était, cette femme, attentive
> A recevoir cet amour qui brûlait
> Son cœur et ceux auxquels elle parlait !
> Bien connaissait par cet esprit subtil
> Le vrai ami qu'elle nommait Gentil

[...]

> Et son Loin Près. Oh que c'est bien nommer
> Celui qui doit par sus tout être aimé !

[...]

Il est Gentil, et par sa gentillesse
Gentille fait et pleine de noblesse
L'âme charnelle ...
Car de noblesse il ne perd un seul point
En la donnant où n'y en avait point,
Mais anoblit par gentillesse l'âme
Que de vilaine il fait devenir dame. [11]

On remarquera que c'est la subtilité d'esprit de l'auteur qui a frappé tant la reine Marguerite que le chancelier Gerson. Ils n'ont pas songé à lui reprocher, comme l'ont fait, depuis, de savants critiques, de ne pas avoir obéi à un principe rationnel de composition en écrivant son livre. Il s'agit en effet d'y montrer comme en un miroir la vérité spirituelle que Marguerite Porete veut enseigner, vérité supra-rationnelle qui d'elle-même, si elle est perçue, rendra l'âme simple. En éclairant tour à tour les diverses facettes de cette vérité, l'auteur cherche à faire progresser l'auditeur ou le lecteur dans la compréhension du thème central: l'affranchissement, c'est-à-dire la libération de l'âme, qu'elle obtient en s'anéantissant en Dieu par amour, et en étant par là même transformée en lui.

"Le mot (Miroir) comporte une très forte connotation visuelle et contient ... une invitation à se mirer pour se rapprocher d'une réalité admirée; ce qui est en cause ici, c'est la conception platonicienne, mais surtout chrétienne de la connaissance: c'est la contemplation et non l'action qui transforme et assimile à l'objet contemplé: 'Parce que nous verrons Dieu, nous lui serons semblables', dit saint Jean pour expliquer la béatitude des élus. Aussi le *Miroir des âmes simples* est-il aussi bien celui qui *rend l'âme simple*." [12]

Le thème de la libération est exprimé, comme chez nos autres béguines, dans la langue courtoise dont les schèmes littéraires et sociaux permettent de se faire entendre des lecteurs ou plutôt des auditeurs contemporains. En effet, le texte se présente sous la forme d'un jeu scénique entre personnages allégoriques qui sont à titre principal Ame et Dame Amour, entourées de Courtoisie et Entendement d'Amour, confrontées à Raison, à Entendement de Raison et aux Vertus. *Fine Amour*, l'amour idéalisé des troubadours, conduit ici, en sa transposition spirituelle, à Dame Amour qui représente un aspect de Dieu, ou plutôt Dieu lui-même en son essence :

"*Amour* : Je suis Dieu, car Amour est Dieu et Dieu est Amour, et cette Ame est Dieu par condition d'amour ; je suis Dieu par nature divine, et cette Ame l'est par la justice d'amour, si bien que ma précieuse amie est enseignée et conduite par moi sans elle-même, car elle est transformée en moi." [13]

Elle n'a plus besoin des normes extérieures de l'obéissance, qu'auparavant elle avait suivies de façon scrupuleuse, car elle est désormais entièrement passive sous la motion de la volonté divine, qui opère en elle "sans elle", c'est-à-dire sans que l'âme en prenne elle-même l'initiative. C'est ce que Marguerite appelle "se sauver de foi sans œuvre", en une formule aussi hardie que mal comprise, qui exprime le grand thème de la mystique rhéno-flamande, le *pâtir Dieu* :

"Et c'est là une œuvre de Dieu, car Dieu fait son œuvre en moi : je ne lui dois point d'œuvre, puisque lui-même opère en moi, et si j'y mettais du mien, je déferais son œuvre." [14]

Ame et Amour tentent d'expliquer ces hautes vérités à Raison. Ebahie et choquée devant les paradoxes qu'on lui propose, elle finit par en mourir dans la mise en scène théâtrale du texte. Elle laisse ainsi place à une plus haute compréhension de Dieu, tandis que, parallèlement, l'Ame donne congé aux Vertus pour s'élever au-dessus d'elles dans la souveraine liberté de l'Amour.

Citons, au sujet de l'expression que Marguerite a su donner du combat spirituel de l'âme jusqu'à sa pacification dans l'abandon, l'analyse de Peter Dronke qui a souligné l'incomparable originalité du *Miroir* en tant que construction imaginaire et expression de la conscience de soi :

"Les passages lyriques et quasi dramatiques sont intégrés à l'ensemble de la composition. Dans ses dialogues longs et complexes, Marguerite ne se passe jamais de transitions narratives – en cela elle est plus proche, par exemple, de Raymond Lulle que de Mechthilde. Pourtant, comme dans la *Lumière ruisselante* de Mechthilde, une tension dramatique spontanée peut naître des échanges et des conflits entre les projections que fait Marguerite des forces intérieures et des forces célestes, et parmi elles (ici encore comme chez Mechthilde), c'est Dame Amour qui dirige. Une autre similitude réside en ce que nous pourrions appeler le continuum lyrique qui, dans le *Miroir* comme dans la *Lumière ruisselante*, passe de la prose rythmée ... à des passages rimés plus soutenus et jusqu'à des formes entièrement poétiques."[15]

Le thème du Prologue paraît emprunté au fameux ouvrage d'Alexandre de Bernay, écrit au treizième siècle, qui influença énormément la littérature courtoise de l'époque : le *Roman d'Alexandre*, dont l'origine remonte à un auteur grec du deuxième siècle, le pseudo-Callisthène. Ce thème légendaire avait déjà été chanté par les troubadours dès le début du douzième siècle. Chez Marguerite, la munificence de ce monarque oriental symbolise la gratuité de l'amour divin. Ainsi que l'indique le titre complet du manuscrit de Chantilly, *Le Miroir des Simples Ames Anéanties et qui seulement demeurent en Vouloir et Désir d'Amour*, le chevalier – en l'occurrence l'Ame affranchie – abandonne tout pour servir sa dame, Amour, sans attendre aucune récompense sauf ce qu'elle voudra lui donner d'elle-même, c'est-à-dire l'Amour, en sa grande courtoisie. (Courtoisie, *curialitas* dans les versions latines, signifie la qualité de l'homme – ou de la femme – de cour).

"Si la courtoisie caractérise encore un art de vivre fait de politesse et générosité chevaleresques (celle-là même prêtée à Alexandre le Grand), elle indique alors surtout une volonté de poursuivre jusqu'au bout, théoriquement et pratiquement, la plénitude de l'expérience amoureuse. La *Fine Amour* est de ce fait l'objet propre de la recherche courtoise et le *Miroir* qualifie régulièrement l'âme simple et anéantie comme celle qui *"Fine Amour demande"*. Dans la première littérature courtoise, celle des troubadours de langue d'oc, Fine Amour est le fruit de la fidélité intrépide de l'amant dans toutes les épreuves imposées par sa dame ... et sa caractéristique propre est la Joie, enthousiasme conquérant en même temps que sentiment lié à la possession complète de l'objet aimé. Dans la courtoisie du Nord dont hérite le *Miroir*, ces notions se spiritualisent et s'intériorisent, mais sans rien perdre de leur force ..."[16]

"*Amour*: Cette Ame nage en la mer de Joie, c'est-à-dire en la mer des délices qui flue et s'écoule de la Divinité, et ainsi elle ne ressent aucune joie, et ainsi elle nage et flue en joie sans ressentir aucune joie, car elle demeure en Joie et Joie demeure en elle; elle est joie elle-même par la force de Joie qui l'a transformée en elle.

Il y a maintenant un vouloir commun, le vouloir de l'amant et celui de l'amie, ils sont comme feu et flamme, car Amour a transformé cette Ame en lui.

Ame: Ah, très douce, pure et divine Amour, quelle douce transformation que d'être transformée en ce que j'aime mieux que moi. Et je suis si transformée que j'ai perdu mon nom pour aimer, moi qui puis si peu aimer; c'est en Amour que je suis transformée, car je n'aime rien qu'Amour." [17]

Cette transformation a lieu lorsque l'âme est totalement désencombrée d'elle-même, elle retrouve alors son être essentiel ou originel qui est participation de Dieu. Tel est le grand thème du retour célébré par Marguerite en des expressions frappantes dont on retrouve l'équivalent chez nos autres béguines comme chez Maître Eckhart:

"*Amour*: celui-là a la paix qui demeure en rien vouloir, là où il était avant qu'il eût le vouloir.

(*Volonté désobéissante*): je ne puis être ce que je dois être jusqu'à ce que je sois de nouveau là où je fus, en ce point où je fus avant de sortir de Lui aussi nue qu'est Celui qui est; aussi nue que j'étais quand j'étais (celle) qui n'était pas. Et il me faut avoir cela si je veux ravoir ce qui à moi, autrement je ne l'aurai pas." [18]

"*Amour*: elle est ornée de cette paix de l'au-delà en laquelle elle vit, et dure, et est, et fut, et sera sans être (propre). Car ainsi que le fer est revêtu du feu et a perdu son apparence (propre) parce que le feu est le plus fort et l'a transformé en lui; ainsi cette Ame est revêtue de ce "plus", nourrie et transformée en ce "plus", pour l'amour de ce "plus", sans tenir compte du "moins" (qu'elle est), et transformée en ce "plus" d'éternelle paix de l'au-delà, sans qu'on ne la trouve."[19]

Ayant abandonné son être propre, le "moins", elle est transformée en l'être de Dieu, le "plus", c'est pourquoi on ne peut plus la trouver. Elle a perdu, avec son nom, son identité individuelle, comme la rivière retournée à la mer.

La condition de cet anéantissement est l'abolition de la volonté ou du désir individuel. C'est le concept central du *Miroir*: l'âme ne veut plus rien afin d'être capable de vouloir exclusivement le vouloir divin. Tel est "le droit chemin royal par le pays du rien vouloir" que Damoiselle Connaissance, illuminée par la grâce divine, enseigne aux "marris", ou du moins à ceux d'entre eux qui cherchent ce chemin. Comme le dit Marylin Doiron, dans son édition de la version du *Miroir* en moyen anglais, "la vie 'marrie' est une vie empêchée ou arrêtée dans les premiers stades par attachement à une recherche égocentrique des vertus. Quoiqu'elle soit en danger de ne jamais dépasser cet état, il est possible à l'âme 'marrie' de s'élever à un plus haut degré de perfection."[20] Elle peut y arriver par la connaissance de soi, grâce à laquelle l'âme comprend enfin qu'elle est "l'abîme de toute pauvreté"[21], et "se voit au-dessous de toutes les créatures, en une mer de péché." "Réduite à néant et moins que néant"[22], elle saisit que seul Dieu est, tandis qu'elle-même n'est pas. C'est alors seulement que la volonté divine peut opérer en elle "sans elle", c'est-à-dire sans sa propre intervention égocentrique. Il ne s'agit nullement de quiétisme, pas plus que chez nos autres mystiques. Mais désormais l'initiative appartient à un Autre. D'ailleurs Marguerite fait à ce propos une déclaration qui s'accorde parfaitement avec la doctrine orientale du non agir: "De telles gens gouvernaient un pays s'il en était besoin, mais tout s'y ferait sans eux."[23] (Cela est affirmé des âmes qui, étant parvenues au cinquième état – la conscience que seul Dieu est réellement – ont déjà des touches du sixième: un "éclair" du Loin Près, la gloire proprement dite étant réservée au septième état, après la mort corporelle). Ce non agir et non désir n'empêche d'ailleurs pas l'Ame, au grand étonnement de Raison, de formuler des demandes à un niveau supra-conscient: c'est "la nature divine de l'attirance de son amour qui forme en elle ses demandes sans qu'elle le sache, et ses demandes sont par-delà les frontières de tout pays en lequel une créature peut posséder la connaissance."[24]

Le non vouloir est, comme chez Eckhart, la clé du non avoir et du non savoir, celle du "rien penser du proche Loin Près."[25] Car, au-dessus de la connaissance rationnelle comme du désir égotiste, Dieu n'est plus "ni connu, ni aimé, ni loué." Il ne saurait l'être au sens habituel et humain de ces termes, puisque sa transcendance l'interdit, et l'amour de Marguerite est fondé sur ce "plus" :

> "Il y a un bien long chemin du pays des Vertus, où se tiennent les 'marris', à celui des oubliés, nus, anéantis ou des glorifiés, qui sont en l'état le plus haut, là où Dieu est abandonné par lui-même en lui-même. Il n'est alors ni connu, ni aimé, ni loué par ces créatures, sinon de ce qu'on ne peut ni le connaître, ni l'aimer, ni le louer. C'est la somme de tout leur amour et la dernière étape de leur chemin."[26]

Pour atteindre à cet état ou être il a fallu d'abord suivre la Raison et les Vertus, et nourrir ces dernières "jusqu'à la gorge", avant de pouvoir dire avec Augustin : "Aime et fais ce que veux."[27] Il a fallu dépasser le savoir dogmatique que Marguerite est loin d'avoir ignoré. Ce n'est pas sans raison que dans certains manuscrits elle est désignée comme une "béguine clergeresse" ou comme étant "en clergerie moult suffisant".

"On est, en effet, étonné de la place qui tiennent dans le *Miroir* les formules dogmatiques. Un chapitre entier en paraphrase le symbole de Nicée et de Constantinople ... Non moins orthodoxes paraissent la formule très dense : 'Il est, qui est ; pour ce est-il ce qu'il est de lui : amant, aimé, amour' (chap. 113) et l'heureuse transposition du dogme en mystique trinitaire ... Nombreuses sont aussi les références au mystère de l'Incarnation et à celui de la Rédemption, qui en est présenté comme l'unique fin ... Il arrive même à Marguerite de devancer un mouvement fameux du *Mystère de Jésus* : 'Si personne d'autre n'avait péché que moi toute seule, vous auriez quand même racheté mon âme détournée de votre amour en montant tout nu sur la croix pour moi, et en usant de votre puissance ordonnée pour détruire le péché. Ainsi, Seigneur, tout ce que vous avez souffert en votre douce humanité, vous l'avez souffert pour moi, comme si personne d'autre n'avait péché que moi seule.'"[28]

Ce sont le plus souvent des auteurs protestants qui ont commencé par mettre en doute l'hétérodoxie de Marguerite Porete, mais on trouve aussi des théologiens catholiques à leurs côtés, pour ne citer que Dom Porion ainsi que, plus récemment, l'Abbé Max Huot de Longchamp et le Père Paul Verdeyen. Ce dernier estime que "le caractère hérétique de son écrit et pour le moins discutable."[29]

D'ailleurs Marguerite a multiplié les explications qui auraient dû éclairer le lecteur de bonne foi et possédant une modestie suffisante. "Faute de cette modestie, qui autorise pourtant tout homme raisonnable à lire le *Miroir* sans en partager obligatoirement l'expérience, les tribunaux de l'Inquisition enverront notre texte et son auteur au bûcher."[30]

Le dogme n'est pas aboli chez Marguerite, pas plus que chez nos autres mystiques, c'est pour elle une structure de pensée indispensable, dont sa méditation et son expérience lui permettent d'atteindre une signification plus profonde. On remarquera que cet approfondissement n'a rien d'original à proprement parler, mais se situe toujours dans une ligne traditionnelle, celle des Pères Grecs et de Guillaume de Saint-Thierry, comme par exemple l'interprétation ontologique de l'union à Dieu. Ce qui a paru suspect à l'Inquisition, plus encore que ce dernier point, est assurément l'indifférence aux pratiques extérieures – l'Ame affranchie ne désire ni ne fuit messes et sermons – ou aux événements extérieurs, même d'ordre religieux : elle ne se soucie ni du Paradis ni de l'Enfer, puisque, participant de Dieu, elle est par là même en Paradis qui "n'est autre chose que de voir Dieu."[31]

En fin de compte, l'institution ecclésiastique s'est sentie en danger surtout devant la revendication, pensée et vécue – et qui pis est, exprimée en langue vulgaire – de l'essentielle liberté de l'âme. C'est ce qui explique sans doute qu'on ait pu confondre cette revendication avec celles de la secte du Libre Esprit. Car, comme celui de la pauvreté dont il est indissociable, le thème de la liberté fut au cœur de la véritable révolution religieuse qui parcourut l'Occident à partir du treizième siècle et que les représentants officiels de l'Eglise cherchèrent trop souvent à étouffer par les moyens que l'on sait.

"... ce qui pénétra dans la pratique religieuse et secoua l'ordre ecclésial et moral fut l'esprit de liberté et ses conséquences. Les condamnations de l'Eglise contre les béghards et les béguines, ainsi que les huit points ... du Concile de Vienne, étaient presqu'entièrement dirigés contre ce concept de liberté, et l'on peut dire la même chose, de façon un peu moins exclusive, pour les propositions incriminées de Maître Eckhart. Il n'est donc pas étonnant que les Inquisiteurs de Marguerite aient rejeté cette doctrine. Le point cardinal est cité dès le premier article: Que l'âme anéantie donne congé aux vertus et n'est plus à leur service car elle n'en fait pas usage, mais les vertus obéissent à sa volonté." [32]

Il est vrai qu'en particulier dans les chapitres six et huit du *Miroir*, Marguerite donne joyeusement congé aux Vertus [33]. Pourtant elle insiste souvent en de façon fort explicite sur le fait qu'il faut d'abord passer par les vertus avant de pouvoir les dépasser. La vie vertueuse correspond au second des sept états ou êtres de grâce décrits par Marguerite. Les premiers états, jusqu'au troisième et quatrième qui sont ceux des "marris", ne l'intéressent plus guère, sauf pour appeler ceux qui sont capables de comprendre et désirer fine Amour à en sortir. Ce dont elle parle en revanche avec prédilection, c'est de l'expérience qui constitue l'âme dans l'état ou être d'"aveugle vie anéantie", fait à la fois de détachement – "mort de l'esprit" – et d'une compréhension à laquelle ne peuvent parvenir ni Raison, ni Philosophie, ni même Théologie [34]. On y parvient en un instant ou "moment d'heure", grâce à cet "éclair" du noble Loin Près qui caractérise le sixième état, de "vie anéantie illuminée" [35]. Au lieu de spéculer sur l'être, il s'agit en effet de l'expérimenter en un pâtir qui s'explique par la structure métaphysique des deux partenaires, puisqu'"Il est ... et je ne suis pas." [36] Alors le "moins" de l'âme, c'est-à-dire ce qu'elle est en son être propre et créé laisse place au "plus" de Dieu, c'est-à-dire au dépassement ou à la transcendance de l'être incréé [37]. "Pensée n'a alors plus en elle seigneurie ... C'est l'accomplissement de son pèlerinage", au terme duquel "son vouloir est remis en elle" parce qu'elle ne fait plus de ce vouloir un usage égoïste. [38] Arrivée au plus haut, l'âme se réjouit de ne jamais pouvoir saisir toute la richesse de son Amant, mais d'y participer de façon en quelque sorte négative. On reconnaît, en cette bienheureuse ignorance, l'un des grands thèmes de la mystique rhéno-flamande, inspiré de la distinction proclusienne, reprise par Denys, entre le Dieu totalement transcendant et le Dieu participé.

A ceux qui aiment "sans pourquoi", Marguerite oppose "ceux qui attendent de gros revenus du rendement de l'amour."[39] L'opposition entre le noble et le vilain exprime dans le *Miroir* celle des âmes intéressées et des âmes qui "fine Amour demandent". On se souvient qu'Eckhart, dans ses *Sermons allemands*, fait la même distiction entre ceux qui ont compris le pur détachement et ceux qui se sauvent de façon extérieure et égoïste. Comme lui, et plus que lui peut-être, Marguerite multiplie les expressions de mépris pour désigner ces derniers, qu'elle appelle ânes ou moutons : "chercheurs de Paradis terrestres", "ils se sauvent de façon bien peu courtoise."[40]

Cette hiérarchie des voies du salut n'a partie liée avec aucun des corps constitués ; les "vilains de cœur", les "petits esprits", les "marchands", les "ânes", les "moutons" sont pour elle aussi bien les clercs de l'Université de Paris qui la condamnèrent que ceux des Ordres réguliers qui la méconnurent, jusqu'aux béguines elles-mêmes dont elle dut affronter l'incompréhension :

"Ami, que vont dire béguines et gens de religion
En entendant l'excellence de votre divine chanson ?
Les béguines disent que je m'égare,
Ainsi font les prêtres, les clercs et les Prêcheurs,
Les Augustins, les Carmes et les Frères mineurs,
A cause de ce que j'écris sur l'être de la Fine Amour.
Ce qu'ils me disent là ne sauve pas leur Raison :
Certes Désir, Vouloir et Crainte leur ôtent la connaissance
Et la richesse et l'union que donne la haute lumière
Ardente de l'Amour divine."[41]

Ces vers nous aident à comprendre pourquoi Marguerite répète souvent qu'elle n'a écrit son livre que pour ceux qui pourront comprendre le dépouillement du "nient vouloir", non pour ceux à qui cette comprehension est fermée, ou plutôt qui s'y ferment. Certains critiques ont parlé d'ésotérisme à ce sujet, sans toujours voir que c'est exlusivement celui du désencombrement spirituel qui comporte, il est vrai, un rigoureux *numerus clausus* – de fait sinon de droit. C'est en ce sens que Marguerite, à la suite des auteurs les plus orthodoxes, parle de la "glose" ou signification cachée des Ecritures[42], et qu'avec son habituel esprit de répartie elle fait observer que ceux qui n'ont rien à cacher n'ont rien à montrer non plus[43].

On a déjà signalé la profonde logique qui accorde sa vie à ses écrits dans son refus de paraître devant le for ecclésiastique et de se rétracter par peur du bûcher. Ce souci de logique vécue l'a conduite à expliquer la contradiction, propre aux auteurs mystiques, entre l'impossibilité de rien dire de Dieu et le fait d'écrire profusément à son sujet. Elle spécifie bien qu'écrire son livre fut pour elle une nécessité d'avant la libération, au temps où elle faisait encore partie des "marris":

> "Certes, il convient de le faire avant que l'on vienne en tout point à l'état de franchise, j'en suis tout à fait certaine. Et pourtant, dit l'Ame qui écrivit le livre, j'étais si sotte au temps où je le fis, ou plutôt où Amour le fit pour moi et à ma requête, que j'attachais du prix à quelque chose qu'on ne pouvait ni faire, ni penser, ni dire : comme si l'on voulait enfermer la mer dans son œil, porter le monde sur la pointe d'un jonc ou illuminer le soleil avec une lanterne ou une torche. Oui, j'étais encore plus sotte que celui
> qui voudrait faire cela
> Lorsque j'attachais du prix à ce qu'on ne pouvait dire
> Et que je m'encombrais de ces mots à écrire.
> Mais ainsi pris-je ma course
> Et ce fut ma rescousse
> Pour parvenir au plus haut échelon
> De l'état dont nous parlons
> Qui est en perfection
> Lorsque l'Ame demeure en pur néant et sans pensée,
> et pas avant[44].

Nous avons ici, avec la Chanson de l'Ame qui en est la conclusion réelle, l'un des rares passages autobiographiques du *Miroir*[45]. Ce que Marguerite y livre de sa vie n'est là, on le voit, que pour nous éclairer sur la situation de l'Ame humaine, fourvoyée loin de son Origine et se débattant en vain pour la retrouver jusqu'au moment où, grâce à la connaissance de soi, elle abandonne enfin ce "moins" qu'elle est en son être propre par un anéantissement qui la constitue en l'être seul véritable de Dieu-Amour. En dépit de l' "élitisme" que certains lui reprochent – et qui se borne à constater lucidement l'égocentrisme du comportement humain jusque dans la recherche spirituelle – , le thème de *Jedermann* n'est pas loin, quoiqu'il soit exprimé dans le langage ontologique des Pères grecs combiné avec celui de l'amour courtois. Ce n'est pas sans raison que, malgré tant de persécutions, le *Miroir* a franchi si aisément toutes les barrières linguistiques dans l'Europe du moyen âge et de la Renaissance : ce succès paraît dû certes à la qualité d'une expérience "hors du commun" et à la façon simple et savante dont Marguerite a su en donner une approche maïeutique, mais aussi, croyons-nous, à l'universalité de droit qui ouvre le chemin royal du rien vouloir à ceux qui le cherchent réellement. Nous osons souhaiter qu'en dépit de sa forme médiévale puisse se renouveler de nos jours le succès de ce livre en lequel on commence enfin à reconnaître une œuvre spirituelle majeure de la littérature française.

E. Z.

NOTES

1. Romana Guarnieri, "Lo 'Specchio delle anime semplici' e Margherita Poirrette", dans l'*Osservatore Romano*, 16 juin 1946, p. 3. Toute recherche sur le *Miroir* et son auteur doit prendre en compte l'ouvrage considérable de Romana GUARNIERI, *Il Movimento del Libero Spirito. Testi e Documenti*, Edizioni di Storia e letteratura, Roma, 1965 (*Archivio Italiano per la Storia della Pietà*, IV, 23), p. 363-708. Texte du *Miroir* d'après le manuscrit de Chantilly, p. 513-635. L'article sus-mentionné de l'*Osservatore Romano* constitue l'Appendice 6, p. 661-663. Nous donnons les références au *Miroir* d'après l'édition GUARNIERI et d'après la traduction en français moderne de Max HUOT DE LONGCHAMP: *Marguerite Porete, Le Miroir des Ames simples et Anéanties, Introduction, Traduction et Notes*, Albin Michel, 1984. Editions citées désormais GUARNIERI et LONGCHAMP pour le texte et la traduction du *Miroir*. Le texte établi par R. Guarnieri se trouve également, en regard du texte latin du *Miroir*, dans l'édition de P. VERDEYEN, *Margaretae Porete, Speculum Simplicium Animarum*, CCCM, LXIX, 1986.

2. Il est significatif que les actes du procès de Marguerite aient été conservés par les ministres de Philippe le Bel: Guillaume de Nogaret et Guillaume de Plaisians. Ces actes se trouvent maintenant dans les *Layettes du Trésor des Chartes*, Paris, 1863-1909, t. 2. Ils ont été publiés en partie par Charles LEA, *A History of the Inquisition of the Middle Ages*, New York, 1888; repr. New York, 1955, t. 2, p. 575-578 et reproduits sans corrections dans Paul FREDERICQ, *Corpus documentorum inquisitionis haereticae pravitatis Neerlandicae*, t. 1, Ghent, 1889, p. 155-160 et t. 2, Ghent, 1896, p. 63-65. Curieusement, une partie des documents a été négligée par Charles-Victor Langlois, qui écrivit un court article sur Marguerite en 1894, et dans la critique qu'en fit soit H.S. Denifle, soit son aide E. Châtelain dans leur *Chartularium universitatis Parisiensis*, Paris, 1889-1897, t. 3, p. 660-661, ils ne mentionnèrent pas les documents ignorés par Langlois. On en trouvera la liste complète dans l'étude de R.E. LERNER, "An *Angel of Philadelphia* in the Reign of Philip the Fair: The Case of Guiard of Cressonessart", dans *Order and Innovation in the Middle Ages, Essays in Honor of Joseph Strayer*, Princeton, 1976, p. 343-364 et 529-539. Voir sur tout cela l'excellente mise au point de P. VERDEYEN, "Le Procès d'Inquisition contre Marguerite Porete et Guiard de Cressonessart (1309-1310)", *Revue d'Histoire ecclésiastique*, t. 81, 1986, p. 47-94. On espère que l'auteur publiera bientôt le dossier complet des pièces d'accusation, comme il semble le promettre.

3. "*om hare gerechte minne*", dans la *Liste des parfaits* éditée à la suite de la *Vision* 14, *De visioenen van Hadewijch*, éd. J. VAN MIERLO, Leuven, 1924, p. 189, cité à propos de Marguerite par K. RUH, "Beginnenmystik. Hadewijch, Mechthild von Magdeburg, Marguerite Porete", dans *Zeitschrift für deutsches Altertum und deutsche Literatur*, t. 106, 1977, p. 268.

4. GUARNIERI, *Il Movimento del Libero Spirito*, p. 638. Voir le texte p. 199.

5. *Miroir*, chap. 85, GUARNIERI, p. 586; LONGCHAMP, p. 157. Il vaut la peine de citer ici une remarque de Huot de Longchamp sur le sens réel du refus de Marguerite à comparaître devant le tribunal de l'Inquisition: "... le résultat sera de nouvelles

dénonciations et un nouveau procès diocésain, alors que l'évêque de Cambrai est maintenant Philippe de Marigny, âme damnée de Philippe le Bel, l'un de ses complices dans la persécution des templiers; l'instance judiciaire supérieure conduisit Marguerite Porete devant l'Inquisition de Haute Lorraine, et de là devant l'Inquisition de Paris, aux mains de Guillaume de Paris, parfaitement compromis lui aussi dans la lutte contre les templiers. C'est face à ces bourreaux qu'il faut évaluer l'attitude de la prisonnière: refus de prêter un serment de loyauté – préalable à l'instruction du procès – qui aurait fait d'elle la collaboratrice d'un appareil inique; refus, ensuite, d'en recevoir l'absolution pour des fautes qu'elle retenait ne point avoir commises. Il est clair qu'on ne peut pas purement et simplement identifier ce double refus à celui de l'institution ecclésiale comme telle et de ses sacrements." LONGCHAMP, *Introduction*, p. 25-26.

6. *Miroir*, chap. 43 et 66, GUARNIERI, p. 555 et 571; LONGCHAMP, p. 107 et 133. Il ne s'agit pas nécessairement d'une thèse gnostique, comme l'avaient pensé initialement Edmund COLLEDGE et Romana GUARNIERI, dans "The Glosses by 'M.N.' and Richard Methley to the 'Mirror of Simple Souls'" (*Archivio Italiano per la Storia della Pieta*, t. 5), p. 357-382. *An Appendix to Margaret Porete, "The Mirror of Simple Souls". A Middle English Translation*, ed. by M. DOIRON, Roma, Edizioni di Storia e Letteratura, 1968. Cette thèse consiste à opposer de façon radicale l'institution humaine et légaliste de la Petite Eglise à la Grande Eglise dont ne font partie que ceux qui sont sauvés par la gnose. Mais on ne peut assumer, comme l'ont fait les inquisiteurs, que Marguerite enseignerait, à l'instar des gnostiques valentiniens, que cette Petite Eglise est mauvaise dans le principe même de sa création, en vertu de la malignité inhérente à la matière. On ne saurait oublier en effet que, dans les premiers siècles chrétiens, on trouve cette distinction entre les deux Eglises chez les auteurs orthodoxes qui ne lui attribuent pas la même signification. Elle est présente chez Denys l'Aréopagite qui l'explicite dans la *Hiérarchie Céleste*: il distingue entre le message que le Christ enseigne à ses disciples, qui sont des initiés, et celui que reçoit la foule, comparée, selon *Mt* 7, 6, aux porcs auxquels il ne faut pas jeter les perles. "Même auparavant, la 'Discipline du Secret' avait ainsi discerné les ésotériques des exotériques, et dans les vues de Marguerite sur les deux Eglises, il peut n'y avoir rien d'autre que cette ancienne et honorable tradition." E. COLLEDGE and J.C. MARLER, "'Poverty of the Will': Ruusbroec, Eckhart and the *Mirror of Simple Souls*", dans *Jan van Ruusbroec. The Sources, content and sequels of his mysticism* dans *Mediaevalia lovaniensia*. Series I / Studia XV, 1984, p. 35. Cf. DENYS, *La Hiérarchie Céleste*, PG 3, II, 2 - II, 5, trad. M. de Gandillac, Paris, 1958, p. 76-87.

7. Ces six versions comprennent:

1. Le texte en vieux-français dans le Ms Condé F XIV 26 à Chantilly. 2. Une traduction latine de la version originale, faite au XIVᵉ siècle. 3 et 4. Deux traductions italiennes de cette version latine, faite au XIVᵉ siècle. 5. Une version en moyen anglais, datant du milieu ou de la fin du XIVᵉ siècle. 6. Cette dernière version elle-même traduite en latin par Richard Methley. Pour la description des manuscrits, voir GUARNIERI, p. 501-509. Signalons la découverte très importante d'un cinquième manuscrit latin par le P. Verdeyen à la Bibliothèque vaticane, le Chigiano B IV 41, manuscrit contenant le texte de la première version latine, écrit avant 1310. Il a

collationné les divers manuscrits latins dans le but de retrouver autant que possible le texte original du *Miroir*. En effet, la version latine est antérieure à celle, en moyen français, du manuscrit de Chantilly. C'est pourquoi cette édition – bilingue on l'a dit – contribue à une meilleure compréhension du texte moyen français qui pose par endroits de sérieux problèmes. Voir P. VERDEYEN, *Margaretae Porete, Speculum Simplicium Animarum*, CCCM, LXIX, p. V-XIV.

8. LONGCHAMP, *Introduction*, p. 26-28.

9. *De distinctione verarum revelationum a falsis* dans J. GERSON, *Œuvres complètes*, éd. GLORIEUX, t. 3, *L'œuvre magistrale*, Tournai, 1962, p. 51-52.

10. Sur tout cela voir GUARNIERI, *Il Movimento del Libero Spirito*, p. 353-499.

11. MARGUERITE DE NAVARRE, *Les Prisons*. Ed. et comm. par S. GLASSON, Genève, 1978, p. 179-180. L'expression Loing Près "est une personnification du *ludus amoris*, le *Minnespêl*, le *va et vient* entre l'Ame et son amant divin. Les auteurs qui ont utilisé cette expression insistent, à la suite de Hugues de Saint-Victor, sur le fait qu'il s'agit d'une nécessaire et déplorable conséquence de la condition humaine. Le fait qu'au chapitre 61 l'"époux de l'Ame" dise : 'Je vous ay par mon Loingprès les arrhes envoyées" démontre en toute certitude que Marguerite s'est inspirée de l'ouvrage de Hugues intitulé *De arrha animae* ... Loing Près est un exemple indubitable – mais il y en a d'autres – d'un équivalent français inventé par Marguerite pour une notion ou un terme déjà courants dans les Pays-Bas et dans la littérature rhénane de la *Minne* christianisée, c'est-à-dire de l'amour courtois. 'Loingprès' est sa traduction du 'Verre bi' ... Cela soulève tout le problème de la transmission, non encore suffisamment exploré." E. COLLEDGE and C. MARLER, "'Poverty of the Will' : Ruusbroec, Eckhart and the *Mirror of Simple Souls*", dans *Jan van Ruusbroec. The sources, content and sequels of his mysticism*, dans *Mediaevalia lovaniensa*. Series I, Studia XV, Leuven, 1984, p. 39-40.

12. LONGCHAMP, *Introduction*, p. 16. "Le miroir renvoie sa propre image à l'homme qui s'y regarde ... le miroir évoque ainsi la connaissance de soi, avec l'idée d'une purification, d'une assimilation à un idéal moral ... D'autre part, le latin *speculum* désigne au sens dérivé toute peinture ou représentation ; il signifie alors *tableau, portrait*, voire description. Le 'miroir' devient ainsi moyen de connaissance et apporte un enseignement soit purement informatif, soit normatif. Ce sens dérivé a donné lieu, durant le moyen âge et au-delà, à une abondante série de *Specula*." Margot SCHMIDT, article *Miroir* dans le *Dictionnaire de Spiritualité*, t. 10, 1979, p. 1290-1291.

13. *Miroir*, chap. 21, GUARNIERI, p. 541 ; LONGCHAMP, p. 83. Dans notre traduction, nous gardons le féminin pour Dame Amour, comme nous l'avons déjà fait pour les textes de Mechthilde, sauf dans les rares cas où Amour est au masculin dans le texte.

14. *Miroir*, chap. 84, GUARNIERI, p. 586 ; LONGCHAMP, p. 157.

15. P. DRONKE, *Women Writers of the Middle Ages. A Critical Study of Texts from Perpetua (203) to Marguerite Porete (1310)*, Cambridge, 1984, p. 218.

16. LONGCHAMP, *Introduction*, p. 24. "Sa langue est le français, mais une lecture attentive du *Miroir* remarque de nombreux flandricismes, indices d'une frontière linguistiquement voisine. Son excellente connaissance de la mystique flamande

contemporaine invite d'ailleurs à penser qu'elle savait sans doute en partager la langue." *Ibid.* p. 22.

17. *Miroir*, chap. 28, GUARNIERI, p. 545; LONGCHAMP, p. 89-90.
18. *Miroir*, chap. 111, GUARNIERI, p. 605; LONGCHAMP, p. 187-188.
19. *Miroir*, chap. 52, GUARNIERI, p. 561; LONGCHAMP, p. 117.
20. *Miroir*, chap. 57, GUARNIERI, p. 565; LONGCHAMP, p. 123. *Margaret Porete, "The Mirror of Simple Souls". A Middle English Translation*, ed. M. DOIRON, Roma, 1968 (*Archivio Italiano per la Storia della Pietà*, t. 5), p. 297, note aux lignes 10-11. Nous laissons le mot *marri* en vieux-français, généralement encore compris de nos jours, faute d'un bon équivalent moderne. Il correspond à la *tristitia* de saint Bernard, qui emploie d'ailleurs dans le même sens le terme *amarus*, appartenant à la famille du verbe *amarare* dont dérive certainement le mot *marri*: "Quiconque, parmi nous, a retrouvé la libre respiration de l'espérance après les tristesses et les larmes des commencements de la conversion (*post illa amara et lacrimosa conversationis suae primordia*) a connu la joie de s'élever sur les ailes de la grâce vers un ciel d'infinies consolations." *Sermones super Cantica Canticorum*, 37, 4, dans *Sancti Bernardi Opera*, ed. J. Leclercq, C.H. Talbot, H.M. Rochais, Rome, 1957-1958, t. 2, p. 11. Texte qui nous a été signalé, avec d'autres, par Brigitte Saouma.
21. *Miroir*, chap. 38, GUARNIERI, p. 552; LONGCHAMP, p. 102.
22. *Miroir*, chap. 40, GUARNIERI, p. 554; LONGCHAMP, p. 104.
23. *Miroir*, chap. 58, GUARNIERI, p. 566; LONGCHAMP, p. 125.
24. *Miroir*, chap. 106, GUARNIERI, p. 601; LONGCHAMP, p. 181.
25. *Miroir*, chap. 84, GUARNIERI, p. 586; LONGCHAMP, p. 156.
26. *Miroir*, chap. 95, GUARNIERI, p. 594; LONGCHAMP, p. 169. "Si nous lisons son livre avec l'attention requise, nous voyons que 'ne rien vouloir, ne rien savoir, ne rien avoir' sont parmi les thèmes qui reviennent le plus fréquemment." E. COLLEDGE and J.C. MARLER, "'Poverty of the Will': Ruusbroec, Eckhart and *The Mirror of Simple Souls*", p. 36. Voir la comparaison avec le *Sermon allemand 52, Beati Pauperes Spiritu*, de Maître Eckhart, p. 16 sv., parmi toute une série de parallèles entre le *Miroir* et l'œuvre allemande d'Eckhart.
27. *Miroir*, chap. 13, GUARNIERI, p. 534; LONGCHAMP, p. 71, cf. AUGUSTIN, *In Epistola Iohannis ad Partos*, VII, 8. Trad. P. AGAESSE, *Saint Augustin, Commentaire de la Ire Epître de St. Jean*, Paris, Cerf, 1961, p. 329. "Mais je puis bien vous dire, dit cette Ame franche, qu'il faut, avant d'y parvenir, faire parfaitement le contraire de son vouloir, en nourrissant les Vertus jusqu'à la gorge ...", *Miroir*, chap. 90, GUARNIERI, p. 591; LONGCHAMP, p. 164.
28. J. ORCIBAL, "Le 'Miroir des simples âmes' et la 'secte' du libre Esprit", *Revue de l'histoire des religions*, 88, 1969, t. 176, p. 44-45. Cf. Blaise PASCAL, *Pensées et Opuscules*, éd. L. BRUNSCHWIG, Paris, Hachette, 1909, No 553, p. 574-578.
29. P. VERDEYEN, "Le procès d'Inquisition contre Marguerite Porete et Guiard de Cressonessart", p. 47.
30. LONGCHAMP, *Introduction*, p. 19. "... Là où Marguerite Porete parle du dépassement de la vertu et de la morale, ses juges lisent une opposition à la vertu; là où elle parle de l'union à Dieu, ils lisent une identification à Dieu; là où elle parle de paix intérieure, ils lisent un nihilisme pervers; là où elle parle d'adorer Dieu en esprit et

en vérité, ils comprennent reniement sacrilège des institutions chrétiennes. Aucune des mises en garde de Marguerite Porete elle-même n'aura servi, aucune de ses professions de foi catholique dans le *Miroir* (aux chapitres 14-15 par exemple), pas même ses affirmations les plus nettes sur *la nécessité pour l'homme de faire pour sa part tout ce qui relève de raison, la part d'amour étant celle de Dieu et de lui seul*: 'Je fais savoir à tous ceux qui entendront ce livre, qu'il nous faut reproduire en nous-mêmes autant que nous le pouvons – par de dévotes pensées, par les œuvres de perfection, par les exigences de Raison –, tout la vie que mena Jésus-Christ et qu'il nous prêcha ... Cela, il nous faut le faire pour avoir victoire sur nous-mêmes. Et si nous le faisions autant que nous le pourrions, nous parviendrions à le posséder tout en mettant hors de nous toutes les pensées, toutes les œuvres de perfection et toutes les exigences de Raison, car nous n'en aurions que faire: la divinité opérerait alors en nous, pour nous-mêmes et sans nous-mêmes, ses œuvres divines.' (chap. 113). Dans chaque condamnation, il est clair que ce que nous avons appelé plus haut le 'point de vue contemplatif' est en cause, et que les juges de Marguerite Porete n'envisagent, en fait de libération de la Loi, que le libertinisme immoral des sectes de l'époque, avalanche de messes noires, de sacrifices immondes et de fornication." *Ibid.* p. 26-27.

31. *Miroir*, chap. 97, GUARNIERI, p. 595; LONGCHAMP, p. 171.

32. Cf. *Miroir*, chap. 8, GUARNIERI, p. 526; LONGCHAMP, p. 59-60. K. RUH, "'Le Miroir des Simples Ames' der Marguerite Porete", *Verbum et Signum*, t. 2: *Beiträge zur mediävisten Bedeutungsforschung. Studien zu Semantik und Sinntradition im Mittelalter. Festschrift F. Ohly*, München, 1975, p. 378. (Il ne reste que trois des quinze propositions extraites du *Miroir* et condamnées par les docteurs de la Sorbonne. Voir le texte mis en parallèle avec des propositions similaires attribuées aux béghards et condamnées par le Concile de Vienne dans GUARNIERI, p. 416.). Si juste que nous paraisse l'analyse du professeur Kurt Ruh concernant le concept de liberté, il faut néanmoins signaler dans les lignes qui précèdent immédiatement celles que nous avons citées une erreur qui justifierait à elle seule l'accusation d'hérésie dont Marguerite fut victime, c'est pourquoi nous citons ici ce passage: "C'est avec la vie de l'*Ame franche* qu'on aborde l'aspect dogmatiquement le plus virulent du *Miroir*. Assurément l'égalité ontologique avec Dieu de l'âme "anéantie" – *je suis Dieu par nature divine* (541, 13) était déjà inorthodoxe ...". Ruh fonde ce qu'il appelle l'égalité ontologique de l'âme anéantie avec Dieu sur une citation effective du *Miroir*: *je suis Dieu par nature* (GUARNIERI, p. 541, l. 13). Mais cette parole est dite *par Amour*, c'est-à-dire *par Dieu lui-même*, tandis que l'âme n'est dite Dieu que *par condition d'amour* ou *justice d'amour*! Voir ces lignes du chapitre 51 du *Miroir* que nous avons citées intégralement plus haut, p. 182 et n. 13.

33. Voir plus loin, p. 209-210.

34. Voir plus loin, p. 207.

35. "Au commencement, cette Ame vécut de la vie de grâce, laquelle grâce est née en la mort du péché. Après elle vécut de la vie d'esprit, laquelle vie est née en la mort de la nature; et maintenant elle vit de la vie divine, laquelle vie divine est née en la mort de l'esprit. Cette Ame, qui vit de vie divine, est toujours sans elle-même [...] quand elle n'est nulle part de son propre chef, ni en Dieu, ni en elle-même, ni

en son prochain, mais en l'anéantissement que cet éclair opère en elle ..." *Miroir*, chap. 59, GUARNIERI, p. 566-567; LONGCHAMP, p. 125.

36. *Miroir*, chap. 101, GUARNIERI, p. 598; LONGCHAMP, p. 176.

37. Sur le thème néo-platonicien du "plus être" et du "moins être" et la façon dont Augustin l'a utilisé, voir E. ZUM BRUNN, *Le Dilemme de l'être et du néant chez saint Augustin. Des premiers Dialogues aux Confessions*, Amsterdam, 1984, surtout p. 57 sv. Sur l'emploi eckhartien de ce même thème, voir E. ZUM BRUNN et A. DE LIBERA, *Maître Eckhart. Métaphysique du Verbe et Théologie négative*. Paris, 1984, p. 31 sv. et 127 sv.

38. *Miroir*, chap. 110, GUARNIERI, p. 604; LONGCHAMP, p. 186.

39. *Miroir*, chap. 49; GUARNIERI, p. 560; LONGCHAMP, p. 114. L'expression "sans pourquoi" revient à plusieurs reprises sous la plume de Marguerite, par ex. "elle a tout donné librement, sans aucun pourquoi", chap. 81, GUARNIERI, p. 583; LONGCHAMP, p. 153.

40. *Miroir*, chap. 62, GUARNIERI, p. 569; LONGCHAMP, p. 130. "... pour ce qui touche à cet état, ce sont des gens qui ont des pieds et pas de chemin, des mains et pas de travail, une bouche et pas de parole, des yeux et pas de lumière, des oreilles et pas d'ouïe, une raison sans raison, un corps sans vie et un cœur sans entendement." *Miroir*, chap. 86, GUARNIERI, p. 587; LONGCHAMP, p. 158. "Ces gens, que j'appelle des ânes, qui, pour adorer Dieu, le cherchent dans les créatures, dans les monastères, dans les paradis créés, dans les paroles humaines et dans les Ecritures ... Il semble aux novices que ces gens qui le cherchent ainsi par monts et par vaux, estiment que Dieu est soumis à ses sacrements et à ses œuvres. Hélas, c'est pitié que tous les maux qu'ils ont et qu'ils auront encore tant qu'ils en useront de la sorte. En revanche, ceux-là mettent le temps à profit et en font bon usage qui n'adorent pas Dieu seulement dans les temples et dans les monastères, mais en tous lieux, par union à la volonté divine." *Miroir*, chap. 69, GUARNIERI, p. 573; LONGCHAMP, p. 136.

41. *Miroir*, chap. 122, GUARNIERI, p. 618-619; LONGCHAMP, p. 208.

42. "Nous voulons dire, dit Sainte-Eglise, que ces Ames vivent au-dessus de nous, car Amour demeure en elles et Raison demeure en nous; mais cela n'est pas contre nous, dit Sainte-Eglise la petite: au contraire, nous en faisons la recommandation et l'éloge dans le sens secret de nos Ecritures." *Miroir*, chap. 43, GUARNIERI, p. 555; LONGCHAMP, p. 107. Voir plus haut n. 6, p. 193.

43. "Ah, moutons que vous êtes! dit cette Ame, que votre entendement est animal! Vous laissez le grain et vous prenez la paille! Et je vous dis que lorsque Jésus-Christ se transfigura devant trois de ses disciples, il le fit afin que vous sachiez que peu de gens verraient la gloire de sa transfiguration et qu'il ne montre cela qu'à ses amis intimes; c'est pour cela qu'il (n') y en eut (que) trois. Et cela arrive encore en ce monde quand Dieu se donne par l'ardeur de sa lumière au cœur de la créature. Vous savez donc maintenant pourquoi il n'y eut que trois, et je vais vous dire pourquoi ce fut sur la montagne. Ce fut pour démontrer et signifier qui nul ne peut voir les choses divines tant qu'il se mêle ou s'occupe des choses temporelles, c'est-à-dire des choses moindres que Dieu." *Miroir*, chap. 75, GUARNIERI, p. 577; LONGCHAMP, p. 143.

44. *Miroir*, chap. 97, GUARNIERI, p. 595-596; LONGCHAMP, p. 172.

45. Cf. *Miroir*, chap. 122, GUARNIERI, p. 616-619, LONGCHAMP, p. 204-209. Les chapitres qui suivent, écrits sans doute antérieurement au *Miroir*, ou récrits, sont des "considérations pour ceux qui sont en l'état des 'marris' et qui demandent la voie du pays de franchise." *Miroir*, chap. 123, GUARNIERI, p. 620; LONGCHAMP, p. 209. Ce sont des conseils de méditation que Marguerite utilisa elle-même au temps où, nous dit-elle, elle faisait encore partie des 'marris', vivait de lait et de bouillie et faisait encore la sotte (*ibid.*).

CHAPITRE 10

Approbatio
et extraits du *Miroir*

L'*APPROBATIO* DES TROIS CLERCS [1]

Moi, créature faite par Dieu, par l'intermédiaire de laquelle le Créateur fit ce livre qui vient de lui, pour quelles personnes je ne sais ni ne veux le savoir (il me suffit que ce soit dans le secret de la connaissance divine et dans l'espérance), je les salue pourtant pour l'amour de la paix de la charité de la très haute Trinité : qu'elle daigne les diriger en portant témoignage à leur vie à l'intérieur d'eux-mêmes par le rapport des clercs qui ont entendu ce livre.

Le premier d'entre eux est un Frère mineur de grand renom pour la sainteté de sa vie, qui s'appelait Jean. Nous vous faisons tenir ce qu'il a dit par cette missive d'amour : aussi recevez cela courtoisement dans l'amour, puisqu'Amour vous le demande pour l'honneur de Dieu et de ses serviteurs, et pour l'utilité de ceux qui ne sont pas encore libres, mais qui toutefois le seront par la suite, s'il plaît à Dieu.

Ce Frère dit que ce livre a été vraiment fait par le Saint-Esprit, et que si tous les clercs du monde l'entendaient, ils n'y trouveraient rien à y contredire. Et il demanda, pour l'amour de Dieu, qu'il fût bien gardé et qu'on ne le montrât qu'à peu de gens. Et il dit que ce livre était d'une telle élévation que lui-même ne parvenait pas à le comprendre.

Ensuite un moine cistercien appelé Maître Franc le vit et le lut ;

il dit qu'il était bien prouvé par les Ecritures que tout ce que dit ce livre est vrai.

Puis il fut lu par un maître en théologie qui s'appelait Maître Godefroi de Fontaines. Il ne dit rien de défavorable au sujet de ce livre, pas davantage que les autres. Mais il dit bien qu'il ne convenait pas que beaucoup de gens y aient accès, car, dit-il, ils risqueraient d'y perdre leur salut en aspirant à une vie à laquelle ils ne pourraient peut-être jamais parvenir; et c'est en cela qu'ils pourraient être trompés. Car, comme il le disait, ce livre fut fait par un esprit doué de tant de courage et de ferveur qu'il ne s'en trouve que peu de semblables ou même point du tout. Et néanmoins voici ce qu'il disait: l'âme ne peut parvenir à la vie ou à la manière d'être divine avant qu'elle ne soit parvenue à la manière que ce livre décrit, car toutes les autres manières d'être, disait le maître, sont des manières d'être humaines. Mais celle-là seule est manière d'être divine, et nulle autre que celle-là.

C'est pour le repos des auditeurs qu'a été faite cette approbation; et de même, c'est pour votre repos que nous vous rapportons cela, afin que cette semence porte fruit au centuple chez ceux qui entendront (ce livre) et en seront dignes.

Guarnieri, p. 638-639.

Prologue

Amour: Vous, actifs et contemplatifs, et peut-être aussi anéantis par véritable amour, qui allez apprendre certains des pouvoirs de la pure amour, de la noble amour, de la haute amour de l'âme affranchie, et la façon dont le Saint-Esprit a mis sa voile en elle comme en son navire, je vous prie par amour que vous écoutiez avec grande attention de l'entendement subtil qui est en vous, et avec grande diligence. Car autrement, s'ils n'ont pas cette attention-là, tous ceux qui entendront cela le comprendront mal.

Comprenez maintenant en toute humilité un petit exemple concernant l'amour du monde, et comprenez qu'il en va pareillement de l'amour divine.

Il y eut jadis une demoiselle, fille de roi, qui avait grand cœur, grande noblesse et aussi noble courage; et elle demeurait en un pays étranger. Or il advint que cette demoiselle entendit parler de la grande courtoisie et de la grande noblesse du roi Alexandre, et aussitôt sa volonté l'aima pour la grande renommée de sa noblesse. Mais cette demoiselle demeurait si loin de ce grand seigneur en qui elle avait mis son amour d'elle-même qu'elle ne pouvait ni le voir ni l'avoir. C'est pourquoi elle était découragée en son for intérieur, car nulle amour sauf celle-ci ne pouvait lui suffire. Et quand elle vit que cette amour lointaine, pourtant si proche à l'intérieur d'elle-même, était aussi loin à l'extérieur, elle pensa se consoler de son chagrin en imaginant une figure de l'ami qui blessait si souvent son cœur. Elle fit donc peindre une image évoquant le roi qu'elle aimait, aussi ressemblante que possible à ce qu'elle se représentait de son ami en l'affection d'amour qui l'avait surprise; et par le moyen de cette image, ajoutée à ses autres pratiques, elle se représenta le roi lui-même.

Ame: De façon semblable, dit l'Ame qui fit écrire ce livre, comme je vous dis, j'entendis parler d'un roi de grande puissance, qui était de par sa courtoisie et par sa très grande courtoisie de noblesse et de largesse un noble Alexandre; mais il était si loin de moi et moi de lui que je ne savais comment trouver réconfort en moi-même, et pour que je me souvienne de lui il me donna ce livre qui représente d'une certaine façon son amour. Mais, quoique j'aie son image, il n'en demeure pas moins que je suis en pays étranger, et loin du palais en lequel demeurent les très nobles amis de ce seigneur, qui sont tous purs, affinés et affranchis par les dons de ce roi avec lequel ils demeurent.

Guarnieri, p. 521-522.

L'AME NOBLE NE VEUT RIEN

Comment cette Ame est noble,
et comment elle ne tient compte d'aucune chose. (VIIe chapitre)

Amour: Cette Ame ne tient compte de honte ni d'honneur, de pauvreté ni de richesse, d'aise ni de malaise, d'amour ni de haine, d'enfer ni de paradis.

Raison: Ah mon Dieu! Amour, que veut dire ce que vous dites?

Amour: Ce que cela veut dire? Certes, celui-là le sait à qui Dieu en a donné l'entendement, car ni l'Ecriture ne le contient, ni le sens de l'homme n'en a l'intelligence, ni l'effort de la créature n'en obtient la compréhension. Mais ce don est donné par le Très Haut en qui cette créature est ravie par plénitude de connaissance, tandis qu'elle est anéantie en son entendement. Alors cette Ame, devenue néant, a tout et et pourtant n'a rien, elle veut tout et ne veut rien, elle sait tout et ne sait rien.

Raison: Et comment cela peut-il être, dame Amour, dit Raison, que cette Ame puisse vouloir ce que ce livre dit, alors qu'il a été dit auparavant qu'elle n'a point de volonté?

Amour: Raison, ce n'est pas sa volonté qui le veut, mais c'est la volonté de Dieu qui le veut en elle; car cette Ame ne demeure pas en Amour de façon qu'Amour la fasse vouloir par quelque désir, mais c'est Amour qui demeure en elle et qui, s'étant emparée de sa volonté, fait par elle Sa propre volonté. Et désormais Amour œuvre en elle sans elle, aussi ne peut-il demeurer en elle aucun malaise.

Cette Ame ne peut plus parler de Dieu, car elle est anéantie en tous ses désirs extérieurs et en ses sentiments intérieurs ainsi qu'en toute affection de son esprit, pour autant que ce que cette Ame fait, elle le fasse par usage de bonne habitude, ou en vertu d'un commandement de la sainte Eglise, car elle est morte, la volonté qui lui donnait le désir. [...]

Comment ces Ames n'ont pas de volonté propre. (IXᵉ chapitre)

Amour: Si l'on demandait à ces Ames libres, sûres et paisibles, si elles voudraient être en purgatoire, elles diraient que non; si, en cette vie, elles voudraient être assurées de leur salut, elles diraient que non. Mais aussi pourquoi le voudraient-elles? Elles n'ont point de volonté, et si elles voulaient quelque chose, elles se sépareraient d'Amour; car celui qui possède leur volonté sait ce qui est bon pour elles, et cela leur suffit, sans qu'elles aient besoin de le savoir et d'en être assurées. Ces Ames vivent de connaissance, d'amour et de louange; c'est leur usage accoutumé, sans qu'elles se meuvent d'elles-mêmes, car Connaissance, Amour et Louange demeurent en elles. Ces âmes ne peuvent pas se trouver bonnes ou mauvaises, et n'ont pas connaissance d'elles-mêmes, et elles ne sauraient juger si elles sont tournées vers Dieu ou détournées de lui.[2]

Ou, pour faire plus court, prenons une de ces Ames pour les désigner toutes: cette Ame ne désire ni ne méprise pauvreté et tribulation, messe et sermon, jeune et oraison, et donne à Nature tout ce dont elle a besoin, sans remors de conscience; mais cette nature est si bien ordonnée grâce à la transformation d'unité d'Amour, Amour à laquelle la volonté de cette Ame est conjointe, que cette nature ne demande rien qui soit défendu. Cette âme n'a souci d'aucune chose qui lui fasse besoin, sinon au moment où il la lui faut; et ce souci, personne ne peut le perdre à moins d'être innocent.

Raison: Ah mon Dieu! Qu'est-ce à dire?

Amour: A cela je vous réponds, Raison, comme je vous l'ai dit auparavant, et je vous le répète encore: qu'aucun maître du sens de Nature (philosophes), ni aucun maître en Ecritures, ni aucun de ceux qui demeurent dans l'amour de l'obéissance aux Vertus, ne comprennent ni ne comprendront ce qu'il y a là à comprendre: soyez-en certaine, Raison, car personne ne le comprend, excepté seulement celui qui recherche Fine Amour. Mais si d'aventure on trouvait ces Ames, elles diraient la vérité là-dessus si tant est qu'elle le veuillent bien; et ne pensez pas que personne ne puisse les comprendre, excepté seulement celui qui recherche Fine Amour et Charité.

Ce don est parfois donné en un instant; et celui qui l'aura, qu'il le garde bien, car c'est le don le plus parfait que Dieu fasse à une créature. Cette Ame est écolière de la Divinité, aussi siège-t-elle en la vallée d'Humilité et en la plaine de Vérité, et elle se repose sur la montagne d'Amour.

Guarnieri, p. 525-527.

NEUF POINTS POUR LES CONTEMPLATIFS

Comment, à la requête de Raison, Amour donne connaissance de cette Ame aux contemplatifs, en expliquant neuf points mentionnés plus haut. (XIᵉ chapitre)

Raison: Maintenant, Amour, je vous prie au nom des contemplatifs qui désirent toujours croître en la connaissance divine, et qui sont et demeurent en désir d'Amour, que par votre courtoisie vous exposiez les neuf points dont vous avez parlé auparavant. Et ces neuf points concernent cette Ame qui demande Fine Amour, en qui Charité demeure et s'établit grâce à la vie anéantie en laquelle Pure Amour donne à l'Ame d'être abandonnée.

Amour: Raison, nommez-les.

Raison: Le premier point que vous avez mentionné est qu'on ne peut trouver une telle Ame.

Amour: C'est la vérité. C'est-à-dire que cette Ame ne connaît en elle-même qu'une chose, à savoir la racine de tous les maux et l'abondance de péchés sans nombre, sans poids et sans mesure. Et le péché est néant, et cette Ame est tout effondrée et épouvantée de ses horribles défauts, qui sont moins que néant, et en comprenant cela cette Ame est moins que néant en ce qui tient à elle. D'où l'on peut conclure qu'on ne peut trouver cette Ame, car cette Ame est si anéantie par humilité qu'aucune créature qui pécha jamais n'est digne d'un aussi grand tourment, ni d'aussi grande confusion sans fin qu'elle ne l'est elle-même selon son droit jugement, s'il arrivait que Dieu voulût prendre vengeance du millième d'une de ses fautes. Cette humilité est l'humilité vraie et parfaite en l'Ame Anéantie, ce que n'est nulle autre (humilité).

Amour: Le deuxième point est que cette Ame se sauve par la foi, sans œuvres.

Raison: Oh mon Dieu! Qu'est-ce à dire?

Amour: C'est-à-dire qu'une telle Ame Anéantie a une si grande connaissance en elle-même par la vertu de foi, et qu'elle est si occupée en elle-même de maintenir ce que Foi lui administre de la puissance du Père, de la sagesse du Fils et de la bonté du Saint-Esprit, qu'aucune chose créée ne peut demeurer en sa souvenance, mais passe rapidement à cause de l'autre occupation qui a envahi l'entendement de cette Ame Anéantie. Cette Ame ne sait plus œuvrer, aussi est-elle indubitablement assez excusée et déchargée de croire, sans œuvrer, que Dieu est bon et incompréhensible. Elle se sauve par la foi sans œuvres, car la foi dépasse toute œuvre, ainsi qu'en témoigne Amour elle-même.

Amour: Le troisième point est qu'elle est seule en amour.

Raison: Oh mon Dieu! Dame Amour, qu'est-ce à dire?

Amour: C'est-à-dire que cette Ame n'a ni réconfort, ni affection, ni espérance en aucune créature créée par Dieu au ciel ou sur terre, mais seulement en la bonté de Dieu. Une telle Ame ne mendie pas et ne demande rien à la créature. Elle est le phénix, qui est seul; car cette Ame, s'assouvissant par elle-même, est seule en amour.

Amour: Le quatrième point est que cette Ame ne fait rien pour Dieu.

Raison: Oh mon Dieu! Qu'est-ce à dire?

Amour: C'est-à-dire, dit Amour, que Dieu n'a que faire de son œuvre, et cette Ame n'a que faire de quoi que ce soit sinon de ce dont Dieu a à faire. Elle ne se soucie pas d'elle-même; que Dieu s'en soucie, qui l'aime plus que cette Ame ne s'aime. Cette Ame a si grande foi en Dieu qu'elle n'a point peur d'être pauvre puisque son ami est riche. Car Foi lui apprend que, tel elle espérera son Dieu, tel elle le trouvera, et elle espère par foi qu'il est parfaitement riche, c'est pourquoi elle ne peut être pauvre.

Amour: Le cinquième point est que cette Ame ne délaisse, pour Dieu, rien de ce qu'elle peut faire.

Raison: Oh mon Dieu! Amour, qu'est-ce à dire?

Amour: C'est-à-dire, dit Amour, qu'elle ne peut rien faire sinon le vouloir de Dieu, aussi ne peut-elle vouloir autre chose; c'est pourquoi elle ne délaisse aucune action pour Dieu. Car elle ne laisse entrer dans sa pensée aucune chose qui soit contre Dieu, c'est pourquoi elle ne délaisse pour Dieu rien de ce qu'elle fait.

Amour: Le sixième point est qu'on ne peut rien lui apprendre.

Raison: Oh mon Dieu! Qu'est-ce à dire?

Amour: C'est-à-dire que cette Ame est de si grande constance que si elle avait toute la connaissance de toutes les créatures qui furent jamais et qui sont et qui seront à venir, cela ne lui semblerait rien au regard de ce qu'elle aime, qui ne fut jamais connu et ne le sera jamais. Cette Ame aime mieux ce qui est en Dieu, qui jamais ne fut donné et ne le sera jamais, qu'elle n'aime ce qu'elle a et ce qu'elle aurait si elle devait posséder la connaissance qu'auront toutes les créatures qui sont et qui sont à venir.

Ame: Et encore n'est-ce rien au regard de ce qui est réellement, mais on ne peut rien en dire.

Amour: Le septième point est qu'on ne peut rien lui ôter.

Raison: Ah mon Dieu! Amour, dites ce que cela veut dire.

Amour: Ce que cela veut dire? Et que lui ôterait-on? Certes on ne pourrait rien lui ôter. Car qui ôterait à cette Ame honneur, richesse et amis, cœur et corps et vie, ne lui ôterait encore rien si Dieu lui demeure; d'où il appert qu'on ne peut rien lui ôter, en dépit de la force qu'on y emploie.

Amour: Le huitième point est qu'on ne peut rien lui donner.

Raison: Ah mon Dieu! Amour, qu'est-ce à dire, qu'on ne peut rien lui donner?

Amour: Qu'est-ce à dire? dit Amour, et que lui donnerait-on? Si on lui donnait tout ce qui fut jamais donné et qui sera donné, si ce n'est pas Dieu lui-même, ce ne serait encore rien au regard de ce qu'elle aime et aimera.

Ame: Dame Amour aime en moi et aimera.

Amour: [...] Nous dirons que Dieu aime mieux le plus de cette Ame en lui que le moins qu'elle est par elle-même.

Ame: Il n'y a pas de moins, il n'y a que tout: je puis dire cela, et dire la vérité.

Amour: Je dis en outre que si cette Ame avait toute la connaissance, l'amour et la louange qui furent jamais données, et qui seront données de la Trinité divine, ce ne serait pourtant rien au regard de ce qu'elle aime et aimera; et ce n'est pas par la connaissance qu'elle atteindra cette amour.

Ame: Ah non, en vérité, douce Amour. Ainsi je n'en atteindrai pas même le moindre point de mon amour. Car il n'est pas d'autre Dieu que celui dont on ne peut rien connaître parfaitement. Car celui-là seul est mon Dieu, de qui l'on ne peut mot dire, ni aucun de ceux qui sont en paradis atteindre un seul point, quelque connaissance qu'ils aient de lui. Et en ce "plus" est enclose la souveraine mortification d'amour de mon esprit, et c'est toute la gloire de l'amour de mon âme, et elle sera sans fin, comme celle de tous ceux qui jamais comprirent cela. Ce que vous entendez là n'est qu'un petit point au regard du plus grand dont personne ne parle. Alors que je veux en parler, je ne sais qu'en dire. Et pourtant, dame Amour, mon amour est de telle sorte que j'aime mieux entendre médire de vous plutôt qu'on ne me dise rien de vous. Et en vérité c'est ce que je fais: je médis de vous, car tout ce que je dis de vous n'est rien d'autre que médire de votre bonté. Mais cette médisance, il faut que vous me la pardonniez. Car, Sire, celui-là médit bien de vous qui toujours parle de vous, et pourtant il ne dit jamais rien de votre bonté, et je fais de même: Je n'en finis pas de parler de vous, par demandes ou par pensées, ni d'écouter si l'on me dit quelque chose de votre bonté. Mais plus j'entends parler de vous et plus je suis ébahie. En effet ce serait grande vilenie qu'on me fît vous comprendre en disant quelque chose de vous. Ils se trompent, ceux qui le croient, car je sais avec certitude qu'on ne peut rien dire de vous, et s'il plaît à Dieu, je ne me laisserai jamais tromper, et je ne veux jamais plus entendre mentir au sujet de votre divine bonté jusqu'à ce que j'aie accompli l'entreprise de ce livre dont Amour est maîtresse, elle qui m'a dit de terminer toutes mes entreprises. En effet, tant que, de moi-même, je demanderai à Amour quelque chose la concernant, je mènerai une vie selon l'esprit, à l'ombre du soleil, où, par le moyen de subtiles imaginations, l'on peut voir les attraits de l'amour et de la génération divines.

Et que dis-je? Certes, si j'avais tout ce qu'on a dit, ce ne serait encore rien au regard de ce que j'aime de lui: la chose qu'il ne donnera à personne sauf à lui-même, et qu'il lui convient de garder en raison de sa justice divine. Je dis donc, et c'est la vérité, qu'on ne peut rien me donner, quelque chose que ce puisse être. Et cette complainte que je vous fais entendre, dame Raison, est mon tout et ce que j'ai de meilleur, si on le comprend bien. Ah, qu'il est doux de le comprendre! Pour Dieu! Comprenez-le entièrement, car le paradis n'est pas autre chose que cette compréhension même.

Amour: Le neuvième point, dame Raison, est que cette Ame n'a pas de volonté.

Raison: Ah, par le Dieu d'amour, que dites-vous? Vous dites que cette Ame n'a point de volonté?

Amour: Non, en vérité, car tout ce que cette Ame veut et à quoi elle consent, c'est ce que Dieu veut qu'elle veuille, et elle le veut pour accomplir la volonté de Dieu concernant Sa propre volonté; et elle ne peut vouloir cela d'elle-même, mais c'est le vouloir de Dieu qui le veut en elle; d'où il ressort que cette Ame n'a point de volonté, sans la volonté de Dieu qui lui fait vouloir tout ce qu'elle doit vouloir.

Guarnieri, p. 528-531.

L'AME PREND CONGE DES VERTUS

Comment l'Ame amoureuse de Dieu, vivant en paix de charité, prend congé des Vertus. (VIe chapitre)

Amour: L'Ame qui a cette amour peut dire qu'elle est restée pendant longtemps et pendant maintes journées dans la servitude à leur égard.

Ame: Je vous l'avoue, dame Amour, il fut un temps où j'y étais. Maintenant, c'en est un autre: votre courtoisie m'a délivrée de ma servitude envers elles. C'est pourquoi je puis bien leur dire et leur chanter:

Vertus, je prends congé de vous pour toujours,
J'en aurai le cœur plus libre et plus gai;
Il faut être constamment à votre service, bien le sais,
J'ai mis pendant un temps mon cœur en vous, sans aucune réserve.
Vous savez que je vous étais entièrement abandonnée;

J'étais votre esclave, maintenant je suis délivrée.
J'avais mis en vous tout mon cœur, bien le sais,
Et j'ai vécu un temps en grand émoi,
J'ai souffert maint tourment, enduré mainte peine.
C'est miracle que j'en sois réchappée vive;
Mais puisque c'est ainsi, peu m'importe: je suis sevrée de vous,
Ce dont je remercie le Dieu d'en haut: la journée m'est
bonne.
J'ai quitté vos dangers, qui m'ont causé maints ennuis.
Jamais je ne fus libre que séparée de vous;
J'ai quitté vos dangers, en paix je suis demeurée.

Guarnieri, p. 525.

TOUT ENCOMBRER DE SOI

Comment ceux qui n'ont pas obéi aux enseignements de perfection demeurent encombrés d'eux-mêmes jusqu'à la mort. (LXXVIIe chapitre (fin) et LXXVIIIe chapitre)

Amour: Comprenez maintenant le sens secret de ce livre, car une chose ne vaut que dans la mesure où on la prise et où elle nous fait besoin, et pas autrement. Quand je voulus, et que cela me plut, et que j'eus besoin de vous (je dis besoin parce que je vous le commande), vous m'avez éconduite en la personne de plusieurs de mes messagers. Nul ne le sait, sauf moi toute seule. Je vous envoyai les Trônes pour vous reprendre et vous orner, les Chérubins pour vous illuminer, et les Séraphins pour vous embraser. Par tous ces messagers je vous demandais de faire ma volonté, qu'ils vous ont fait connaître, ainsi que les états dans lesquels je vous demandais d'être, et vous n'en avez jamais tenu compte. Voyant cela, je vous ai laissée sous votre propre tutelle pour faire votre salut, mais si vous m'aviez obéi, vous auriez été une autre, à votre propre témoignage. Assurément, vous vous sauverez bien par vous-même, mais ce sera en une vie encombrée de votre propre esprit, et jamais elle n'en sera entièrement désencombrée. Et cela parce que vous n'avez pas obéi à mes messagers et aux Vertus, quand je voulus, par le moyen de ces messagers, désaffranchir votre corps et affranchir votre esprit. Et c'est aussi parce que vous n'avez pas obéi quand je vous le demandais par les Vertus subtiles que je vous envoyais, et par mes Anges au moyen desquels je vous poursuivais que je ne puis vous donner de droit la liberté qui est mienne. Car le juste droit ne peut faire cela! Mais si vous aviez obéi, quand je vous le demandais, à la volonté des Vertus que je vous envoyai, et à mes messagers par lesquels je vous poursuivais, vous auriez eu de droit la liberté qui est mienne.

Hélas, Ame, que vous êtes encombrée de vous-même!

Ame: Oui, mon corps est plein de faiblesse, et mon âme de crainte. Car souvent – que je le veuille ou non – ces deux natures me causent un souci que les (êtres) libres n'ont pas, ni ne peuvent avoir.

Amour: Ah, Ame lassée, combien vous avez de mal, et peu de gain. Et tout cela parce que vous n'avez pas obéi aux enseignements de perfection dont je vous ai poursuivie pour vous désencombrer en la fleur de votre jeunesse; et néanmoins vous n'avez jamais voulu changer, vous n'en avez rien voulu faire. Au contraire, vous avez toujours refusé mes demandes que je vous faisais connaître par de si nobles messagers, comme vous venez de l'entendre. Et les gens de cette sorte demeurent encombrés d'eux-mêmes jusqu'à la mort.

Ah, certainement, s'ils le voulaient, ils seraient délivrés de cette très grande servitude en laquelle ils sont et seront, pour peu de profit. S'ils l'avaient voulu, ils en auraient été délivrés pour peu de chose. Oui, pour si peu, simplement en se donnant eux-mêmes là où je les voulais, en leur montrant par les Vertus que c'est là leur devoir.

Je dis qu'ils auraient été entièrement libres d'âme et de corps, s'ils avaient suivi mon conseil par le moyen des Vertus, en suivant ma volonté et ce qu'il leur fallait faire, de sorte que je m'établisse en eux avec ma liberté. Et parce qu'ils ne l'ont pas fait, ils sont demeurés tout entiers en cet état dont vous entendez parler : avec eux-mêmes[3]. Et cela les libres anéantis, ornés de délices, le savent, car ils voient par eux-mêmes la servitude de ces derniers. En effet, le soleil véritable brille en leur lumière, et ils voient les brindilles dans le rayon du soleil grâce à l'éclat du soleil et du rayon. Et quand ce soleil est en l'âme, avec ces rayons et cet éclat, le corps n'a plus de faiblesse ni l'âme de crainte ; car le véritable Soleil de Justice ne soigna ni ne guérit jamais j'âme sans guérir le corps, quand il faisait ses miracles sur terre ; et il le fait souvent encore, mais ne le fait à aucun de ceux qui n'ont pas foi en cela.

Ainsi pouvez-vous voir et entendre que celui qui se fie à Dieu est grand et fort, entièrement libre et désencombré de toutes choses : Dieu le sanctifie.

J'ai dit de ceux que j'ai poursuivis à l'intérieur d'eux-mêmes pour qu'ils obéissent à la perfection des Vertus et n'en ont rien fait, qu'ils demeureront encombrés d'eux-mêmes jusqu'à la mort. Et de plus je dis que s'ils travaillaient chaque jour, (en demeurant) avec eux-mêmes, à accomplir la perfection des apôtres par effort de volonté, ils ne seraient pourtant nullement désencombrés d'eux-mêmes – que personne ne s'y attende – c'est-à-dire ni de corps ni d'âme. Non, et de plus, quand ce n'est donné ni par la force ni par la recherche intérieures, on ne peut le trouver, et tout ce qu'on fait "avec soi", c'est tout encombrer de soi. Qu'ils le sachent, tous ceux qui entreprennent de faire des œuvres "avec eux-mêmes", sans l'ardeur du bouillonnement intérieur[3].

Guarnieri, p. 579-581.

Trad. E. Z.

NOTES

1. Ce texte n'est pas dans le manuscrit de Chantilly. On le trouve en épilogue du *Miroir* dans les traductions latines, et inclus dans le prologue à la traduction anglaise. Etant donné que cette dernière a été faite sur l'original français, on en déduit que le texte devait s'y trouver, et non uniquement dans la version latine.
2. Cf. la question posée à Jeanne d'Arc lors de son interrogatoire en 1431 : "Savez-vous si vous êtes en la grâce de Dieu ?", et sa fameuse réponse : "Si je n'y suis, que Dieu m'y mette, et si j'y suis, Dieu m'y garde ...". R. PERNOUD ET M.-V. CLIN, *Jeanne d'Arc*, Paris, 1986, p. 176.
3. Thème fondamental du *Miroir*: tout ce qu'on entreprend "*avec soi-même*", c'est-à-dire en étant attaché à son moi, même les actions apparemment les plus saintes, ne font que transporter où l'on va cet encombrement de soi-même. Par opposition, l'expression "*sans elle*" concerne l'âme désencombrée d'elle-même, cf. plus haut p. 202 : "Et désormais Amour œuvre en elle sans elle."

Conclusion

Revenons, pour conclure cet ouvrage, sur deux thèmes qui paraissent devoir intéresser tout particulièrement le lecteur d'aujourd'hui. Le premier concerne ce qu'on a pu appeler "l'histoire perdue de la chrétienté féminine" et de fait, les deux Hadewijch, Béatrice de Nazareth et Marguerite Porete furent oubliées pendant des siècles. Le second de ces thèmes concerne l'opération en quelque sorte alchimique au moyen de laquelle nos béguines ont transmuté l'amour courtois en une essence plus précieuse, celle de l'éternel Amour.

Il ne fait pas de doute que, excepté peut-être le cas de Hildegarde, les œuvres de nos auteurs ont été occultées, de façon plus ou moins consciente, comme l'a signalé Hans Urs von Balthasar à propos de Mechthilde, ignorée par les théologiens ou sous-estimée par eux depuis sept cent ans.

De nos jours, la redécouverte de ces mystiques et le renouveau d'intérêt témoigné à leurs œuvres semble indiquer qu'il est l'heure du réveil de la Belle au Bois Dormant. Ce long sommeil s'explique par les raisons que nous avons mentionnées dans ce livre, en particulier par la misogynie largement répandue au moyen âge, et par l'accent que mirent les scolastiques sur l'intellect – symbolisé par l'homme – aux dépens de l'imagination et des sens, considérés comme des puissances inférieures – symbolisées par la femme.

C'est le lot de notre époque de redécouvrir ce qui avait été réprimé ou marginalisé : l'art à la fois maternel et créateur de nos abbesses et de nos béguines qui, dans leurs couvents et dans leurs béguinages, surent conserver la part la plus précieuse de notre héritage mystique, oublié ou dénaturé par les théologiens et les logiciens scolastiques. Nous trouvons chez elles ce primat de l'Amour sur l'Intellect qui marque la fin du moyen âge et l'avènement des temps modernes. Mais ce primat a souvent conduit à un volontarisme demeuré entièrement étranger à ces femmes, chez lesquelles la volonté est tout imprégnée de contemplation. Pour elles, comme pour tout contemplatif authentique, il importe avant tout d'être *passif*, et non actif, à l'égard de Dieu. C'est cette passivité qui simplifie l'âme, la libérant de ses désirs multiples – si saints et si spirituels qu'ils puissent être – et l'unissant à Dieu dans le non-vouloir qui est vouloir de lui seul. Tel nous paraît le caractère le plus profond – parfois méconnu – de la mystique occidentale, telle qu'elle fut transmise, de chaînon en chaînon, à partir des Pères grecs jusqu'à Thérèse d'Avila et Jean de la Croix. Ce dernier, qui a chanté la rencontre de l'âme avec Dieu dans la nuit d'Amour, nous met en garde contre l'illusion des "bonnes" actions, tant que l'âme n'est pas vraiment réceptive à Dieu et transformée en lui. Cette tradition concerne l'âme humaine en son "essence", c'est-à-dire en son lien le plus intime avec l'Absolu. C'est parce qu'il a su exprimer cela qu'Eckhart a été reconnu comme un maître spirituel par les Orientaux. En effet, après avoir affirmé, en accord avec la tradition dominicaine, que le nom d'homme, qui symbolise l'intellect, est le nom le plus noble de l'âme, il n'a pas hésité à proclamer par la suite, grâce à l'influence de la mystique rhéno-flamande, que son nom le plus noble est en réalité celui de femme, parce qu'il exprime la réceptivité envers Dieu.

Il est urgent pour notre civilisation de redécouvrir l'importance du non-vouloir qu'elle a oublié dans son activisme effréné. Ainsi, en accord avec les traditions qui ont su conserver cette compréhension profonde de la réalité ultime, notre monde pourra, espérons-le, retrouver un équilibre à la fois spirituel et humain. Comme l'ont prophétisé des écrivains tels que Berdiaev et Evdokimov, un retour à ces valeurs féminines essentielles paraît indispensable à notre survie.

Considérons maintenant le second thème, celui de l'amour courtois, et la façon dont il a été transposé dans le domaine spirituel par les mystiques rhéno-flamandes. Les textes traduits dans ce livre ont montré que leurs auteurs furent, au sens large ou au sens strict de ce terme, des femmes-troubadours de Dieu. En effet, tandis que les troubadours chantaient les louanges de leur dame, des femmes-poètes appelées *trobairitz* célébrèrent les vertus de leur amant. Même Hildegarde mérite cette appellation au sens large, puisqu'elle a chanté l'Amant divin en d'innombrables hymnes – mais en réalité elle ne fut pas influencée par la poésie courtoise, parvenue plus tardivement en Allemagne avec les *Minnesänger*. Nos béguines, elles, méritent d'être appelées, en un sens plus strict, troubadours ou trobairitz de Dieu. Elles ont parfaitement droit à être incluses dans la tradition littéraire basée sur la conception nouvelle du "service d'Amour" que le chevalier rend à sa dame. La transposition religieuse de ce thème n'est d'ailleurs pas uniquement leur fait. On la trouve, sous une forme à la fois différente et apparentée dans l'œuvre de Dante qui, en assumant cet idéal, toujours plus épuré à mesure que l'on passe de la *Vita Nova* à la *Divine Comédie*, a su exprimer de façon nouvelle, en langue vulgaire, les mystères de l'Amour divin. Comme lui, nos béguines et nos abbesses, se libérant des conventions scolastiques et littéraires, ont su toucher les esprits et les cœurs en chantant ces mystères en un style nouveau.

E. Z.

Bibliographie

TEXTES, ANNALES ET EDITIONS

Aelred de Rievaulx, Opera omnia, éd. A. Hoste et C.H. Talbot (CCCM I), Turnhout, Brepols, 1971.

Annales Palidenses, in Monumenta Germaniae Historica Scriptores, t. 16, Hannover, 1859, 48-98 (Reprint: Anton Hiersemann - Kraus Reprint Corp., Stuttgart-New York, 1963).

Annales Magdeb., Encyclopaedia Judaica, t. XI, Jerusalem.

Apolda, Thierry de, Vie de saint Dominique, éd. J.-B. Albrizzi, in Acta Sanctorum die quarta Augusti, Venise, 1750.

Augustin, Commentaire de la Première Epître de saint Jean. Texte latin, Introd., trad. et notes par P. Agaësse (SC 75), Paris, Cerf, 1961.

Beatrijs van Nazareth, Des degrés du saint amour, trad. J. Kerssemakers, in "Une mystique des Pays-Bas au 13ᵉ siècle. Béatrix de Nazareth (1205-1268)", Vie spirituelle, Supplément, 1929, [316-332].

–, Sept degrés d'amour. Traduction du moyen-néerlandais, trad. J.B. P[orion], in Hadewijch, Lettres spirituelles, Genève, Claude Martingay, 1972.

–, Seven manieren van minne, éd. L. Reypens et J. Van Mierlo (Leuvense Studiën en Tekstuitgaven), Leuven, De Vlaamsche Boekenhalle, 1926.

–, Van seven manieren van heileger minnen, uitgegeven naar het Brusselse handschrift, éd. H.W.J. Vekeman et J.J.Th.M. Tersteeg, Zutphen, N.V.W.J. Thieme & Cie, [1971].

–, Vita Beatricis. De autobiographie van de Z. Beatrijs van Tienen O. Cist. 1200-1268, éd. L. Reypens (Studiën en Tekstuitgaven van

Ons Geestelijk Erf XV), Antwerpen, Ruusbroec-Genootschap, 1964.

Bernard de Clairvaux, Œuvres mystiques, trad. A. Béguin, Paris, Seuil, 1953.

–, Sancti Bernardi Opera, éd. J. Leclercq, C.H. Talbot, H.M. Rochais, t. 1-7, Romae, Editiones Cistercienses, 1957-1974.

–, Sermones super Cantica Canticorum, éd. J. Lerclercq, C.H. Talbot, H.M. Rochais, in Sancti Bernardi Opera, t. 2, 1957-1958.

Dante, La divine comédie, trad. J. Berthier, Fribourg, Fragnière Frères, 1924.

Denifle, H. (et Châtelain), Chartularium Universitatis Parisiensis, Paris, Delalain, 1889-1897.

Denys l'Aréopagite, La Hiérarchie céleste, PG 3, 120 A - 340 B; trad. M. de Gandillac (SC 52), Paris, Cerf, 1958.

Eckhart, Die deutschen Werke, ed. Deutsche Forschungsgemeinschaft, t. 1-5, Stuttgart, Kohlhammer, 1936 sqq.

–, Sermons 1-30, trad. J. Ancelet-Hustache, Paris, Seuil, 1974.

–, Sermons 31-59, trad. J. Ancelet-Hustache, Paris, Seuil, 1978.

–, Sermons 60-86, trad. J. Ancelet-Hustache, Paris, Seuil, 1979.

–, Traités, trad. J. Ancelet-Hustache, Paris, Seuil, 1971.

Fredericq, P., Corpus documentorum inquisitionis hereticae pravitatis Neerlandicae, t. 1-5, Ghent, J. Vuylsteke, 1889-1906.

Gérard de Borgho San Donnino, 31 propositions de l'Evangile Eternel de Gérard de Borgho San Donnino, in Chartul. Univers. Paris I, n° 243, p. 272 sqq., texte amélioré in E. Benz, "Joachim-Studien II - Die Exzerptsätze der Pariser Professoren aus dem Evangelium aeternum", Zeitschr. f. Kirchengesch., 1932 (51), 415-455.

Gerson, J., De distinctione verarum revelationum a falsis, in Œuvres complètes, éd. P. Glorieux, t. 3 (L'Œuvre magistrale), Paris, Desclée, 1962.

–, De mystica theologia, éd. A. Combes, Padova, Antenore, 1959.

Gertrude de Helfta, Revelationes Gertrudianae, in Revelationes Gertrudianae et Mechtildianae, ed. L. Paquelin, Paris-Poitiers, H. Oudin Frères, 1877.

Guillaume de Saint-Thierry, De contemplando Deo, PL 184, 367-380.

–, De la contemplation de Dieu, éd. M.M. Davy, in Deux traités de l'amour de Dieu, Paris, Vrin, 1953.

-, De la nature et de la dignité de l'amour, éd. M.M. Davy, in Deux traités de l'amour de Dieu, Paris, Vrin, 1953.

-, De natura et dignitate amoris, PL 184, 379-408.

-, Disputatio adversus Petrum Abaelardum, PL 180, 249-282.

-, Exposé sur le Cantique des Cantiques, éd. J.M. Déchanet, trad. M. Dumontier (SC 82), Paris, Cerf, 1962.

-, Expositio in Cantica Canticorum, PL 180, 473-545.

-, La contemplation de Dieu, éd. J. Hourlier (SC 61 bis), Paris, Cerf, 1968.

-, Lettre aux Frères du Mont-Dieu, éd., intr. et trad. J.M. Dechanet (SC 223), Paris, Cerf, 1975.

Hadewijch, Amour est tout. Poèmes strophiques, trad. R. Vande Plas, Paris, Téqui, 1984.

-, Brieven, ed. J. Van Mierlo, I. Deel: Tekst en commentaar. II. Deel: Inleiding, Antwerpen, Standaard, 1947. Trad. F. Van Bladel et B. Spaapen, Oorspronkelijke tekst en nieuwnederlandse overzetting met inleidingen en aantekeningen, Tielt, Lannoo, 1954.

-, De Visioenen van Hadewijch, ed. J. Van Mierlo, I. Deel: Tekst en commentaar. II. Deel: Inleiding, Leuven-Gent-Mechelen, De Vlaamsche Boekenhalle, 1924-1925; ed. P. Mommaers, Middelnederlandse tekst, vertaling en kommentaar, 2 vol. (Spiritualiteit 15/15A), Brugge-Nijmegen, Emmaüs-B. Gottmer, 1979.

-, Die Werke der Hadewijch: I. Teil. Die Briefe, Aus dem Altflämischen übersetzt und mit ausführlichen Erläuterungen versehen von J.O. Plassmann, Hannover, Orient-Buchhandlung Heinz Lafaire, 1923.

-, Die Werke der Hadewijch: II. Teil. Die Visionen, Aus dem Altflämischen übersetzt und mit ausführlichen Erläuterungen versehen von J.O. Plassmann, Hannover, Orient-Buchhandlung Heinz Lafaire, 1923.

-, Hadewijch d'Anvers. Poèmes des Béguines traduits du moyen-néerlandais (Reprint 1985), trad. J.B. Porion, Paris, Seuil, 1954.

-, Hadewijch, Strofische Gedichten. Middelnederlandse tekst en moderne bewerking, met een inleiding, E. Rombauts, N. De Paepe, Zwolle, 1961.

-, Het Visioenenboek van Hadewijch, uitgegeven naar handschrift 941 van de Bibl. der Rijksuniversiteit Gent (ed. H. Vekeman), Brugge-Nijmegen, Orion, 1980.

219

–, La onzième vision de Hadewijch, trad. J.B. Porion, Nova et Vetera (24) 1949, 43-49.

–, Lettres spirituelles, trad. J.B. Porion, in Hadewijch, Lettres spirituelles. Béatrice de Nazareth, Sept degrés d'amour, Genève, Claude Martingay, 1972.

–, Mengeldichten, ed. J. Van Mierlo, Antwerpen, Standaard, 1952.

–, Strophische Gedichten, ed. J. Van Mierlo, I. Deel. Tekst en commentaar. II. Deel. Inleiding, Antwerpen, Standaard, 1942.

–, The complete Works, trad. et intr. Columba Hart, New York, Paulist Press, 1980.

–, Visions, trad. J.B. Porion, Paris, O.E.I.L., 1987.

Harph (Herp), Theologia mystica, Coloniae, Melchior Novesanus, 1538 (Reprint: Farnborough, Gregg Press, 1966).

Henriquez, Cr., Quinque prudentes virgines sive Beatricis de Nazareth, Aleydis de Scharenbecka, Idae de Nivellis, Idae de Lovanio, Idae de Lewis praeclara gesta Antwerpiae, 1630.

Hildegarde de Bingen, Briefwechsel., Nach den ältesten Handschriften übersetzt und nach den Quellen erläutert von A. Führkötter, Salzburg, Otto Müller Verlag, 1965.

–, Carmina, ed. J.B. Pitra, in Nova sanctae Hildegardis opera. Analecta sacra spicilegio solesmensi parata, t. 8, Monte Casinense, 1882, 441-447.

–, Causae et curae, ed. P. Kaiser, Leipzig, Teubner, 1903.

–, Der heiligen Hildegard von Bingen Wisse die Wege. Scivias, Nach dem Urtext des Wiesbadener kleinen Hildegardis-Kodex ins Deutsche übertragen und bearbeitet von M. Boeckeler, Salzburg, Otto Müller Verlag, 1976.

–, Der Mensch in der Verantwortung. Das Buch der Lebensverdienste (Liber Vitae meritorum), Nach den Quellen übersetzt und erläutert von H. Schipperges, Salzburg, Otto Müller Verlag, 1976.

–, Epistolae, ed. J.B. Pitra, in Nova sanctae Hildegardis opera. Analecta sacra spicilegio solesmensi parata, t. 8, Monte Casinense, 1882, 328-440; 518-582; PL 197, 145-382.

–, Heilkunde. Das Buch von dem Grund und Wesen und der Heilung der Krankheiten, Nach den Quellen übersetzt und erläutert von H. Schipperges, Salzburg, Otto Müller Verlag, 1976.

–, Hildegardis Scivias, ed. A. Führkötter et A. Carlevaris, CCCM XLIII, 2 vol., Turnhout, Brepols, 1978.

-, Liber divinorum operum, PL 197, 739-1038.

-, Liber vitae meritorum, ed. J.B. Pitra, in Nova sanctae Hildegardis opera. Analecta sacra spicilegio solesmensi parata, t. 8, Monte Casinense, 1882, 1-244 (Reprint : Farnborough, Gregg Press, 1966).

-, Lieder, Nach den Handschriften herausgegeben von P. Barth, M.I. Ritscher und J. Schmidt-Goerg, Salzburg, Otto Müller Verlag, 1969.

-, Livre des œuvres divines (Visions), trad. B. Gorceix, Paris, Albin Michel, 1982.

-, Naturkunde. Das Buch von dem inneren Wesen der verschiedenen Naturen in der Schöpfung, Nach den Quellen übersetzt und erläutert von P. Riethe, Salzburg, Otto Müller Verlag, 1959.

-, Opera omnia, PL 197, 1882.

-, Ordo virtutum, trad. A.E. Davidson, Kalamazoo (Mich.), Mediaeval Institute Publications, 1984.

-, Physica (Liber subtilitatum diversarum naturarum creaturarum), PL 197, 1117-1352.

-, Scivias, PL 197, 383-738.

-, Sequences and Hymns, Gothic Voices with Emma Kirby, directed by Christopher Page, London, Hyperion Records, 1982.

-, The Life and Visions of St. Hildegarde, trad. F. M. Steele, London, Heath, Cranton and Ousely, [1914].

-, Welt und Mensch. Das Buch "De operatione Dei", Aus dem Genter Kodex übersetzt und erläutert von H. Schipperges, Salzburg, Otto Müller Verlag, 1965.

Hugues de Saint-Victor, Soliloquium de arrha animae, PL 176, 951-970.

Ives, Epître à Séverin sur la charité, éd. G. Dumeige, (textes philosophiques du Moyen Age III), Paris, Vrin, 1955.

Jacques de Vitry, Prologue à Foulques de Toulouse, éd. W. Papebroch, in Acta Sanctorum, junii, t. 4, Antwerpiae, 1707, col. 630-636.

-, Vita Mariae Oigniacensis, ibid., 636-666.

Lamprecht von Regensburg, Tochter von Syon, ed. Karl Weinhold, Paderborn, 1880.

Marguerite de Navarre, Les Prisons, ed. S. Glasson, Genève, Droz, 1978.

Marguerite Porete, Le "Miroir des simples âmes", ed. R. Guarnieri, in Il Movimento del Libero Spirito (Archivio Italiano per la Storia della Pietà, t. 4), Introd. et texte + appendices, Roma, Ed. di Storia e Letteratura, 1965, 501-636 et 637-708.

–, Margaretae Porete, Speculum Simplicium Animarum, ed. P. Verdeyen, CCCM LXIX, 1986.

–, Margaret Porete, "The Mirror of Simple Souls". A Middle English Translation, ed. M. Doiron, in Archivio Italiano per la Storia della Pietà, t. 5, Roma, Ed. di Storia e Letteratura, 1968.

–, Marguerite Porete. Le Miroir des âmes simples et anéanties, Introd. trad. et notes par M. Huot de Longchamp, Paris, Albin Michel, 1984.

Mechtilde de Hackeborn, Revelationes Mechtildianae, in Revelationes Gertrudianae et Mechtildianae, ed. L. Paquelin, Paris-Poitiers, H. Oudin Frères, 1877.

Mechtilde de Magdebourg, Lux divinitatis, Paris-Poitiers, H. Oudin Frères, 1877.

–, Mechtilde von Magdeburg. Das fliessende Licht der Gottheit, Introd. et trad. M. Schmidt, Einsiedeln-Zürich-Köln, Benziger Verlag, 1955.

–, Offenbarungen der Schwester Mechtild von Magdeburg oder das Fliessende Licht der Gottheit, ed. Gall Morel, Regensburg, G.-J. Manz, 1869 (Reprint: Darmstadt, 1980).

Pascal, Blaise, Pensées et Opuscules, éd. L. Brunschwig, Paris, Hachette, 1909.

Pfeiffer, F., Deutsche Mystiker des 14ten Jahrhunderts, t. 2, Leipzig, 1845 (Reprint: Aalen, Scientia Verlag), 1962.

Pseudo-Eckhart, Das ist swester Katrei, Meister Ekehartes Tohter von Strasburg, ed. Pfeiffer, t. 2, 448-475.

–, Telle était Sœur Katrei, trad. A. Mayrisch Saint-Hubert, in Maître Eckhart, Traités et sermons, Paris, Cahiers du Sud, 1954, 23-73.

–, The "Sister Catherine" Treatise [Daz ist swester katrei ...], trad. E. Borgstädt, in Meister Eckhart, Teacher and Preacher, ed. B. McGinn, New York, Paulist Press, 1986, 347-387.

Richard de Saint-Victor, Les quatre degrés de la violente charité, éd. G. Dumeige, (Textes philosophiques du Moyen Age III), Paris, Vrin, 1955.

Ruusbroec, Jan van, Werken, Naar het standaardhandschrift van

Groenendaal uitgegeven door het Ruusbroec-Genootschap, Antwerpen. Tielt, Lannoo, 1944-1948, 4 vol. / CCCM CIII-CIII A, Turnhout, Brepols, 1988.

Theodoricus & Godefridus, Das Leben der Heiligen Hildegard von Bingen, ed. et trad. A. Führkötter, Düsseldorf, Patmos Verlag, 1968.

–, Vie de sainte Hildegarde écrite par les moines Théodoric et Godefroid, traduite du latin en français, Paris, R. Chamonal, 1907.

LITTERATURE SECONDAIRE

Aegerter, E., Les Hérésies du Moyen Age, Paris, Ernest Leroux, 1939.

Alverny, M.-Th. d', "Comment les théologiens et les philosophes voient la femme", Cahiers de civilisation médiévale (20), 1977, 105-128.

Ancelet-Hustache, J., Mechtilde de Magdebourg. Etude de psychologie religieuse, Paris, Honoré Champion, 1926.

Balthasar, von, H.-U, "Mechtilds kirchlicher Auftrag", in Mechtild von Magdeburg. Das fliessende Licht der Gottheit, ed. M. Schmidt, Einsiedeln-Zürich-Köln, Benziger Verlag, 1955, 7-45.

Brouette, E., Monasticon belge, t. IV. Province de Brabant, II, Centre national d'histoire religieuse, Liège, 1968.

Brunner F. "Le mysticisme de Maître Eckhart. Etude comparative" dans le recueil "Das Einig Ein". Studien zur Theorie und Sprache der deutschen Mystik. Ed. A.M. Haas und H. Stirnimann, Freiburg (Schweiz), Universitätsverlag, 1980, 63-86.

Champeaux, G. (de) et Sterckx, S., Introduction au monde des symboles, La Pierre-qui-Vire, 1980.

Chenu, M.-D., La Théologie au douzième siècle (Etudes de théologie médiévale XLV), Paris, Vrin, 1957.

Colledge, E. & Guarnieri, R., "The Glosses by 'M. N.' and Richard Methley to the Mirror of Simple Souls", An Appendix to Margaret Porete, "The Mirror of Simple Souls", A Middle English Translation ed. by M. Doiron (Archivio Italiano per la Storia della

Pietà, t. 5), Roma, Edizioni di Storia e Letteratura, 1968, 357-382.

Colledge, E. & Marler, J.C., "'Poverty of the Will': Ruusbroec, Eckhart and the 'Mirror of Simple Souls'", in Jan van Ruusbroec, The Sources, Content and Sequels of his Mysticism, ed. P. Mommaers, N. de Paepe (Mediaevalia Lovaniensa I/XII), Leuven, University Press, 1984, 14-47.

De Ganck, R., "Chronological Data in the Lives of Ida of Nivelles and Beatrice of Nazareth", Ons Geestelijk Erf (57), 1983, 14-29.

De Paepe, N., Hadewijch. Strofische Gedichten. Een studie van de minne in het kader der 12e en 13e-eeuwse mystiek en profane minnelyriek, Gent, 1967.

Delacroix, H., Essai sur le mysticisme spéculatif, Paris, Alcan, 1900.

Dinzelbacher, P., "Die mittelalterliche Adlerssymbolik und Hadewijch", Ons Geestelijk Erf (54), 1980, 5-25.

-, "Hadewijchs mystische Erfahrungen in neuer Interpretation", Ons Geestelijk Erf (54), 1980, 267-279.

-, Vision und Visionsliteratur im Mittelalter (Monographien zur Geschichte des Mittelalters 23), Stuttgart, Hiersemann, 1981.

Doiron, M., Margaret Porete. "The Mirror of Simple Souls". A Middle English Translation (Archivio Italiano per la Storia della Pietà, t. 5), Roma, Edizioni di Storia e Letteratura, 1968.

Dragonetti, R., La Technique poétique des trouvères dans la chanson courtoise. Contribution à l'étude de la rhétorique médiévale, Bruges, De Tempel, 1960.

Dronke, P., "Problemata Hildegardiana", Mittellateinisches Jahrbuch (16), 1981, 117-122.

-, Women Writers in the Middle Ages. A Critical Study of Texts from Perpetua (203) to Marguerite Porete (1310), Cambridge, University Press, 1984.

Dufeil, M.-M., Guillaume de Saint-Amour et la Polémique universitaire parisienne (1250-1259), Paris, Picard, 1972.

Dufour-Kowalska, G., L'Arbre de vie et la Croix, Genève, Le Tricorne, 1985.

Dumeige, G., Richard de Saint-Victor et l'Idée chrétienne de l'amour, Paris, Presses Universitaires de France, 1952.

Eco, U., Il Nome della Rosa, Milan, Fabbri-Bompiani, 1980.

–, Le Nom de la rose, trad. J.-N. Schifano, Paris, Grasset et Fasquelle, 1982.

Epiney-Burgard, G., "L'influence des Béguines sur Ruusbroec", in Jan van Ruusbroec, The Sources, Content and Sequels of his Mysticism, ed. P. Mommaers, N. De Paepe (Mediaevalia Lovaniensia I/XII), Leuven, University Press, 1984, 68-85.

Fraling, B., Mystik und Geschichte. Das "ghemeyne leven" in der Lehre des Jan van Ruusbroec, Regensburg, Friedrich Pustet, 1974.

Gilson, E., La Théologie mystique de saint Bernard, Paris, Vrin, 1969.

Glasson, S., Marguerite de Navarre. Les Prisons. Edition et commentaire, Genève, Droz, 1978.

Gorceix, B. Amis de Dieu en Allemagne au siècle de Maître Eckhart, Paris, Albin Michel, 1984.

Gössmann, E., "Anthropologie und soziale Stellung der Frau nach Summen und Sentenzenkommentaren des 13. Jahrhunderts", in Soziale Ordnungen im Selbstverständnis des Mittelalters (Miscellanea Mediaevalia 12), Berlin, W. De Gruyter, 1979, 281-297.

–, "Das Menschenbild der Hildegard von Bingen und Elisabeth von Schönau vor dem Hintergrund der frühscholastischen Anthropologie", in Frauenmystik im Mittelalter, éd. P. Dinzelbacher, D.R. Bauer, Stuttgart, Schwabenverlag, 1985.

Grundmann, H., "Die geschichtlichen Grundlagen der deutschen Mystik", in Deutsche Vierteljahrsschrift für Literaturwissenschaft und Geistesgeschichte (12), 1934, 400-429.

–, Religiöse Bewegungen im Mittelalter, Darmstadt, Wissenschaftliche Buchgesellschaft, 1961.

Guarnieri, R., "Lo 'Specchio delle anime semplici' e Margherita Poirrette", Osservatore Romano, 16 juin 1946, reproduit dans Il Movimento del Libero Spirito, Appendice 6, 661-663.

–, Il Movimento del Libero Spirito. Testi e documenti (Archivio Italiano per la Storia della Pietà, t. 4), Roma, Edizioni di Storia e Letteratura, 1965.

Guiette, R., D'une poésie formelle en France au Moyen-Age, Paris, A.G. Nizet, 1972.

Haas, A.M., "'Trage Leiden geduldiglich'. Die Einstellung der deutschen Mystik zum Leiden", in "Lerne leiden geduldiglich", Leidensbewältigung in der Mystik (Herrenhalber Texte 67), Karlsruhe, D. Wolfgang Boehme, 1985, 35-55.

225

–, "Mechtild von Magdeburg, Dichtung und Mystik", in Sermo mysticus, Studien zur Theologie und Sprache der deutschen Mystik, Freiburg Schweiz, Universitätsverlag, 1979.

–, "Traum und Traumvision in der deutschen Mystik", Analecta Cartusiana (106/1), Salzburg, 1983, 22-55.

Huot de Longchamp, M., Marguerite Porete. Le Miroir des âmes simples et anéanties. Introd. trad. et notes, Paris, Albin Michel, 1984.

Inge, W.R., Christian Mysticism, London, Methuen, 1899 etc.

Javelet, R., Image et Ressemblance au XIIe siècle de saint Anselme à Alain de Lille, t. 1-2, Paris, Letouzey et Ané, 1967.

–, "L'amour spirituel face à l'amour courtois" in Entretiens sur la Renaissance du XIIième siècle, dir. M. de Gandillac, E. Jauneau, Paris, La Haye, Mouton, 1968, 309-336.

Jundt, A., Histoire du panthéisme populaire, Paris, Sandoz-Fischbacher, 1875.

Kern, J.H. (éd.), De Limburgsche Sermoenen (Bibliotheek van Middelnederlandse Letterkunde), Leiden, 1895.

Koehler, E., "Sens et fonction du terme 'jeunesse' dans la poésie des troubadours", in Mélanges René Crozet, t. I, Poitiers, Société d'études médiévales, 1966, 569-583.

Langlois, Ch.V., "Marguerite Porete", Revue historique (54), 1894, 295-299.

Lea, H.Ch., A History of the Inquisition of the Middle Ages, t. 1-3, London, Sampson Low & Co, 1888 (Reprint 1955).

Lerner, R.E., "An Angel of Philadelphia in the Reign of Philip the Fair: The Case of Guiard of Cressonessart", in Order and Innovation in the Middle Ages, Essays in Honor of Joseph R. Strayer, ed. by W.C. Jordan et al., Princeton, Princeton University Press, 1976, 343-364; 529-540.

–, The Heresy of the Free Spirit in the later Middle Ages, Berkeley, University of California Press, 1972.

Libera, A. (de), Introduction à la mystique rhénane. D'Albert le Grand à Maître Eckhart, Paris, O.E.I.L., 1984.

Libera, A. (de) & Zum Brunn E., Maître Eckhart. Métaphysique du Verbe et Théologie négative, Paris, Beauchesne, 1984.

Mac Donnell, E.W., The Beguines and Beghards in medieval culture, New York, Octagon Books, 1969.

Marrou, H.I., Les Troubadours, Paris, Seuil, 1971.

Maurmann, B., Die Himmelsrichtungen im Weltbild des Mittelalters, München, Fink, 1976.

Mommaers, P., "Hadewijch", in Deutsche Literatur des Mittelalters. Verfasserlexikon, t. 3, Berlin-New York, Walter de Gruyter, 1981, col. 368-378.

Orcibal, J., "Le 'Miroir des simples âmes' et la secte du Libre Esprit", Revue d'histoire des religions (88), t. 176, 1969, 35-60.

Pernoud, R., La Femme au temps des cathédrales, Paris, Stock, 1984.

Pernoud, R. & Clin, M.-V., Jeanne d'Arc, Paris, Fayard, 1986.

Petroff, E., Medieval Women's Visionary Literature, New York, C. Bynum, 1986.

Porion, J.B., "Hadewijch", Dictionaire de spiritualité ascétique et mystique, t. 7, Paris, Beauchesne, 1968, col. 13-23.

Pouillart, R., "Maurice Maeterlinck et la Mystique flamande", in Dr L. Reypens-Album (Studiën en Tekstuitgaven van Ons Geestelijk Erf XVI), Antwerpen, Ruusbroec-Genootschap, 1964.

Preger, W., Geschichte der deutschen Mystik im Mittelalter nach den Quellen untersucht und dargestellt, t. 1: Geschichte der deutschen Mystik bis zum Tode Meister Eckharts, Leipzig, Dorfling und Franke, 1874.

Reeves, H., The Influence of Prophecy in the later Middle Ages. A Study of Joachimism, Oxford, Clarendon Press, 1969.

Reynaert, J., "Over Hadewijch naar aanleiding van drie recente publikaties", Ons Geestelijk Erf (54), 1980, 280-292.

-, "Ruusbroec en Hadewijch", Ons Geestelijk Erf (55), 1981, 193-232.

-, De Beeldspraak van Hadewijch (Studiën en Tekstuitgaven van Ons Geestelijk Erf 21), Tielt/Bussum, Lannoo, 1981.

Roisin, "L'efflorescence cistercienne et le courant de piété au XIIIème siècle", Revue d'histoire ecclésiastique (39), 1943, 342-378.

Ruh, K., "'Le Miroir des Simples Ames' der Marguerite Porete", in Verbum et signum, t. 2: Beiträge zur mediävisten Bedeutungsforschung. Studien zu Semantik und Sinntradition im Mittelalter. Festschrift F. Ohly, München, Wilhelm Funk Verlag, 1975, 365-387.

-, "Beginenmystik. Hadewijch, Mechthild von Magdeburg, Marguerite

Porete", Zeitschrift für deutsches Altertum und deutsche Literatur (106), 1977, 265-277.

–, Meister Eckhart: Theologe, Prediger, Mystiker, München, Beck, 1985.

Schipperges, S., "Einflüsse arabischer Medizin auf die Mikrokosmos-literatur des 12. Jahrhunderts", in Antike und Orient im Mittelalter (Miscellanea Mediaevalia 1), Berlin, Walter de Gruyter, 1962.

Schmidt, M., " 'Discretio', bei Hildegard von Bingen als Bildungse-lement", in Spiritualität heute und gestern, Analecta Cartusiana (35), Salzburg, 1983, 73-94.

–, "Miroir", Dictionnaire de spiritualité ascétique et mystique, t. 10, Paris, Beauchesne, 1979, col. 1290-1303.

–, "Elemente der Schau bei Mechtild von Magdeburg und Mechtild von Hackeborn. Zur Bedeutung der geistlichen Sinne" in: Frauen-mystik im Mittelalter, herausgegeben von P. Dinzelbacher und D.R. Bauer, Ostfildern b/Stuttgart, Schwabenverlag, 1985, 123-151.

–, " 'die spilende minnevlût'. Der Eros als Sein und Wirkkraft in der Trinität bei Mechtild von Magdeburg" in "Eine Höhe über die nichts geht". Spezielle Glaubenserfahrung in der Frauenmystik?, herausgegeben von M. Schmidt und Dieter R. Bauer, Stuttgart-Bad Cannstatt, Frommann-Holzbog, 1986, 71-92.

–, " 'minne dú gewaltige kellerin': On the Nature of minne in Mechtild of Magdeburg's 'fliessendes licht der gottheit' ", Vox benedictina: Women and Monastic Spirituality, 4, 1987, 100-125.

Schmitt, J.Cl., Mort d'une hérésie: L'Eglise et les clercs face aux béguines et aux Béghards du Rhin supérieur du 14e au 15e siècle, Paris, Mouton, 1978.

Schomer, J., Die Illustrationen zu den Visionen der hl. Hildegard als künstlerische Neuschöpfung, Diss., Bonn, 1937.

Schrader, M., "Guibert de Gembloux", Dictionnaire de spiritualité ascétique et mystique, t. 6, Paris, Beauchesne, 1967, col. 1132-1135.

–, "Hildegarde de Bingen (sainte)", Dictionnaire de spiritualité ascétique et mystique, t. 7, Paris, Beauchesne, 1968, col. 505-521.

Schrader, M. & Führkötter, A., Die Echtheit des Schrifttums der heiligen Hildegard, Archiv für Kulturgeschichte, fasc. suppl. 6, Köln, Böhlau, 1956.

Schulz, W., Der Gott der neuzeitlichen Metaphysik, Pfullingen, Neske, 1957.

–, Le Dieu de la métaphysique moderne, trad. J. Colette, Paris, 1978.

Schulze, N.A., Predigten des H. Bernard in altfranzösicher Übertragung, Tübingen, Bibliothek des literarischen Vereins in Stuttgart, 1894.

Spaapen, B., "Hadewijch en het vijfde Visoen", Ons Geestelijk Erf (44), 1970, 7-44; 113-141; 353-404; Ons Geestelijk Erf (45), 1971, 129-178; Ons Geestelijk Erf (46), 1972, 113-199.

–, "Hebben onze 13de-eeuwse mystieken iets gemeen met de broeders en zusters van de vrije geest?", Ons Geestelijk Erf (40), 1966, 369-391.

–, "Le mouvement des 'Frères du Libre-Esprit' et les mystiques flamandes", Revue d'ascétique et de mystique (42), 1966, 423-437.

Stierling, H., Studien zu Mechtild von Magdeburg, Nürnberg, J.L. Stich, 1907.

Strauch, P., Margareta Ebner und Heinrich von Nördlingen, Freiburg im Breisgau und Tübingen, Mohr, 1882.

Thomas, A., "Brunnen", Lexikon der christlichen Ikonographie, I, Rom-Freiburg-Basel-Wien, Herder, 1968, col. 330-336.

Van Mierlo, J., "Hadewijch en Willem van St.-Thierry", Ons Geestelijk Erf (3), 1929, 45-49.

Vekeman, H., "Angelus sane nuntius, een interpretatie van het visioenenboek van Hadewijch", Ons Geestelijk Erf (50), 1976, 225-259.

–, "Beatrijs van Nazareth. Die Mystik einer Zisterzienserin", Frauenmystik im Mittelalter, ed. P. Dinzelbacher, D.R. Bauer, Stuttgart, Schwabenverlag, 1985.

–, "Hadewijch, een interpretatie van de Br. I, II, XXVIII, XXIX als documenten over de strijd rond de wezensmystiek", Tijdschrift voor nederlandse Taal-en Letterkunde (90), 1974, 336-366.

–, "Vita Beatricis en 'Seven manieren van minne'. Een vergelijkende studie", Ons Geestelijk Erf (46), 1972, 3-54.

Verdeyen, P., "De invloed van Willem van St.-Thierry op Hadewijch en Ruusbroec", Ons Geestelijk Erf (51), 1977, 3-19.

–, "La première traduction latine du Miroir de Marguerite Porete", Ons Geestelijk Erf (58), 1984, 388-389.

229

–, "La théologie mystique de Guillaume de Saint-Thierry", chap. 1, Ons Geestelijk Erf (51), 1977, 327-366; chap. 2, Ons Geestelijk Erf (52), 1978, 152-178 & 257-295; chap. 3, Ons Geestelijk Erf (53), 1979, 129-220 & 321-404.

–, "Le procès d'Inquisition contre Marguerite Porete et Guiard de Cressonessart (1309-1310)", Revue d'histoire ecclésiastique (81), 1986, 47-94.

Wackers, P., "Het interpolatieprobleem in de 'Seven manieren van minne' van Beatrijs van Nazareth", Ons Geestelijk Erf (45), 1971, 215-230.

Willaert, F., "Hadewijch und ihr Kreis in den 'Visioenen'", Abenländische Mystik im Mittelalter, ed. K. Ruh, Stuttgart, J.B. Metzlersche Verlagsbuchhandlung, 1986, 368-387.

–, "Is Hadewijch de auteur van de XXVIIIe brief?", Ons Geestelijk Erf (54), 1980, 26-38.

–, De poëtica van Hadewijch in de "Strofische Gedichten", Utrecht, H. & S., 1984.

–, "Hadewijch en Maria Magdalena", Miscellanea neerlandica, Opstellen voor Dr. Jan Deschamps, t. II, Leuven, Peeters, 1987, 57-69.

Wilson, K. M. (ed.), Medieval Women Writers, Leiden, Brill, 1984.

Zum Brunn E. & Libera, A. (de), Maître Eckhart. Métaphysique du Verbe et Théologie négative, Paris, Beauchesne, 1984.

Zum Brunn, E., "Dieu n'est pas être", in Maître Eckhart à Paris. Une critique médiévale de l'ontothéologie. Etudes, textes et traductions par E. Zum Brunn et al., Paris, Presses Universitaires de France, 1984, 84-108.

–, Le Dilemne de l'être et du néant chez saint Augustin. Des premiers Dialogues aux Confessions, Paris: Etudes Augustiniennes, 1969 (Reprint: Amsterdam, Grüner, 1984).

–, St Augustine. Being and Nothingness, New York, Paragon, 1986.

–, "Une source méconnue de l'ontologie eckhartiennne", dans le recueil Métaphysique, Histoire de la Philosophie, Hommage à Fernand Brunner, Neuchâtel, 1981, 111-118.

Zumthor, P., Essai de poétique médiévale, Paris, Seuil, 1972.

Cartes et Illustrations

Abréviations

AASS Acta Sanctorum, 1643 etc. Anvers; 1734-1761, Venise
CC Corpus Christianorum Series Latina, Turnhout
CCCM Corpus Christianorum Continuatio Mediaevalis, Turn-
hout
PG Migne, Patrologia graeca, Paris
PL Migne, Patrologia latina, Paris

Hildegarde:

LDO Liber divinorum operum
LVM Liber vitae meritorum

Hadewijch I et II:

MD Mengeldichten
SG Strophische Gedichten
Br. Brieven

Table des matières

234

TABLE DES MATIERES

Hildegarde de Bingen reçoit l'inspiration du Saint-Esprit sous forme d'un fleuve de feu. Elle inscrit ses Visions sur des tablettes. Celles-ci sont retranscrites par le moine Volmar dans une cellule contiguë tandis qu'elle est assistée par sa fille spirituelle Richardis von Stade.
(Miniature provenant du *Codex latinus* 1942 de la Biblioteca Statale di Lucca et reproduit avec l'aimable autorisation de la Bibliothèque.)

Carte des lieux mentionnés: A, Allemagne

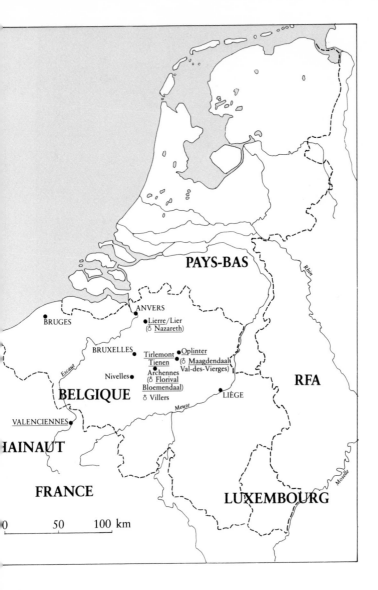

Carte des lieux mentionnés: B, Pays-Bas

L'homme et le cosmos
Le cosmos est enveloppé par les énergies de l'amour trinitaire sous l'aspect d'un cercle de feu. Les images du Père et du Fils sont reliées par un diadème, l'Esprit-Saint. L'univers se présente sous la forme d'une roue (sphérique) avec six cercles concentriques (air dense, subtil, aqueux, etc.). Au centre, la planète terre (en brun). L'homme occupe le centre de l'univers qu'il domine, les bras étendus en croix. Il est traversé par toutes les forces cosmiques suggérées par le souffle des animaux et les lignes qui s'entrecroisent, rayons émanant des planètes et des étoiles.
(*Livre des œuvres divines*, Visions 1 et 2.)
(Codex latinus 1942, Biblioteca statale di Lucca.)

Les cercles concentriques représentent le Père et l'Esprit-Saint. Au centre, l'Homme-Dieu. (Cf. Vision 2, livre II.)
(D'après: Hildegard von Bingen, *Wisse die Wege*, *Scivias*, Otto Müller Verlag, Salzburg, 1976, Tafel 11, avec l'aimable autorisation des éditeurs.)

Monast. Floridæ-vallis Ord. Cister. Ab. F.

L'abbaye de Florival (Bloemendael) à Archennes près de Wavre, d'après la gravure de J. Harrewijn (17ème siècle). (Cabinet des estampes, Bruxelles.)

(D'après: *Vita Beatricis. De autobiografie van de Z. Beatrijs van Tienen O.Cist., 1200-1268*, ed. L. Reypens (Studiën en Tekstuitgaven van Ons Geestelijk Erf XV) Antwerpen: Ruusbroec-Genootschap, 1964, Afb. VIII. Avec l'aimable autorisation des éditeurs.)

Place de Grève à Paris au quatorzième siècle.
(Dessin original de Monique Favre, inspiré d'une reconstitution de Hoffbauer).

1.Beatrix Abbtisijn Cistercienser Ordens zu Nazareth in Niederland, von der Himlische Praütigam zum offtern in sichtbarer Gestalt in ihrer ... liebreichst heim gesucht. u. einsmahls als ein Holdseligster Knab ihr Her... mit einem Pfeil verwundet. Entschliesse selig ihr das Jahr 1535.
...ch: Cristoph Liska del. Prage.   Iac: Andr. Fridrich scul Auguste.

Une vision baroque de Béatrice blessée par la flèche de l'Amour divin.
(Gravure de Liska, dans A. SARTORIUS: *Verteutscht Cistercium bis-tercium*, Prage, 1708.)
(D'après: *Vita Beatricis. De autobiografie van de Z. Beatrijs van Tienen O.Cist., 1200-1268*, ed. L. Reypens (Studiën en Tekstuitgaven van Ons Geestelijk Erf XV) Antwerpen: Ruusbroec-Genootschap, 1964, Afb. XIV. Avec l'aimable autorisation des éditeurs.)